L'engagement de Knight

Collection Incontournables

L'engagement de Knight

C C Gibbs

Traduit de l'anglais par
Guy Rivest

Titre original anglais : Knight takes Queen

Cette publication est publiée en accord avec Grand Central Publishing.
Édition originale publiée en 2012 par Quercus, 55 Baker Street, 7th floor, South Block, London, W1U 8EW.

Éditeur : François Doucet
Traduction : Guy Rivest
Révision linguistique : Féminin pluriel
Correction d'épreuves : Nancy Coulombe, Carine Paradis
Conception de la couverture : Matthieu Fortin
Photo de la couverture : © Getty images
Mise en pages : Sébastien Michaud
ISBN papier 978-2-89786-997-7
ISBN PDF numérique 978-2-89786-998-4
ISBN ePub 978-2-89786-999-1
Première impression : 2016
Dépôt légal : 2016
Bibliothèque et Archives nationales du Québec
Bibliothèque Nationale du Canada

Éditions AdA Inc.
1385, boul. Lionel-Boulet
Varennes, Québec, Canada, J3X 1P7
Téléphone : 450-929-0296
Télécopieur : 450-929-0220
www.ada-inc.com
info@ada-inc.com

Diffusion

Canada :	Éditions AdA Inc.
France :	D.G. Diffusion Z.I. des Bogues 31750 Escalquens — France Téléphone : 05.61.00.09.99
Suisse :	Transat — 23.42.77.40
Belgique :	D.G. Diffusion — 05.61.00.09.99

Imprimé au Canada

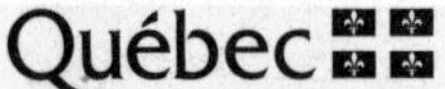

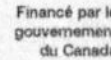

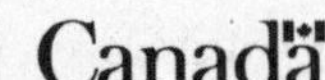

Participation de la SODEC.
Nous reconnaissons l'aide financière du gouvernement du Canada par l'entremise du Fonds du livre du Canada (FLC) pour nos activités d'édition.
Gouvernement du Québec — Programme de crédit d'impôt pour l'édition de livres — Gestion SODEC.

CHAPITRE 1

Londres, mai

Kate déposa les derniers vêtements de nouveau-né au-dessus de la pile à côté d'elle sur l'ancien tapis anatolien, puis regarda au-delà du fouillis d'emballages déchirés et de boîtes vides l'homme connu pour la brièveté de ses relations amoureuses.

— Es-tu vraiment enthousiaste à propos du bébé, Dominic, ou es-tu simplement poli ? Je comprendrais tout à fait, si ça n'était pas ta tasse de thé… je veux dire… eh bien — tous ces adorables cadeaux à part, toi et les bébés… compte tenu de ton style de vie.

Kate secoua les épaules.

— Ça ne va pas nécessairement bien ensemble, ajouta-t-elle.

— J'*aime* les enfants.

Le démenti de Dominic rappelait ses bons rapports avec ses neveux et nièces à San Francisco.

— Tout de même, insista-t-elle, parce qu'elle avait tendance à tout analyser à l'excès et, Dominic Knight, milliardaire et coureur de jupons de calibre international, était le candidat le moins probable en ce qui concernait la paternité. As-tu tenu compte du fait qu'élever un enfant représente un engagement total pour au moins 18 ans, probablement davantage avec le collège et l'université et…

— Je sais ce que je fais, Katherine.

Assis sur le plancher de l'autre côté de la pile d'emballages et de boîtes éparses, Dominic Knight réprima un sourire à l'idée qu'il pourrait accepter cet enfant par courtoisie ou ignorance aveugle.

— Et ce n'est pas dans mes habitudes d'être poli, dit-il, ses yeux bleus posés sur la jolie rousse en pyjama imprimé de chatons qui avait, mine de rien, bouleversé sa vie. Surtout quand il s'agit de mariage et de paternité, ajouta-t-il. Alors, pour répondre à ta question, je suis absolument ravi à propos de notre bébé. J'espère que c'est clair maintenant et pour chaque fois où tu commencerais à te poser des questions sur mes motivations.

Puis, il sourit.

— Et te connaissant, je vais encore entendre ça dans les cinq prochaines minutes.

Elle fit la moue.

— Nous ne pouvons pas tous avoir une parfaite confiance en soi jour et nuit, sept jours sur sept.

Le sourire de Dominic s'élargit.

— S'il te plaît. La dame qui a toujours raison.

— Je suis brillante, n'est-ce pas ? fit-elle avec un sourire.

— Absolument, ma chérie. Tu es ma bidouilleuse informatique géniale, répondit-il en lui adressant un clin d'œil. Et tu as rendu ma vie drôlement plus intéressante.

— Comme c'est diplomate, fit-elle en riant. Alors qu'en réalité tu veux dire que tu aimes bien te battre de temps en temps.

Les paupières de Dominic s'abaissèrent davantage, la lueur espiègle dans ses yeux filtrée par ses cils noirs ridiculement longs.

— Quand tu veux, chérie. Les règles du marquis de Queensbury[1] s'appliquent ou non ? C'est toi qui décides.

1. N.d.T.: Codification des combats de boxe que le marquis de Queensbury contribua à diffuser au XIXe siècle au Royaume-Uni.

Il jeta un coup d'œil à sa montre Cartier Santos Dumont d'origine.

— Je n'ai pas de rendez-vous d'ici demain midi, alors nous avons tout le temps. Et je peux les annuler si nécessaire.

— Comme tu es conciliant, dit doucement Kate.

Dominic eut un petit sourire.

— Nous essayons.

Soudain, l'image d'innombrables femmes avec lesquelles l'incroyablement beau et sexuellement doué PDG des Entreprises Knight s'était montré conciliant mit brutalement fin au petit jeu.

— Mais tu n'es conciliant qu'avec *moi* à partir de maintenant, dit-elle en levant le menton d'un air obstiné.

— Seulement avec toi, acquiesça-t-il immédiatement alors que, seulement quelques mois auparavant, il n'aurait pas compris ce genre de restrictions.

Kate se laissa aller contre le canapé couleur lin, ses yeux verts brillant de plaisir, et elle sourit à l'homme qu'elle aimait.

— Alors, murmura-t-elle avec une délicate impertinence et un petit hochement de tête, est-ce que j'ai vraiment apprivoisé le plus grand Casanova du monde occidental ?

Il lui adressa un lent sourire.

— Je ne croyais pas que tu aimais les hommes apprivoisés, fit-il.

Ses paroles restèrent en suspens dans le silence soudain, traversèrent le corps de Kate, brûlantes et fascinantes, puis se déposèrent profondément en elle pour former une bouillonnante frénésie.

— Ce qui veut dire ? murmura-t-elle, le souffle court.

— Ce qui signifie, pourquoi ne cherchons-nous pas ce que tu aimes ? dit-il doucement en se levant d'un mouvement gracieux de ses muscles saillants, ayant poliment attendu pendant le déballage d'innombrables boîtes qu'elle comprenne finalement ce qu'il avait à l'esprit.

Il lui tendit sa main puissante parsemée de poils sombres, ses longs doigts légèrement écartés.

Un frisson de plaisir la parcourut. Les épaules larges, les hanches minces, en jeans et t-shirt bleu délavé, la beauté sombre, troublante de Dominic était renversante : sa chevelure noire soyeuse, trop longue, les yeux bleus intenses de mauvais garçon, les hautes pommettes et l'élégante structure osseuse, le nez droit comme une flèche, la bouche dont la fermeté contradictoire dissimulait une absolue sensualité. Le tout reflétant une perfection masculine transcendante.

Et quand il se pencha et que sa main se referma sur elle, elle trembla en éprouvant mille sensations, en sentant un besoin fébrile se concentrer dans son ventre, le désir torride monter le long de sa colonne. Agitée, elle dit dans un souffle :

— Je suis désolée, mais il y a si longtemps que je ne vais pas pouvoir me retenir.

Il la remit sur pied, glissa ses mains sous ses bras, la souleva par-dessus la pile de boîtes, puis la déposa.

— Alors, allons prendre soin de toi.

— Tu n'as pas beaucoup de temps, fit-elle d'une voix tremblante. Juste pour que tu le saches.

Il lui adressa un sourire.

— Avons-nous le temps de nous mettre au lit ? Sinon, fit-il en jetant un coup d'œil sur l'érection qui tendait son jeans, il est bon où que ce soit. Tu n'as qu'à dire un mot.

— Dieu du ciel, ne me demande pas de prendre une décision maintenant !

Il sourit en voyant cette envie d'orgasme qu'il connaissait bien chez elle et, la prenant dans ses bras, il traversa à grands pas la salle de réception et le corridor. Quelques instants plus tard, entrant dans la chambre de Kate, il couvrit la distance jusqu'au lit en quatre enjambées et la déposa sur la courtepointe blanche. Il déboutonna son jeans et baissa sa braguette tandis qu'elle se tortillait pour enlever le bas de son pyjama. Il se laissa tomber complètement habillé entre les jambes pâles de Kate et, en habitué du sexe expéditif, il guida habilement l'extrémité de son membre jusqu'au sexe moite de Kate.

— Oh, mon Dieu… dépêche-toi, dépêche-toi…

Il l'entendit prendre une profonde inspiration tandis qu'il s'enfonçait dans son corps délicieux, mais son membre n'y était qu'à mi-chemin quand elle jouit soudainement avec un cri étouffé et plaintif.

Penchant la tête, Dominic inspira devant le gémissement Kate.

— Je suis désolé, chérie, murmura-t-il, son souffle chaud contre sa bouche boudeuse. Nous le ferons mieux la prochaine fois — et la fois d'ensuite, parce que je ne vais nulle part. Je reste ici même pendant aussi longtemps que tu auras besoin de moi, ajouta-t-il en agitant doucement ses hanches.

Elle grogna doucement tandis que son sexe rigide glissait plus profondément en elle, souleva ses hanches vers la sensation paradisiaque, et quand il réagit avec grâce, s'enfouissant encore davantage en elle, elle émit un petit ronronnement de plaisir langoureux.

Il sourit.

— C'est bon ?

Elle émit un autre petit bruit de plaisir, s'agita faiblement.

— Ce n'est pas tout à fait assez ? Tu veux davantage ?

Bougeant avec une délicatesse magistrale, il plongea dans sa douce chair accueillante, la pression comparable à de la soie contre de la soie ; lisse, fluide, délicieusement sensuelle.

— Que penses-tu de ça ?

— Hummm…

Il connaissait ce son primitif, débordant de ravissement, qui lui avait manqué ces 10 dernières semaines, sourit à l'idée de la baiser à mort pour continuer d'entendre ce doux grognement. Cette idée audacieuse lui avait à peine traversé l'esprit qu'il se la reprocha.

« Les choses ont changé, mon vieux. Plus de baises violentes », pensa-t-il.

Prenant une inspiration pour se retenir, secouant mentalement la tête pour faire bonne mesure, Dominic absorba la nouvelle réalité. Mais il avait besoin de quelques lignes directrices.

— Chérie, regarde-moi, dit-il doucement en lui touchant la joue.

Kate leva ses yeux verts où perça une brève lueur d'agacement.

— Pas d'ordres, Dominic, murmura-t-elle sur un ton boudeur. Je veux vraiment venir cette fois. Je déteste ces demi-orgasmes.

Comme si c'était sa faute. Mais ayant adopté sa meilleure attitude depuis qu'elle lui avait récemment permis de revenir dans sa vie, il ne la contredit pas.

— Accorde-moi quelques minutes et nous allons te rendre heureuse. Mais tu devras d'abord me dire si…

Il hésita, prit une petite inspiration avant de poursuivre :

— Je ne veux pas te faire de mal, ni au bébé. Tout cela est nouveau pour moi… alors tu dois dire non si ça ne va pas. Je n'ai rien contre l'apprivoisement si c'est ce dont tu as besoin. Compris ?

— Tout est normal. Rien n'a changé, répondit-elle.

Il haussa un sourcil, puis elle soutint son regard juste assez longtemps pour souligner qu'elle en était certaine.

— Vraiment, je vais tout à fait bien.

À part quelques nausées matinales, mais ce n'était pas le matin.

— Alors, ne t'inquiète pas de ça, termina-t-elle.

Il avait depuis longtemps dépassé tout type d'intimidation, même de la part de la mère obstinée de son enfant, et il sourit poliment.

— Au cas où, c'est tout ce que je veux dire. Tu parles et j'écoute.

— Et si je te disais de bouger un peu ? fit-elle avec impertinence.

Il ne savait trop s'il devait rire ou être fâché. Elle remettait constamment en question le rôle bien établi des femmes dans sa vie sexuelle. Sans parler de sa vie en général. Par ailleurs, il avait été trop longtemps aux commandes d'une grande partie du monde pour accepter des ordres d'elle ou de quiconque.

— Demande-le-moi gentiment et je me ferai un plaisir de bouger.

Elle grimaça.

Il se déplaça juste assez pour la convaincre.

Après avoir cessé de frissonner, elle lui jeta un regard oblique.

— Allez, chérie, montre-toi conciliante. Ni toi ni moi n'aimons les ordres, dit-il avant de sourire. Demande-le-moi seulement un peu gentiment. Nous voulons ça tous les deux, OK ?

Elle leva les yeux au ciel, mais toutes les terminaisons nerveuses de son corps étaient concentrées sur la taille de la splendide queue de Dominic qui la remplissait, son pouls palpitant à travers le réseau comprimé de veines dans son membre gorgé de sang, correspondant à ses propres battements de cœur frénétiques. Et, maudit soit-il, il pouvait la faire attendre pendant une semaine ou davantage, alors vraiment… qu'étaient quelques mots en échange d'une jouissance stupéfiante ?

— S'il te plaît, bouge, dit-elle à peine doucement. C'est suffisant comme compromis ?

— Absolument, murmura-t-il.

Il l'embrassa d'un geste tendre, se retira légèrement et, quand il vit la mauvaise humeur envahir de nouveau son regard, il ajouta rapidement :

— Nous sommes ici, chérie. Ceci, c'est pour toi.

Mais il s'enfouit de nouveau dans son corps moite et accueillant, lentement et prudemment, parce que l'un d'eux devait être raisonnable et que ça signifiait généralement lui. Quand il atteignit l'ultime profondeur et appuya doucement contre la chair tendue de Kate, elle abaissa les paupières, la mauvaise humeur quitta ses yeux et elle soupira doucement dans un état de satisfaction bienheureux.

Il sourit. Voilà. C'était là le son qu'il attendait.

Elle était heureuse, satisfaite. Sans dureté ni violence.

Mais les prochains mois, il allait devoir faire preuve d'abnégation et de prudence. Non pas que le retour de Katherine n'ait pas été à son immense bénéfice. Et, merde, la grande majorité des gens pratiquaient le sexe traditionnel. Il finirait peut-être même par s'y habituer.

Ses priorités fixées, il intégra l'idée nouvelle de faire l'amour, un concept étrange et radical pour lui, distinct de la baise, unique à cette femme voluptueuse sous lui, qui l'enveloppait, réchauffait sa queue et son cœur. Altruiste, super indulgent, faisant appel à ses talents considérables, il se retirait, puis s'enfonçait de nouveau tandis qu'elle devenait de plus en plus humide, lui dit ce qu'ils allaient faire après qu'elle ait convenablement joui, comment il allait la tenir éveillée toute la nuit, comment il allait la remplir de sperme parce qu'il le pouvait et qu'elle était toujours consentante.

— Ne l'es-tu pas? murmura-t-il en lui mordillant le lobe de l'oreille et en savourant son odeur.

La voix profonde et autoritaire de Dominic échauffait ses sens, ses dents qui la mordillaient la faisaient frissonner, la faisaient haleter de désir, son énorme queue — son accoutumance fatale, son plaisir avide. Et tandis qu'il allait et venait en elle habilement, se souciant de plaire à la fois à son clitoris et à son point G, elle s'accrocha à lui, souleva les hanches pour aller au-devant de chaque pénétration délicieuse jusqu'à ce que, de plus en plus frénétique, elle accélère le rythme.

Il modifia doucement sa cadence, soucieux de répondre à ses attentes, parfaitement capable, et même doué pour satisfaire les femmes selon sa volonté.

Et c'en était ainsi avec Katherine : il le voulait de tout son cœur.

Comment avait-elle pensé pouvoir vivre sans lui, sans ce plaisir profond adouci par la magie de l'amour, la métaphore parfaite du fait d'avoir le beurre et aussi l'argent du beurre.

— Ne t'arrête jamais, souffla-t-elle en soulevant les hanches, faisant glisser ses mains sous son jeans ouvert, écartant les doigts sur ses fesses musclées et les agrippant de toutes ses forces. Jamais, plus…, s'écria-t-elle alors qu'il se dégageait de sa poigne.

— Écoute-moi bien, chérie, dit-il d'une voix enjôleuse. Ceci veut dire que je ne m'arrête pas.

Et, s'étant retiré, il plongea de nouveau en elle jusqu'à ce doux endroit qui lui faisait toujours retenir son souffle.

— Oh, mon Dieu…

Elle pouvait sentir ses os se désagréger, son cerveau se transformer en bouillie, son corps se liquéfier en une flaque de passion et de besoin torrides.

— Plus, plus.

Elle pressa ses hanches contre son érection pour aller au-devant de la vague suivante de ravissement fébrile.

— Plus !

Le halètement de Kate, son exigence frénétique toucha une corde extrêmement sensible dont il n'avait pas connu l'existence jusqu'à récemment. Celle qui concernait la jalousie et la possession, deux concepts inconnus jusqu'à ce que Katherine entre dans sa vie. Il s'immobilisa soudain en elle.

— Chérie, qui est en train de te baiser ?

Sa voix avait un ton agacé.

— Sais-tu seulement qui est en train de te baiser ?

Elle gémit, essaya de bouger.

Il la tint contre le matelas, sa main sur sa hanche.

— Ouvre tes foutus yeux et réponds-moi.

Elle l'entendit finalement, ou plutôt son grognement bas, rauque, son ton autoritaire atteignirent sa conscience et chaque zone charnelle palpitante, chaque circuit libidineux de son corps, s'allumèrent, déclenchés par des souvenirs lascifs. Elle s'efforça d'ouvrir les yeux mais, distraite par les sensations fulgurantes, par les ondulations préorgasmiques tremblotantes aiguillonnant son cerveau, elle se concentra plutôt sur le délire croissant.

— Katherine, dit Dominic d'une voix sèche et exigeante.

Mais si proche maintenant de la jouissance, elle ne l'entendit pas.

Se forçant à bien se comporter, se rappelant pourquoi il devait agir calmement, il réprima sa mauvaise humeur et toucha doucement la lèvre inférieure de Kate.

— Ça va, chérie, peut-être la prochaine fois.

Et, à la fois contrit et conciliant, il recommença à se mouvoir en elle.

— Bon Dieu, merci, haleta-t-elle, non pas en réponse à l'exhortation qu'elle n'avait pas entendue, mais par une abjecte reconnaissance parce que sa jouissance s'était immédiatement déclenchée tout en éclairs et en violence tandis qu'il caressait sa chatte frémissante jusqu'aux tréfonds.

Il ravala la réponse classique à « Bon Dieu », sourit, murmura « C'est parti, chérie », puis plongea de nouveau, plus profondément, glorieusement, savoureusement.

Projetant son bassin vers le haut, avide, vorace, si près du but, elle entra en contact avec l'élan de Dominic et tout à coup l'hystérie croissante explosa et son orgasme commença à se répandre, bouillant et rageur, à travers son corps. L'extase se répandit dans sa colonne vertébrale, colora le monde entier d'un ravissement radieux, électrifia son cerveau et, au moment où elle allait jouir, elle se tendit un instant. Puis, son cri sauvage s'éleva dans la grande pièce, se répercuta sur les murs pastel, exprimant d'une voix puissante les 10 longues semaines de privation sexuelle tandis qu'elle jouissait encore, encore et encore…

Se déversant déjà dans le sexe trempé de Kate, Dominic n'entendit pas son cri, trop désireux d'assaillir coup après coup son corps accueillant, seulement concentré sur le fait d'éjaculer un flux de sperme chaud dans la femme qu'il considérait comme sa propriété personnelle.

Après un long raz-de-marée saccageur de béatitude mutuelle, les grognements gutturaux de Dominic et les cris de Kate disparurent lentement, le silence brisé seulement par leurs respirations haletantes jusqu'à ce que finalement, le silence complet se fit.

Prolongé.

Les deux personnes sur le lit encore enveloppées dans une douce euphorie.

Finalement, à demi étourdie et radieuse, encore inexplicablement submergée par le désir, Kate murmura :

— Je t'avertis, Dominic, il se peut que je n'en aie jamais assez de toi.

Il lui fallut une fraction de seconde pour lever la tête du matelas près de l'épaule de Kate. Et une autre seconde pour retrouver sa respiration normale. Puis, se posant sur ses avant-bras, une position enracinée, habituelle, pour un homme de sa taille, il lui sourit.

— Nous pouvons venir ici n'importe quand, chérie.

Toujours en elle, son membre à peine moins rigide, il bougea les hanches en signe de confirmation.

— Tu n'as qu'à le demander, ajouta-t-il.

Levant les bras, elle accrocha les mèches noires de Dominic derrière son oreille et sourit.

— C'est parfait, parce que tu m'appartiens, dit-elle. Ne l'oublie pas.

— Même chose pour moi, chérie, répondit-il en touchant ses lèvres. Et je ne partage pas. N'oublie *jamais* ça.

— Pourquoi le voudrais-je ?

Elle s'étira paresseusement en un mouvement langoureux qui poussa ses seins sous son pyjama contre la poitrine de Dominic.

— Je n'ai jamais été aussi heureuse, aussi débordante de désir et d'amour.

Alors qu'elle semblait si chaude et sexy, que ses seins généreux reposaient légèrement contre son corps, que son commentaire sur le fait de n'en avoir jamais assez correspondait à ses propres impulsions libidineuses, Dominic éprouva soudain le besoin de souligner fermement les limites de leur relation. Ou, de manière plus pertinente pour un homme possédant son tempérament dominateur, le besoin de marquer clairement son territoire. Frôlant la bague de fiançailles en diamant de 42 carats récemment glissée au doigt de Kate, Dominic dit doucement :

— Cet anneau signifie que nous restons ensemble. Aujourd'hui, demain, à tout jamais. Nous tous. Toi, moi, le bébé. Rien ni personne ne se met en travers de notre chemin. C'est compris ?

Elle acquiesça, essayant de réprimer les larmes qui lui montaient aux yeux.

— Je pleure... tout le... temps, maintenant, hoqueta-t-elle. Surtout... quand je pense au bébé. Tu vas te rebeller... en constatant à quel point... je suis devenue collante... et pleurnicharde.

— Après 72 jours, commença-t-il en tournant son poignet pour jeter un coup d'œil à sa montre, 10 heures 23 minutes sans toi...

Il secoua la tête.

— Non, non... pas question, chérie, impossible.

Elle se mordit la lèvre quand ses larmes se mirent à couler.

— Hé, tout ira bien à partir de maintenant.

Penchant la tête, il lécha ses larmes, puis saisit la couverture et essuya ses joues.

— Nous n'allons pas foutre ça en l'air. Nous allons nous rendre mutuellement heureux. Et parlant de bonheur, murmura-t-il tout en s'écartant suffisamment pour atteindre les boutons du haut de pyjama de Kate, voyons voir ce nouveau corps qui fabrique un bébé.

CHAPITRE 2

Les yeux bleus de Dominic brillaient de plaisir pendant qu'il détachait le bouton du haut de pyjama de Kate.

— Je me sens comme un enfant qui déballe un cadeau spécial à Noël.

— Alors, si tu me déshabilles, dit Kate d'une voix paresseuse et satisfaite, nous allons tous deux avoir un cadeau spécial.

Il lui adressa un sourire perversement sexy.

— Ça prendra deux secondes.

— Peut-être voudrais-tu reformuler ça, dit-elle immédiatement irritable, oubliant difficilement toutes les femmes de son passé de tombeur, les photos de sexe, les tabloïds et le reste.

Il leva les yeux sur son regard rageur, puis ses doigts s'immobilisèrent.

— Pourquoi ne prendrais-je pas mon temps pour te déshabiller ? Il ne s'agit ici que de ce que tu désires.

Parce qu'il avait ce qu'il voulait.

— Tu n'as qu'à établir l'horaire.

Stupéfiée ou embarrassée, ou les deux, Kate soupira doucement.

— Seigneur, je suis encore plus jalouse qu'avant. Je vais devoir en faire le reproche à mes hormones de femme enceinte parce que je ne veux pas penser à moi comme à une sale jalouse.

Elle eut un demi-sourire.

— Dis-moi que ça ne te dérange pas, sinon je vais fondre en larmes encore une fois.

— Tout ce que tu fais me va, chérie, dit-il en riant.

Puis, sa voix se fit plus douce.

— S'il y avait neuf cercles de l'enfer, j'étais dans le dixième sans toi, OK ? Rien de ce que tu pourras faire n'égalera jamais ce foutu supplice. Alors, la jalousie, les pleurs, quoi que ce soit — ne te gêne pas, je m'en fiche.

Le sourire de Kate était de nouveau radieux.

— Vraiment ? J'ai carte blanche[2] ?

— Absolument. Tu portes ce bébé pour nous. Tout t'est permis. Si tu veux quelque chose, tu me le dis. Je vais le trouver pour toi. Si tu as besoin d'une épaule sur laquelle pleurer, je suis là. Si tu as follement envie de quoi que ce soit, c'est à toi.

Prenant le visage de Kate entre ses mains, il pencha la tête.

— Parce que j'ai du talent pour obtenir ce que je veux, murmura-t-il.

— Et tu me veux.

— Tu n'as pas idée à quel point, chérie.

— Même si je suis grosse ?

— Ça dépend jusqu'où, je suppose, dit-il en souriant.

Elle lui assena un coup de poing.

Il lui adressa un regard amusé.

— OK, alors, nous allons enlever tous les pèse-personnes dans nos maisons.

— Tes maisons.

2. N.d.T.: En français dans le texte original.

— Hé, fit-il en la regardant, les lèvres pincées.

— Nos maisons… dans trois semaines, ajouta-t-elle en souriant.

— Je pourrais devoir te donner une petite fessée maintenant, mais je ne crois pas que je vais éviter de le faire si tu deviens trop bavarde, Katherine. Nous n'allons pas nous quereller à propos de l'argent. Ce qui m'appartient t'appartient. Fin de la discussion.

Elle agita les hanches.

— Essaies-tu de changer de sujet ? demanda-t-il, mais son membre reçut le message cinq sur cinq et s'enfla nettement.

— Oui, ronronna-t-elle. Je déteste parler d'argent et, à titre d'information, la grossesse me fait sentir encore plus sexy.

Il la fixa du regard.

— Vraiment ?

— Aucun doute dans mon esprit.

Il exhala doucement, songea à quelques rapides questions parce que même si Max la surveillait pendant leur séparation, il était possible d'avoir raté quelqu'un. Puis, prenant une grande inspiration, il dit prudemment :

— Je ne vais te demander ça qu'une fois et je m'excuse à l'avance parce que je n'ai aucun droit de le demander alors que nous n'étions pas ensemble, mais as-tu…

— Seulement mon godemiché, ou le tien, en fait, l'interrompit-elle parce qu'elle essayait si fort d'être polie.

Il laissa échapper un soupir.

— Désolé. Ça ne devrait pas avoir d'importance, mais ça en a.

— Parle-m'en, marmonna-t-elle en l'écartant tandis que la jalousie la rendait immédiatement de mauvaise humeur encore.

Il n'aurait pas été obligé de bouger ; il pesait des dizaines de kilos de plus qu'elle. Mais compte tenu de leur très récente réconciliation, il se déplaça et s'étendit confortablement près d'elle, soutenant sa tête avec sa main.

— Allez, chérie, le cauchemar est presque terminé, dit-il doucement. Et à la minute où ce juge en France officialisera mon divorce, nous allons nous marier. Tu devrais le dire à Nana.

— Ne change pas de sujet. Je devrais te fouetter les fesses, dit-elle sur un ton moins grognon après avoir entendu la douce ardeur dans la voix de Dominic.

Encouragé, il sourit.

— Si ça change le sujet, n'hésite pas.

Elle sourit de toutes ses dents.

— Vraiment ?

— Absolument. Je ne veux pas parler de l'enfer que je viens de traverser ou même y penser.

Dans le cadre d'une entente qui avait mal tourné et qui risquait de l'anéantir et, plus important encore, d'anéantir Katherine, il avait accepté de se soumettre à un mariage de trois mois parce que la vie de Katherine était en jeu — même si elle n'était pas consciente du danger. Quand, à ce moment, il avait essayé de tout lui expliquer en une version terriblement édulcorée qui ne faisait pas état de la menace qui planait sur elle, elle avait pété les plombs.

— Mais, sérieusement, chérie, ajouta-t-il en orientant la conversation vers un sujet moins controversé, tu devrais mettre Nana au courant. Je vais lui envoyer un avion, mais elle pourrait apprécier d'être prévenue.

— Je ne peux pas l'appeler et lui dire que tu es marié, que je suis enceinte et que si tout va bien, tu obtiendras bientôt le divorce *et* si tout cela se produit, que nous allons alors nous marier. Non seulement ça semble être une quelconque arnaque, mais j'aimerais aussi voir tes documents de divorce avant de l'appeler. Si tout n'est pas réglé, Nana va descendre de l'avion avec un fusil chargé pointé sur toi. Tu l'as rencontrée, alors ça ne devrait pas te surprendre.

— Elle ne m'a pas paru déraisonnable, dit-il. Nous nous sommes bien entendus.

— Bon Dieu, tu l'as envoûtée aussi ?

— Alors, tu veux dire que je t'ai envoûtée ? fit-il en souriant.

— Dans la mesure où nous allons bientôt être parents, fit-elle remarquer d'un ton sardonique en faisant glisser sa main sur son ventre légèrement gonflé.

— La chance est de mon côté, murmura-t-il en plaçant sa main sur son ventre. Je suis sérieux, Katherine. Tu ne sais pas à quel point je suis ravi que tu portes mon enfant.

Il se pencha, tenta sa chance, lui embrassa la joue et se félicita mentalement quand elle ne se déroba pas.

— Mais si tu le préfères, appelle Nana quand tout sera réglé.

— Bon Dieu, Dominic, à t'entendre, on dirait que tu as oublié ton parapluie et qu'aussitôt que quelqu'un t'en apporte un, la vie reprend son cours normal.

— Je me fiche des difficultés pourvu que nous retrouvions la vie que nous avions.

Un muscle frémit le long de sa mâchoire et une froideur envahit soudainement ses yeux.

— Et je te promets que nous allons la retrouver, ajouta-t-il.

— Tu parles sur le même ton que tu avais avec ces banquiers à Singapour. Tu veux bien arrêter ? Tu me fais peur.

Il passa sa main sur ses yeux comme pour annuler ses paroles.

— Désolé, dit-il doucement, la froideur disparaissant de son regard. Et maintenant, si tu peux attendre quelques minutes avant de me flageller, j'aimerais saluer notre bébé, fit-il en enveloppant son petit ventre avec sa large main.

Il se pencha, puis murmura :

— Je suis ton papa. Nous allons bien nous amuser toi et moi et ta mère. Tu vas être le centre de notre univers, tu savais ça ? Et si tu veux un poney, tu en auras un, ajouta-t-il en blague avant de lever les yeux et de s'étendre à nouveau. Ils peuvent entendre, n'est-ce pas ?

— Je le crois. Je suis complètement ignorante. J'ai failli avoir un poney, mais mon grand-père a refusé parce qu'il ne voulait pas avoir à nettoyer l'écurie. En as-tu eu un ?

— Non. Je n'en ai jamais voulu, mais peut-être que le bébé tiendra de toi. As-tu entendu ça ? demanda-t-il en caressant le ventre de Kate. Ta maman voulait un poney.

Il leva les yeux vers Kate.

— Je pense que nous devrions acheter quelques livres sur les enfants. Ni toi ni moi ne savons ce que nous faisons. En fait, laisse-moi appeler Melanie. Elle pourrait nous en envoyer quelques-uns d'ici à demain.

Il prit son téléphone cellulaire dans la poche de son jeans et commença à composer le numéro de sa sœur à San Francisco.

— Maintenant ?

— C'est le début de l'après-midi à San Francisco. Si elle les achète aujourd'hui, nous allons les recevoir demain. Nous ne pouvons pas aller les acheter nous-mêmes parce que les paparazzi pourraient nous voir et si un membre de mon personnel les achète, ce ne sera pas mieux. Alors, nous ne courons aucun risque avec Melanie.

Il sourit.

— Satisfaction immédiate du désir. Je veux en apprendre davantage sur les bébés. Non pas que je n'ai pas aidé Melanie avec ses deux premiers, mais quand ce n'est pas vraiment ton boulot, tu fais seulement ce qu'on te dit. C'est *notre* bébé. Je veux *tout* savoir. Salut, Mel. Nous avons besoin de quelques livres sur les enfants. Tout ce que tu peux trouver. Envoie-les cette nuit. Sans blague, je suis tout excité. Pourquoi ne le serais-je pas ? Oui, oui, c'est mignon. C'est même encore mieux, OK ? Disons cent fois mieux. Ne m'embête pas davantage. Contente-toi de les envoyer. Non, tu ne peux pas parler à Katherine en ce moment parce que je lui parle. Ouais, c'est ça. Bye.

Il rompit la communication et jeta le téléphone sur la table de chevet.

— Qu'est-ce qui est cent fois mieux ?

— Rien. Mel faisait sa futée, c'est tout.

— Dis-moi.

— C'est grivois.

— Maintenant, je veux vraiment le savoir.

— C'était il y a longtemps, dit-il en grimaçant.

— Bon Dieu, Dominic. Tu veux courir le risque de ne jamais plus me baiser ?

— Fais attention, chérie. Ce n'est pas négociable.

— J'ai peut-être mon mot à dire à ce propos.

— Pas autant que moi, répondit-il en grognant doucement.

Elle soupira.

— Je ne pourrais pas, de toute façon. Cette grossesse me rend tellement sensuelle. Mais il se *pourrait* que je sois trop fatigué pour faire l'amour. Je *suis* très fatiguée.

— Oh, merde… d'accord. Mais ne te fâche pas. C'est seulement du jargon de surfeur. Quand tu surfes sur des vagues qui devraient te tuer et que tu te trouves aux prises avec un tunnel de vent qui devrait te détruire et que tu te sais dans l'impossibilité de le maîtriser, tu lâches prise. Tu te laisses aller et tu glisses à travers un tourbillon d'eau verte. Et quand tu ressors vivant de l'autre côté, nous disons de ça que c'est la meilleure chose après une baise à trois. C'est tout.

Ou bien c'était tout ce qu'il allait lui dire. Elle paniquerait devant la réalité d'une vraie baise à trois.

— Ce n'est pas si grivois. C'est mignon.

— Heureux de l'entendre.

Vraiment heureux. Il s'en était tiré.

— Alors, dit-il en indiquant les boutons de son pyjama. Je peux ?

— C'est toujours oui pour toi, merde. J'aimerais parfois pouvoir mieux me maîtriser.

Il sourit, leva les yeux en libérant un deuxième bouton.

— J'aime que tu ne puisses pas te maîtriser.

— Quand même, c'est toujours trop facile pour toi. Ça l'a toujours été, je suppose. Je déteste faire partie d'un troupeau.

La pensée qu'il ne ferait tout ça pour personne d'autre qu'elle l'arrêta pendant un bref moment. Risquer sa vie, offrir sans réserve un pot-de-vin de millions de dollars pour le minable Gora qui avait menacé Katherine, marier la petite maîtresse assoiffée de sexe de Gora qui cherchait à enrichir davantage sa famille.

— Tu es unique, chérie. Tu ne fais pas partie d'un troupeau, dit-il doucement en recommençant à la déboutonner. Je n'ai jamais demandé à personne de m'épouser, auparavant. Je n'ai jamais envisagé d'avoir un bébé avec quiconque. Je n'ai jamais été en amour à ce point. Tu voudrais que je te couche ça par écrit ? Sur un panneau d'affichage quelque part ? Je pourrais diffuser un communiqué de presse. En toute modestie, dit-il avec un petit sourire en libérant le dernier bouton, ce serait une nouvelle d'envergure internationale.

— Je le veux écrit dans le ciel, répondit-elle d'un ton neutre avant de sourire. Et merci. Pour quelqu'un qui, comme moi, a toujours eu plus de confiance en soi que nécessaire, ce bébé me rend tout à l'envers. C'est vraiment étrange.

— Ça n'a pas d'importance. Je t'aime étrange ou n'importe comment. Hummm… ça, j'adore, murmura-t-il après avoir écarté le haut de son pyjama. Ils ont grossi.

Il leva la tête.

— Quand est-ce arrivé ? demanda-t-il.

— Tu en es sûr ? Je n'avais pas remarqué.

— J'en suis sûr, chérie. Tu as trop travaillé si tu ne les as pas remarqués, répondit-il en glissant sa main sous la courbe d'un sein et en le relevant doucement. Nous allons devoir faire venir Mme Hawthorne pour nous assurer que tu aies des soutiens-gorge qui conviennent.

— Non.

— Plus tard, alors.

Il s'assit et prit son autre sein.

— Non, pas plus tard non plus, dit-elle.

Ils s'étaient déjà querellés à ce sujet.

— Alors, tu vas devoir porter des vêtements amples, parce que ces seins ne sont pas destinés au public.

Il bougea les doigts et serra très doucement ses mamelons enflés.

— Ils sont pour moi.

— Je dirais que le bébé a priorité sur mes nichons. Oh, mon Dieu, que c'est bon !

Il leva les yeux, et sourit.

— Alors, je passerai en second. Apparemment, l'abnégation parentale commence tôt.

— Même plus tôt que ça, fit-elle en haussant les sourcils. Mes seins sont incroyablement sensibles maintenant et je suis en chaleur presque toute la journée, tous les jours. Alors, je vais avoir besoin de ton attention… disons, tout le temps.

— Bon Dieu, souffla-t-il. Ma queue a entendu ça. Es-tu sûre que ça va ?

— Ne va même pas imaginer le contraire, siffla-t-elle.

— Désolé. Mais nous devrions parler au médecin seulement pour nous en assurer.

Elle lui jeta un regard furieux.

— Demain. Pas maintenant. Une femme médecin. Je n'ai pas aimé Clifton, fit-il.

— Tu n'es pas encore déshabillé, dit-elle en ignorant ses commentaires, n'écoutant qu'à demi, son attention centrée sur son désir impatient, sur les palpitations constantes entre ses jambes, en particulier sur le jeans ouvert de Dominic et son érection évidente sous son caleçon boxeur rayé bleu et blanc.

— J'aimerais le déshabillage ultra rapide, si ça ne te dérange pas.

— Ça aurait de l'importance, si ça me dérangeait ? demanda-t-il avec un sourire en arrachant son t-shirt.

— C'est *moi* qui vais te fouetter les fesses si tu ne te dépêches pas.

Puis, elle prit une inspiration tremblante, ses yeux remplis de larmes, et elle murmura :

— Tu m'as vraiment manqué.

Il se trouva nu en moins de deux secondes, si reconnaissant de l'amour qui fusait des yeux de Kate qu'il lui aurait donné le monde entier enveloppé et enrubanné, puis livré par des lutins, si elle le lui avait demandé.

Mais il livra la seule chose dont il était certain qu'elle avait besoin. S'installant rapidement entre ses jambes, il la pénétra en douceur, plus lentement qu'à l'habitude malgré ses protestations disant que tout allait bien.

Ils n'étaient pas encore tout à fait d'accord sur ce que signifiait aller bien.

— Dominic ! S'il te plaît ! s'écria-t-elle énervée, enveloppant rapidement ses jambes autour des hanches de Dominic, ses bras autour de son dos, l'attirant vers elle.

Il s'enfonça encore davantage, prudemment, choisissant d'ignorer ses ongles enfoncés dans son dos, mais ce n'était pas vraiment possible.

— Je vais me mettre à pleurer si tu ne me laisses pas jouir !

Alors, il céda, non pas parce que ses pleurs le déconcertaient, mais parce qu'il voulait lui plaire. Et au lieu de la pénétrer plus profondément, il poussa son membre épais et dur vers le haut et le frotta contre son point G frémissant.

— Nous allons voir un médecin demain, dit-il d'une voix basse et rude. Dis oui, sinon j'arrête.

— Oui, oui, oui… oh oui, souffla-t-elle, ses ongles relâchant la pression sur son dos. Fais ça encore.

— Ça ?

Son niveau de douleur heureusement diminué, il lui obéit avec sa queue experte et les muscles durs comme fer de ses cuisses, poussant doucement contre son point G et contre son clitoris, une fois, deux fois, plusieurs autres fois avant d'entreprendre des allers-retours en bougeant d'un côté et de l'autre, puis en revenant à sa zone de plaisir préférée pendant qu'elle haletait et soufflait de ravissement, gémissait doucement dans une hystérie croissante.

Et il fit ce pourquoi des femmes l'aimaient partout dans le monde, au-delà même de son argent : il baisa comme un artiste ; avec un talent naturel, une compétence technique presque indécente et le don affiné de jauger correctement le degré d'excitation féminine.

Comme *maintenant*, décida-t-il en glissant ses longs doigts minces sur la courbe des hanches de Kate, sous son cul doux et rond et, la soulevant de façon à ce que son érection se presse durement contre son sexe palpitant de ravissement.

— Oh, mon Dieu, oh, mon Dieu, oh, mon Dieu…

Il la regarda avec un léger sourire et une queue bien élevée, disciplinée, tandis que, pratiquement à bout de souffle maintenant, elle filait à une vitesse folle vers le précipice orgasmique et jouit avec seulement de tout petits cris.

Qui servirent d'arrière-plan musical à sa propre jouissance satisfaisante.

— Ne bouge pas, murmura-t-il quelques minutes plus tard en retirant les jambes de Kate de son dos et en les posant sur le lit. Nous avons besoin de quelques serviettes.

— Je ne peux pas bouger, dit-elle les yeux toujours fermés. Il se peut que je ne puisse plus jamais le faire.

La mignonne naïveté[3] de Kate lui plaisait toujours. Le sexe était si rafraîchissant et nouveau pour elle, chaque orgasme reçu avec une joie sans borne.

— Alors, je n'ai pas à m'inquiéter que tu t'évades pendant que je suis parti, dit-il en roulant hors du lit.

— Tu n'as pas à t'inquiéter que je m'enfuie un jour. Ça devrait te terroriser.

Elle n'avait toujours pas ouvert les yeux, sa voix débordante de satisfaction.

— Au contraire, chérie, dit-il par-dessus son épaule pendant qu'il s'éloignait. Ça m'évite d'avoir à te ramener en te traînant. Parce que tu es mienne comme dans « en permanence », jusqu'à la fin des temps.

3. N.d.T.: En français dans le texte original.

Le son de sa voix s'évanouit quand il entra dans la salle de bain.

Se sentant immédiatement dépourvue de sa chaleur, comme si la lumière du monde avait baissé, elle ouvrit soudainement les yeux, s'assit et cria :

— Dominic !

Il apparut dans la porte de la salle de bain, tenant à la main une pile de serviettes blanches.

— Je suis ici, chérie.

Il ne se formalisa pas de la panique dans la voix de Kate parce qu'il ne connaissait que trop bien ce sentiment de perte.

— Je serai toujours ici. En fait, j'aimerais t'attacher à mon poignet, si tu le veux bien, ajouta-t-il en entrant dans la salle de bain. Il faudra que nous en parlions.

Elle se laissa retomber sur le lit et sentit son rythme cardiaque commencer à ralentir.

— Tout est soudainement si intense, hyper-émotionnel, presque hystérique. Je suis nerveuse et les larmes me montent aux yeux à propos de tout et de rien.

— C'est simplement le bébé. Nous allons parler à un médecin demain, apprendre certains éléments de base à propos des humeurs prénatales, lire ces livres de Mel et nous contenter d'être heureux à propos de tous ces nouveaux changements que tu subis. Je me fiche à quel point tu deviens nerveuse pourvu que tu restes à portée de vue. Il n'y a pas que toi qui deviennes dingue.

Lançant les serviettes au pied du lit, il s'assit près de Kate, l'essuya, puis s'étendit à côté d'elle et la tira dans ses bras.

— Tu me gâtes vraiment, murmura-t-elle en se blottissant contre lui. Je pourrais sortir du lit et aller me laver. Je ne devrais pas être si paresseuse.

— Ne t'en fais pas, j'adore te gâter.

Venant de la part d'un homme qui n'avait pas l'habitude de gâter les femmes autrement qu'avec sa queue talentueuse. De la part d'un homme qui avait du personnel dans toutes ses maisons pour ne pas avoir à se soucier des choses ordinaires de la vie.

— Es-tu fatigué ? Je le suis un peu, dit-elle d'une voix déjà ensommeillée.

Il jeta un coup d'œil à l'horloge.

« Merde, il n'est même pas 21 h », pensa-t-il.

— Ça va, chérie. Mais nous devons parler du moment où nous allons retourner chez nous, aux États-Unis. Tu vas avoir de plus en plus besoin de sommeil, et si nous attendons trop longtemps, ce ne sera plus prudent pour toi de voyager.

Immédiatement réveillée à l'idée de laisser tomber ses responsabilités professionnelles, elle dit :

— Je ne peux pas y retourner tout de suite. Mon contrat avec CX Capital ne se termine que dans trois mois.

Elle soupira.

— Et Joanna s'attend à ce que je fasse mes devoirs auprès de nos clients.

Dominic s'efforça de garder un ton neutre.

— Veux-tu que le bébé naisse ici ?

— Je ne sais pas. Je n'y ai pas vraiment pensé.

« Peut-être que quelqu'un le devrait », pensa-t-il.

— Je peux te débarrasser de ce contrat, lui dit-il. Je peux aussi trouver une remplaçante pour toi auprès de Joanna.

— Pourrions-nous parler de ça plus tard ? demanda-t-elle tandis que ses paupières commençaient à se refermer. Je suis trop fatiguée pour penser.

— Bien sûr, chérie. Endors-toi.

Apparemment, il allait avoir amplement de temps pour travailler pendant les soirées. Ce qui ne serait pas si mal puisqu'il envisageait de passer le plus de temps possible avec Katherine après l'avoir persuadée de retourner aux États-Unis. Parce que n'importe quel contrat pouvait être rompu ; CX Capital pouvait certainement trouver une autre comptable judiciaire quelque part dans le monde. Peut-être pas aussi bonne que Katherine, mais ce n'était pas son problème. En ce qui concernait Joanna, il pouvait lui verser suffisamment d'argent pour qu'elle puisse embaucher qui elle voudrait en remplacement de Katherine. Encore une fois, une ou des personnes qui n'auraient pas la compétence de Kate, mais il s'en foutait.

Dominic était en amour pour la première fois de sa vie, mais ça ne signifiait pas qu'il subissait un changement de personnalité. Il s'attendait encore à diriger son univers et les gens qui le peuplaient. En ce qui avait trait à Katherine, il était prêt à faire des compromis. Dans quelle mesure, ça ne dépendait que d'elle.

Quand elle fut profondément endormie, il quitta le lit, enfila son jeans, prit son téléphone sur la table de chevet et se rendit dans la salle de réception. Se laissant tomber dans un fauteuil, il composa un numéro et attendit pendant que son téléphone cellulaire sonnait encore et encore.

— Est-ce que j'interromps quelque chose ? dit-il quand Justin finit par répondre.

— Nous sommes à l'opéra. Je suis sorti dans le corridor.

— Je vais faire ça rapidement, alors.

— Prends ton temps, répondit Justin. Ce n'est qu'un concert-bénéfice. Ils discourent sur les objectifs financiers de la fondation.

— Je voudrais savoir si ce sera difficile de rompre le contrat de Katherine ?

— Pas tellement. Pourquoi ?

— Nous allons avoir un bébé. N'en souffle pas un mot. Je suis pris dans des problèmes complexes en ce moment, alors rien de ce que je te dis ne doit être rendu public.

Justin en savait assez pour ne pas poser de questions. Si c'était complexe pour Nick, c'était à la limite de la légalité.

— Est-ce que je devrais te féliciter ? demanda-t-il comme le ferait n'importe quel homme connaissant les antécédents de Dominic.

— Oui, absolument. Je vais marier Katherine et j'aimerais la ramener à la maison avant que ce soit trop dangereux pour elle de voyager. Toutefois, elle me dit qu'elle ne peut pas mettre fin à son contrat. J'espère la faire changer d'avis. Si ça se produit et à ce moment seulement, pourras-tu t'occuper de ça pour moi auprès de CX Capital ?

— Pas de problème. Bill sera navré de la voir partir, mais il survivra. Soit dit en passant, je m'attends à recevoir une invitation au mariage. Je n'aurais jamais cru voir ce jour, dit-il sur un ton comique. Sans vouloir te froisser.

— Tu ne me froisses pas. Moi non plus je n'aurais pas parié sur le fait de me remarier. Mais les projets de mariage dépendent de Katherine. Si elle décide d'inviter d'autres personnes que des membres de la famille, je vous enverrai un avion à toi et Mandy. Parlant de Mandy, ajouta-t-il joyeusement, tu dois être un nouveau père maintenant. Comment vont Mandy et ta fille ?

Le fait que Nick s'informe à propos des enfants le renversait encore. Après un bref silence, Justin dit :

— Le bébé est né il y a trois semaines, et la mère et la fille vont bien, comme ils disent. Et l'infirmière et la nounou sont épatantes. En fait, Mandy dort suffisamment pour profiter d'une sortie en soirée.

— Alors, tu ferais mieux de retourner auprès d'elle. Comment avez-vous appelé le bébé ?

— Ne me le demande pas. C'est un nom qui vient de la famille.

— La tienne ou celle de Mandy ?

— C'est le nom de sa grand-mère, Beatrice.

— Ce n'est pas si mal.

— Je suppose. Elle est mignonne comme tout, alors ça l'aidera même avec un nom comme ça.

— Tu veux donc dire qu'elle ressemble à sa mère ? demanda Dominic d'un ton enjoué.

— Dieu merci, oui. Et je suis vraiment heureux pour toi et Katherine. Les enfants sont extraordinaires.

— Je commence à comprendre ça. C'est foutrement emballant.

Justin se tenait dans le corridor du Royal Albert Hall après que la conversation soit terminée et il lui fallut un moment pour récupérer après des nouvelles si renversantes. Non seulement l'homme qu'il aurait cru le moins susceptible de se marier était-il sur le point de le faire, mais Dominic Knight était, selon ses propres mots, l'homme qui était *foutrement emballé* à propos d'avoir un enfant. Il n'aurait pas parié un penny sur l'une ou l'autre éventualité. À part le mariage relativement bref de Dominic, ce dernier avait toujours été l'incarnation même du vice.

CHAPITRE 3

Dominic se rendit au cabinet à boissons, ouvrit la porte et se réjouit de voir que Katherine ne s'était pas débarrassée de son whisky. En fait, personne n'avait touché à une seule bouteille pendant ses mois d'absence.

Il se versa un double Ardbeg de 50 ans d'âge, se laissa tomber dans le fauteuil vert sauge, sirota la boisson fine, puis passa en revue son horaire des prochains jours. Parfaitement détendu après que le meilleur whisky du monde ait réchauffé ses sens, il déposa le verre vide, prit son téléphone cellulaire et plaça un des appels inscrits à son ordre du jour.

Il était tard pour un appel d'affaires, mais il allait découvrir s'il surpayait assez l'organisatrice de mariages pour qu'elle réponde.

— Vous êtes en dehors des heures de bureau, M. Knight, dit-elle d'un ton sec.

Mais apparemment, il la payait suffisamment bien.

— Je m'excuse, Mme Hastings, mais j'aimerais organiser un rendez-vous chez moi demain soir. N'importe quand après 19 h. Ma fiancée[4] travaille souvent tard.

4. N.d.T.: En français dans le texte original.

— Je préférerais un rendez-vous durant la journée.

— J'ai peur que ça ne soit pas possible.

Il n'allait pas discuter avec elle. Son directeur financier, Roscoe, avait fait déposer dans son compte un premier versement de 80 000 dollars à titre de consultante, ce qui devrait payer pour un rendez-vous ou deux en soirée.

Il attendit calmement tandis que le silence s'étirait. Ce n'était pas comme si elle était la seule organisatrice de mariages à Londres.

— Très bien, M. Knight, fit-elle froidement.

— Je vous suis reconnaissant pour votre coopération, Mme Hastings, dit-il d'une voix douce comme la soie. Vous avez mon adresse à Eaton Place. Et si je peux vous demander une petite faveur, ma fiancée a des sautes d'humeur. Je vous en serais reconnaissant, si vous pouviez faire de votre mieux pour laisser passer les commentaires acerbes qu'elle émet de temps en temps. Elle est très importante, à mes yeux. Je ne voudrais pas qu'elle soit malheureuse.

— Certainement, M. Knight. Je ferai de mon mieux.

— Je le sais. Olivia Roche n'a que de bons mots à votre égard. Vous avez apparemment fait de son mariage un événement inoubliable.

— C'était un si joli couple. De bonnes personnes issues de vieilles familles du Sussex.

Dominic comprit que cette déclaration découlait de l'association professionnelle de la dame avec l'aristocratie britannique et de sa fierté nationale. Ça lui allait, mais il s'opposait à son ton condescendant.

— Max est mon assistant. C'est un employé exceptionnel. Vous allez faire sa connaissance demain.

Il lui arrivait très rarement de souligner sa richesse, mais dans les circonstances, il le fit. Compte tenu de l'humeur changeante de Katherine ces temps-ci, il voulait faire comprendre à Mme Hastings la valeur de *sa* clientèle, qu'elle provienne ou non de l'aristocratie.

Ignorant le reniflement offusqué de l'organisatrice, il ajouta :

— Serait-il possible d'emmener un styliste avec vous ? Je comprends qu'il est un peu tard, mais Mlle Hart aimerait peut-être regarder quelques modèles de robes de mariée.

— Ce n'est pas possible, répliqua aigrement Mme Hastings. Les meilleurs designers sont déjà pleinement engagés... la plupart, des années avant un mariage. Une robe prise sur un présentoir devra suffire.

Il ne dit pas ce qu'il avait sur le bout de la langue, à savoir que « suffire » ne fonctionnait pas pour lui. Et il se foutait complètement que les designers aient été embauchés 1000 ans à l'avance.

— Si vous *pouviez* nous trouver quelqu'un de convenable, son prix serait évidemment le mien, dit-il plutôt, sur le ton super aimable qu'il réservait aux personnes réfractaires. Est-ce que ça aiderait ?

Selon son expérience, la phrase non dite signifiait : « Je suis l'un des hommes les plus riches du monde et je mets généralement sur la table l'argent qu'il faut pour obtenir ce que je veux. »

La voix de Mme Hastings était débordante de retenue quand elle parla, chacun de ses mots exprimé avec énormément de réticence.

— Laissez-moi voir ce que je peux faire, M. Knight.

— Excellent, dit aimablement Dominic. Je savais que je pouvais compter sur vous. Vers 19 h demain, alors. Passez une bonne soirée.

Il coupa la communication, déposa son téléphone cellulaire et se laissa glisser paresseusement dans son fauteuil. Ce n'était pas comme s'il n'avait aucune idée des contraintes de temps. Il était prêt à verser n'importe quelle somme exigée pour qu'on s'occupe rapidement des arrangements. Il croyait avoir déjà été clair à ce sujet avec Mme Hastings. Peut-être que maintenant le message l'était encore davantage.

Il s'attendait à des résultats.

Pendant les deux heures suivantes, il répondit à ses courriels, parla plusieurs fois à Max, expliqua à son majordome, Martin, qu'ils auraient besoin de rafraîchissements pour leur rendez-vous en soirée avec l'organisatrice de mariages et, finalement, il rappela sa sœur pour lui poser des questions sur l'organisation d'un mariage au cas où il devrait savoir autre chose que la façon de rédiger un chèque.

Mais sa première question n'avait rien à voir avec les mariages.

— Dormais-tu beaucoup quand tu étais enceinte ?

— Oui. Couchée tôt, sieste en après-midi. Tu n'avais pas remarqué ?

— J'avais 16 ans et tu n'étais pas une poupée amateur de surf, alors pourquoi l'aurais-je remarqué ?

— Katherine dort, je suppose.

— Elle est tombée endormie à 21 h, et je me demandais seulement si je devais m'en inquiéter.

— C'est passablement normal. Et elle a dit qu'elle travaillait de longues heures. Ce n'est probablement pas ce qu'il y a de mieux dans son état.

— Ne me le dis pas, dis-le-lui, marmonna Dominic. J'essaie de la convaincre de mettre fin à son contrat et de revenir à la maison.

— Tu perds ton doigté ? le taquina Melanie.

Il eut un petit rire.

— Je n'en ai jamais eu avec elle.

— Tu as finalement rencontré quelqu'un de ton calibre ? fit Melanie en riant.

— Je ne dirais pas ça.

Kate n'était pas la seule à avoir plus confiance en elle que nécessaire.

— Même si elle est foutrement compétitive et têtue comme un âne, grommela-t-il.

— Tout comme toi. Sérieusement, Nicky, il faut que tu saches que tu es incroyablement têtu ou pire encore parfois.

Elle n'allait pas mentionner ses années de querelles avec leur mère, mais elle y pensait.

— Essaie seulement de ne pas faire l'idiot. Tu es chanceux que Katherine fasse partie de ta vie.

— Je le sais, répondit-il simplement. En fait, c'est pour ça que je t'appelle. Nous rencontrons une organisatrice de mariages demain et j'ai besoin de quelques conseils.

— Lui en as-tu déjà parlé ? Je sais comment tu fonctionnes, Nicky.

Comme il ne répondait pas, elle renifla d'un ton dégoûté.

— Dieu du ciel, tu ne le lui as pas dit. Merde, qu'est-ce qui ne va pas chez toi ? Tu ne t'en es pas rendu compte encore ? Elle n'est pas comme toutes les autres femmes qui sourient et font ce qu'on leur dit. Alors, tu me demandes conseil, eh bien écoute-moi. Premièrement, tu ferais mieux d'être vraiment poli quand tu lui parleras du rendez-vous. Apporte-lui le petit déjeuner au lit. Toi-même, et non un membre de ton personnel. Puis, *demande*-lui si elle n'a aucune objection à rencontrer l'organisatrice de mariages.

— Elle pourrait quand même dire non.

— Après t'avoir vu en action pendant plus d'une décennie, dit sèchement Melanie, je crois que tu peux la faire changer d'avis si tu essaies vraiment. Tes antécédents concernant les activités à trois n'étaient pas seulement liés au fait que tu sois un excellent surfeur.

Il laissa échapper un soupir.

— D'accord. OK, alors, premièrement, petit déjeuner au lit, puis je le lui demande. Merci, Mel. Oh, j'allais oublier à propos de la styliste. La grossesse de Katherine représentera-t-elle un problème et si oui, à quel point ?

— Je suis certaine que tu la paies suffisamment, Dominic. Ça signifie que ce n'est un problème pour personne sauf pour Katherine. Et si j'étais toi, je m'assurerais qu'elle sache que ce n'en est pas un pour *toi*. Les femmes enceintes aiment que leurs hommes les aident, les encouragent et soient super gentils avec elles, des qualités que tu n'as pas cultivées. Alors, je te suggère de suivre un cours accéléré en matière de dévouement.

— Sans blague. Dévouement ? demanda-t-il, profondément surpris. Pendant combien de temps ?

Melanie soupira.

— Ramène Katherine à la maison, Nicky. Je peux mieux te servir d'intermédiaire à courte distance. Mais reprends-toi, ordonna-t-elle brusquement. Rappelle-toi à quel point tu souffres sans elle. Elle te rend heureux. Et *pendant combien de temps, c'est pour toujours*, espèce d'idiot.

— OK, OK, j'ai saisi le message. Le dévouement. Pour toujours, fit-il en prenant une longue inspiration. C'est foutrement long.

— Si tu préfères, tu peux rester tous les soirs à la maison et te branler. Matt me l'a dit. Je dis seulement que tu as des choix à faire.

Elle écouta les sourds grognements de son frère pendant quelques secondes avant de poursuivre avec ses conseils de grande sœur.

— Et le dévouement, ça ne veut pas dire lui acheter des trucs dispendieux, ajouta-t-elle.

Il soupira.

— C'est ce qu'elle dit.

— Alors, tu le sais déjà.

— Ça ne veut pas dire que je le comprends.

Les cadeaux dispendieux avaient toujours fonctionné dans le passé. En fait, ils avaient fonctionné extrêmement bien.

— Ça veut dire faire des choses pour elle, expliqua Melanie.

À part la baiser quand elle ne dort pas, ce qui semblait être en ce moment sa seule demande !

— Comme faire quoi, exactement ?

Les cadeaux et la baise il connaissait, mais le reste lui paraissait délicat.

— Prête attention à ce que Katherine aime. Demande-lui de quoi elle a besoin. Quel genre de livres, de musique, de divertissement aime-t-elle ?

Il connaissait la réponse concernant le dernier élément.

— Si elle aime passer du temps avec ses amies pour converser entre filles. Je sais que c'est mon cas. Oh, et n'oublie pas de lui demander si elle aime dormir tard le matin parce qu'il n'y a rien de pire que quelqu'un qui vous réveille quand…

— Bon Dieu, arrête. Ça devient compliqué. Écoute, je vais commencer par le petit déjeuner au lit, puis j'improviserai.

— Et voilà, frérot. Je suis certaine que tu vas bien t'en tirer. Les femmes t'aiment beaucoup, tu sais.

— Merci de me le rappeler. Je commençais à perdre confiance.

— Comme si ça pouvait arriver, dit-elle en riant.

— Tout de même… J'essaie de ne pas tout gâcher. Elle m'a terriblement manqué quand elle était partie.

— Dis-le-lui. Dis-lui simplement ce que tu ressens. Et ne « microgère » pas sa vie.

Est-ce que deux sur trois, ça irait ?

— OK, merci, Mel. J'espère que nous te verrons bientôt.

CHAPITRE 4

Le petit déjeuner au lit était une excellente idée. Il démontrait que Dominic était attentionné et gentil, obligeant et dévoué. Mais quand Katherine eut fini de manger, il se dévoua de la façon dont elle préférait et, il se trouva qu'il se dévoua trois fois avant de la transporter dans la douche où il la baisa encore une fois, puis l'assit sur le banc contre le mur pour la laver. Pendant qu'elle était à demi assoupie après ses orgasmes matinaux, il la savonna et la rinça rapidement avec la douche-téléphone. Puis, se glissant derrière elle, il l'attira entre ses jambes et commença à lui shampouiner les cheveux.

— Oh, mon Dieu, c'est divin, murmura-t-elle d'une voix langoureuse quelques instants plus tard. Qu'est-ce que tu fais ?

— Je te lave les cheveux.

— Et quelque chose d'autre aussi… oh, que c'est bon ; c'est incroyable. Je deviens vraiment excitée…

Elle éprouva une chaude palpitation au bas de la colonne qui vibra vers le haut en un chaud sentiment d'urgence, puis de nouveau vers le bas, en une pulsation profonde qui s'installa au creux de son sexe.

— Ce n'est qu'un petit massage, c'est tout.

Des années plus tôt, quand il vivait encore avec Melanie, elle lui disait souvent : « N'oublie pas que les filles aiment ça ou n'aiment pas ça, alors sois attentif », et il avait toujours écouté par la suite. C'était comme d'apprendre une nouvelle langue qui facilitait le voyage en terre étrangère. Et, au fil des années, ses visites régulières en Inde avaient perfectionné chez lui l'art du contact physique. Le toucher induisait un courant subtil de petits cercles du bout des doigts, de lentes caresses favorisaient un rythme de désir.

Une sublime excitation, une faim érotique, réchauffa les sens de Kate.

— Je ne savais pas qu'on pouvait venir… seulement en faisant…

— Ça ?

— Oh, mon Dieu, oh, mon Dieu…

Sa voix s'éteignit en un doux soupir, puis elle jouit dans un murmure de ravissement.

Il laissa s'atténuer le somptueux plaisir avant de murmurer :

— Nous devrions y aller bientôt.

Il avait plusieurs fois vérifié l'heure.

— Tu peux faire ça ? ajouta-t-il.

Les yeux fermés, elle acquiesça de la tête.

Il se passa un bref moment de débat égoïste dans la tête de Dominic avant qu'il décide de discuter plus tard avec Katherine du fait qu'elle quitte son travail. Puis, il la rinça, l'enveloppa dans une serviette et la conduisit dans la salle d'habillage.

Debout complètement nue dans la petite pièce flanquée de penderies munis de miroirs, encore légèrement étourdie par suite de ses excès, Kate glissa une main sur son ventre.

— Quelque chose de confortable, s'il te plaît ; mais je ne crois pas pouvoir porter des vêtements de jogging.

Dominic sourit.

— Tu le pourrais, si tu travaillais pour moi.

— En ce moment, ça me paraît vraiment tentant.

Le sourire de Dominic s'élargit.

— Je pourrais mettre ça par écrit ?

— Encore quelques orgasmes, et qui sait ? répliqua-t-elle en blague.

— Je n'abandonne pas. Tu sais ça, n'est-ce pas ?

Son ton était sérieux. Il se retourna et commença à regarder rapidement les vêtements dans une des penderies.

Elle prit une petite inspiration.

— Je ne peux pas me soumettre complètement, Dominic. J'ai besoin d'avoir ma propre vie.

Il pivota brusquement.

— Désolé. Ta propre *vie* ?

— Tu sais ce que je veux dire.

— Dis-moi, répliqua-t-il, se tenant parfaitement immobile. Je ne suis pas certain de savoir.

— Je ne veux pas qu'on me possède. Je ne veux pas faire partie des Entreprises Knight où tu prends toutes les décisions. Tu peux arrêter de grimacer. Je t'aime, OK ? Nous allons trouver une solution.

Il soupira lentement en se souvenant d'être compréhensif et se dit que l'humeur de Katherine était maintenant plus changeante qu'à l'habitude. Surtout, il se dit de ne pas tout gâcher.

— Tu as raison, fit-il doucement. Nous allons trouver une solution.

Se tournant à demi, il prit une robe sur un cintre et la lui montra.

— Que penses-tu de celle-là ? Pas de taille. Ça te va ?

— Comme tu veux. Je m'en fiche. Tu sais ça.

— C'est un *plaisir* de t'habiller, chérie.

Il fit glisser du cintre la robe ample de soie noire affichant un design impressionniste brodé de fleurs aux couleurs vives.

— Qui l'eut cru ? dit-il en souriant. Tu as ajouté un tout nouveau plaisir à ma vie.

— Quant à toi, murmura-t-elle en regardant la nudité parfaite de Dominic, tu as ajouté *tout un monde* de plaisirs à la mienne. Viens ici…

— N'importe le moment où tu voudras quitter le travail, chérie, je vais t'appuyer, dit-il en tapotant sa montre. C'est à toi de décider. Tu n'as qu'à le dire.

— Rabat-joie, dit-elle en grimaçant.

— Ce n'est pas nécessaire que je le sois.

Il haussa les sourcils.

— Alors…

— Oh, merde, marmonna-t-elle. Alors, rien. Je dois y aller.

— Rentre tôt, suggéra-t-il en marchant jusqu'à la commode où il prit une petite culotte bikini de dentelle noire agencée à la robe. Tu n'as qu'à me le dire et je serai ici, ajouta-t-il en s'approchant d'elle.

— Je ne peux pas, dit-elle avec un soupir.

Ce soupir encouragea Dominic. Elle verrait peut-être la lumière plus tôt que tard.

— Dommage. Peut-être une autre fois.

Lançant la robe sur une chaise, il se laissa lentement descendre sur les genoux.

— Lève ton pied, murmura-t-il. Maintenant, l'autre.

Il fit glisser la culotte de dentelle noire le long de ses jambes, les ajusta sur les hanches, puis leva les yeux vers elle.

— Nous devrions aller faire des courses pour trouver des vêtements de maternité.

Elle grogna.

Il se releva.

— Nous allons demander à quelqu'un de venir à la maison. C'est mieux ?

— Pas vraiment, grommela-t-elle. Les vêtements de maternité sont vulgaires.

— Tu en as regardé ?

— Non. Et toi ?

— J'y ai pensé, répondit-il en prenant la robe.

Un petit sourire se dessina sur les lèvres de Kate.

— Et ?

Il sourit.

— Je me suis découragé.

— Alors, qu'allons-nous faire ? fit-elle en riant.

— Si tu ne veux pas porter des vêtements de maternité, tu pourrais simplement rester nue au lit, répondit-il en souriant. Ça m'irait tout à fait.

— Hummm… c'est tentant.

Elle fit courir ses doigts le long de ses superbes abdominaux.

— Nous pourrions essayer ça maintenant, ronronna-t-elle.

— Si tu continues de ronronner comme ça, chérie, tu ne te rendras jamais au boulot.

— Avons-nous un peu de temps ? demanda-t-elle d'une voix débordante d'espoir.

— Tu n'en as pas. Moi oui. Mon horaire est flexible, répondit-il en soutenant son regard. Tu décides. Nous sommes toujours prêts pour toi.

Elle jeta un coup d'œil à sa magnifique érection, laissa échapper un petit son grognon qui correspondait à sa moue.

— Merde, marmonna-t-elle. C'est nul.

Il descendit la fermeture éclair au dos de la robe et la lui tendit.

Elle grimaça.

— C'est vraiment nul.

— Je suis d'accord.

— Ne sois pas si calme quand je suis si indécise.

— Écoute, chérie, tu sais ce que je pense de ça ; je ne veux pas que tu travailles. Je te veux toujours avec moi. J'essaie seulement de ne pas faire de vagues ce matin.

Il haussa les sourcils.

— C'est clair ? ajouta-t-il.

— OK, OK, fais-le tout simplement, dit-elle en grognant.

— Ce qui veut dire ? demanda-t-il prudemment.

— La robe, la robe…

— Je ne faisais que vérifier.

Il fit glisser la robe bordée de soie par-dessus sa tête, la fit se retourner, remonta la fermeture éclair, puis la fit pivoter et lui indiqua une chaise.

— Assieds-toi. Je vais te trouver des souliers.

Mais il enfila rapidement un caleçon boxeur et ses pantalons de complet avant de revenir avec les souliers parce que, mise à part sa libido, elle voulait aller travailler. Et il n'avait pas envie de subir ses reproches si elle choisissait un coup vite fait qui la mettrait en retard. Il n'y avait aucun doute dans son esprit à propos de ce qu'il voulait et il ferait en sorte que ça se réalise, mais pas ce matin.

— Tu es habillé, lui dit-elle en faisant la moue.

— Chérie, tu ne peux pas avoir le meilleur des deux mondes.

— Et si je le voulais ?

Vêtu seulement de son pantalon gris acier, il représentait l'image même de la virilité. Large et puissant comme une ancienne forteresse, sa peau basanée provoqua chez elle un urgent besoin ; le désir s'empara d'elle, mettant tous ses nerfs à fleur de peau.

Il soupira doucement, lui tendit des sandales vertes à semelles compensées d'une main et indiqua le lit de l'autre.

— Je t'ai déjà dit ce que je voulais. À toi de décider ce que *tu* veux.

Il y eut un lourd silence.

Puis, elle leva un pied.

« Rome ne s'est pas bâtie en un jour », pensa-t-il et, l'enfance qu'il avait eue l'avait obligé à atteindre un haut degré de patience. S'agenouillant, il lui enfila les sandales, attacha les courroies, puis se releva et mit Katherine sur pied.

— Fatiguée ? murmura-t-il, puisqu'elle ferma brièvement les yeux et soupira.

— Toujours.

— Appelle-moi et je viendrai te chercher si tu ne peux pas passer la journée.

Elle sourit.

— Merci, mais ça va quand je commence à travailler. Mon adrénaline entre en action.

— Nous devrions parler à un médecin pour ne pas agir à l'aveuglette avec tous les changements que tu subis. Je pourrais en trouver un aujourd'hui ?

Elle leva les yeux au ciel.

Comme ce n'était pas un refus, il dit :

— Quoi d'autre, maintenant ? Ton téléphone, ton sac ?

— Oui et oui.

Mais elle ne bougea pas. Elle aurait pu retourner dormir.

Il sourit.

— Donne-moi un indice.

— Ils sont probablement encore dans la cuisine où je les ai laissés.

Cinq minutes plus tard, Dominic sortait de l'appartement en portant Kate, son sac en bandoulière sur l'épaule. Jake, qui était appuyé contre l'auto, attendant, ouvrit rapidement la portière arrière et les accueillit avec un sourire.

— Bonjour, patron. Mlle Hart. Belle température, finalement.

— Il fait super beau, répondit Dominic.

Kate sourit au chauffeur qui provenait du même moule que tout le personnel de sécurité de Dominic : dangereusement dévoué et très compétent.

— Bonjour, Jake.

— Nous sommes un peu en retard, dit Dominic en se glissant sur le siège près de Kate.

— Je peux reprendre le temps perdu. Pour 9 h, n'est-ce pas ?

Dominic inclina la tête, Jake referma la porte et, quelques secondes plus tard, il s'éloignait du trottoir.

Comme ils n'avaient discuté que brièvement du rendez-vous avec l'organisatrice de mariages entre les orgasmes de Katherine ce matin-là, Dominic refit une rapide vérification pendant que Kate sortait de l'auto devant l'immeuble de CX Capital.

— Ça te va, le rendez-vous à 19 h ?

Son regard vide n'avait rien de rassurant.

Merde. Peut-être qu'il aurait dû le demander de nouveau.

— Oh, ça ; bien sûr, ça me va. Si tu crois vraiment que c'est nécessaire.

— Ça ne sera pas long, dit-il d'un ton neutre en remerciant silencieusement sa sœur. Appelle-moi quand tu voudras te faire ramener à la maison.

Il l'embrassa sur la joue et lui remit son sac avec le lunch qu'avait préparé son chef.

— À 18 h 30, ça ira ? J'ai un horaire chargé aujourd'hui, demanda-t-elle.

— Plutôt 18 h, ce serait mieux. Tu aurais le temps de manger.

— Disons 18 h 15 ? Et un sandwich suffit.

Il n'allait pas rester debout devant CX Capital et argumenter avec Katherine à propos de la nécessité d'adopter un régime alimentaire plus sain pour le bébé.

— D'accord pour 18 h 15, dit-il en souriant.

Puis, il la regarda franchir le trottoir, vit que tous les hommes la fixaient dans sa robe fleurie à manches courtes qui faisait étalage de ses nichons et de ses jambes. *Merde. Un tailleur avec un long veston demain*, décida-t-il. Serrant les poings pour éviter de frapper quiconque, il attendit qu'elle disparaisse à travers les portes tournantes avant de retourner à sa voiture.

Alors que son chauffeur fermait la porte, Dominic se pencha et ouvrit un compartiment qui servait de table de travail.

Se glissant derrière le volant quelques instants plus tard, Jake se tourna vers Dominic.

— Où on va, patron ?

— Attends ici une minute. Je dois écrire une courte note. Ensuite, conduis-moi à un service de messagerie. Je dois faire livrer ça en personne.

Une demi-heure plus tard, Joanna Thorpe, la partenaire d'affaires de Kate les fins de semaine qui travaillait aussi chez CX Capital, se faisait remettre une enveloppe par un messager à vélo en costume complet de cycliste, en lycra rouge et blanc, casque, gants de vélo.

Pendant qu'elle fouillait dans son sac à main pour lui donner un pourboire, le jeune homme secoua la tête.

— Gardez votre argent. Le gars m'a déjà donné 50 foutues livres.

Et avec un geste joyeux de la main, il sortit du bureau.

Son nom, *Mlle Joanna Thorpe*, avait été écrit d'une main vigoureuse sur le devant de l'enveloppe et, quand elle la retourna, le monogramme bleu foncé sur le rabat expliqua la mystérieuse livraison. Avec la précision d'une comptable, elle ne déchira pas l'enveloppe, mais glissa plutôt son pouce sous le rabat et l'ouvrit. Puis, elle en retira lentement une carte. Quelqu'un qui l'aurait regardée aurait pensé qu'elle s'inquiétait que ce soit une menace à la bombe.

Après avoir déposé la note sur son bureau, elle la plaça méticuleusement au milieu de son espace de travail avant de la lire :

Mlle Thorpe,

Me feriez-vous le plaisir de me rencontrer au Gavroche pour le déjeuner, ce midi ? S'il vous plaît, n'en parlez pas à Katherine. Je vous expliquerai.

Salutations distinguées,

Dominic Knight

Heureuse de se trouver seule dans son bureau, Joanna relut le court message, examina le papier dispendieux, toucha du doigt le monogramme embossé en haut, au centre de la carte faite à la main, et s'interrogea brièvement à propos de sa loyauté.

Puis, jetant un coup d'œil à l'horloge, elle glissa la note dans le tiroir de son bureau.

Il s'avéra finalement que le message de Dominic venait à point nommé.

Il y avait une chose ou deux qu'elle voulait dire à M. Dominic Knight.

Comme Kate ne sortait jamais déjeuner et que, plutôt qu'une barre chocolatée aujourd'hui, elle avait divers aliments nourrissants, Joanna sourit et les pointa du doigt quand elle s'arrêta près d'elle en route pour le restaurant.

— Ça semble bon. Veux-tu que je te rapporte un café ou un thé ou autre chose à manger en revenant ?

Kate lui indiqua un petit contenant de verre rempli de pouding au riz.

— J'ai un chef, maintenant, dit-elle en lui montrant le sac de toile rouge sur son bureau. Et une glacière Prada.

Joanna sourit.

— Tu contribues à faire rouler l'économie.

— Comme c'est bien de ma part ! L'esprit communautaire et tout.

— Il devrait tout aussi bien dépenser son argent pour toi.

Joanna avait tout entendu pendant les mois où Dominic avait été absent. Pas au début, mais finalement.

— Les choses vont bien, alors ?

— Oui, répondit Kate en croisant les doigts. Parfois, ça semble trop beau pour être vrai.

Elle sourit.

— J'ai une grand-mère païenne. Nous sommes superstitieux dans la famille.

— Quand on parle de chance, il est chanceux de t'avoir, répondit sèchement Joanna.

Son point de vue à propos du célèbre Dominic Knight avait changé après avoir fait une recherche à propos de lui sur Google.

Kate sourit de nouveau.

— C'est ce que je n'arrête pas de lui dire. Tu sais quoi ? Pourrais-tu m'apporter un thé glacé ? Ça m'aidera à rester éveillée.

CHAPITRE 5

Dominic était déjà assis quand le maître d'hôtel conduisit Joanna à la table du fond. Reculant sa chaise, Dominic se leva et lui tendit la main.

— Dominic Knight. Merci d'être venue.

Il avait vu les photos de la collègue de Katherine, mais elle était encore plus impressionnante en personne. Grande, cheveux noirs à la garçonne, allure moyenne, légèrement dodue dans un tailleur rouge foncé de bonne coupe, l'expression sérieuse. Le mot « sévère » ne serait pas déplacé, en l'occurrence.

— Joanna Thorpe, répondit-elle froidement. Mais vous le savez déjà.

— Oui, j'ai un personnel compétent.

Éloignant le maître d'hôtel d'un regard, il tira lui-même la chaise de Mlle Thorpe et l'aida à s'asseoir. Contournant la table, il parla doucement à l'homme qui venait de s'approcher, puis s'assit et sourit poliment par-dessus le cristal scintillant, la vaisselle et la coutellerie.

— Je suis heureux que vous ayez accepté de me rencontrer. J'ai déjà commandé, si ça ne vous dérange pas. J'ai pensé que nous aurions plus de temps pour parler.

— De Kate.

Elle avait prononcé ces mots sur un ton neutre en se disant qu'elle ne devait pas se laisser distraire par la sombre splendeur masculine de Dominic Knight. Il était beau à couper le souffle, puissamment musclé sous son superbe complet gris acier de Savile Row, et tellement charismatique. Elle n'était pas la seule dans la pièce à l'observer.

— Oui, de Katherine, dit-il d'une voix basse.

Il baissa les yeux pendant un moment, comme s'il rassemblait ses pensées, puis la regarda.

— Je m'inquiète à son sujet. Elle travaille trop, et depuis longtemps. Ça me préoccupe.

— Pourquoi ? fit-elle sur un ton direct, accusateur.

Il trouvait difficile d'étaler sa vie privée devant une étrangère.

— Disons seulement que c'est parce que nous sommes bons amis.

— Suffisamment *bons amis*, fit Joanna visiblement irritée, pour savoir que Kate est enceinte ? Sinon, je ne vois pas de quoi nous devons parler.

Elle commença à se lever.

— S'il vous plaît, dit-il en levant la main pour la dissuader. Je suis au courant de la grossesse de Katherine.

Joanna se rassit, mais son regard était furieux.

— Alors, vous êtes suffisamment *ami* pour vous en occuper ?

Dominic lui adressa un petit sourire.

— C'est le moment où je dois dire que je veux faire une honnête femme de Katherine aussitôt que possible ?

— Hier, la semaine dernière, le mois dernier auraient peut-être mieux valu.

Il haussa les sourcils.

— Elle en a discuté avec vous ?

— Non, elle ne m'en a pas dit un mot, mais il aurait fallu que je sois aveugle pour ne pas remarquer ses nausées matinales.

— D'après ce que je comprends, Katherine n'avait pas conscience qu'elle était enceinte jusqu'à récemment.

Joanna haussa les épaules.

— J'aurais pu le lui dire, mais ce n'était pas mes affaires.

— Parlant d'affaires.

Dominic s'arrêta, leva les yeux, puis inclina la tête et le sommelier[5] leur versa du champagne. Quand il partit, il leva son verre.

— Buvons à une entente d'affaires mutuellement satisfaisante.

Il but la moitié du champagne, déposa la flûte, se pencha légèrement vers l'avant et dit doucement :

— J'ai une proposition à vous faire. J'aimerais racheter la part de Katherine dans votre entreprise. Je serais également prêt à augmenter suffisamment cette somme pour que vous embauchiez autant de gens que nécessaire pour que vos affaires prospèrent. Mes motivations sont purement égoïstes, alors n'hésitez pas à être libérale dans votre estimation. Je veux ramener Katherine aux États-Unis, mais elle pense qu'elle ne peut quitter ni CX Capital ni vous.

— C'est très généreux de votre part. Qu'en pense Katherine ?

Il plissa les yeux.

— C'est important ?

— Oui, répondit-elle en lui jetant un regard critique. C'est une question simple.

— Alors, la réponse simple, c'est qu'elle ne sait pas.

— C'est ce que je croyais. Alors, qu'est-ce qu'elle va dire en apprenant ce que vous avez fait ?

5. N.d.T.: En français dans le texte original.

Il soupira lentement.

— Elle est tombée endormie à 21 h, hier soir. Elle ne devrait pas travailler dans cet état, surtout de pareilles longues heures. J'essaie seulement de hâter la date de son départ. En ce qui a trait à ce qu'elle dira, fit-il en haussant les épaules, je vais le découvrir si vous acceptez ma proposition.

— Je peux vous le dire tout de suite : elle ne va pas aimer ça.

Il sourit en serrant les lèvres.

— Sans vouloir vous offenser, Mlle Thorpe, ce n'est pas votre problème. Et réfléchissez : je vous offre la possibilité de prendre de l'expansion en affaires. Et n'oubliez pas non plus que Katherine *partira* tôt ou tard. Si ce n'est pas maintenant, si ce n'est pas quand son contrat prendra fin chez CX Capital, alors quand le bébé exigera davantage d'elle, elle remettra sa carrière en question.

— Comment le savez-vous ? Beaucoup de mères travaillent.

Dominic redressa inutilement un des couteaux à la droite de son assiette avant que ses cils ne se lèvent complètement sur la froideur de ses yeux bleus.

— Je préfère ne pas discuter de Katherine, dit-il avec un sourire qui n'en était pas vraiment un. Disons seulement que je ne crois pas que ça la dérangerait, si l'occasion se présentait qui lui permette de racheter ses parts. Voyez-vous, nous sommes tous les deux très heureux d'avoir ce bébé.

— Pourquoi ne l'avez-vous pas dit plus tôt ? répondit-elle.

— Probablement parce que je ne vous connais pas.

Il avait tressailli presque imperceptiblement.

— Et ça ne me regarde en rien, termina-t-elle.

— Ça aussi, dit-il en soutenant son regard. Maintenant, plutôt que de prolonger cette conversation embarrassante, j'aimerais vous présenter les détails de ma proposition.

— Certainement, dit Joanna qui se sentait beaucoup mieux depuis qu'il avait affirmé être heureux à l'idée d'avoir un enfant.

— Merci. Premièrement, je vais défrayer, quel qu'il soit, le montant que vous proposez à Katherine pour son partenariat. Ce montant dépassera de loin ce dont vous avez besoin pour la moitié des parts de Katherine dans votre entreprise. En sus des frais d'embauche d'un nouveau personnel. Donnez-moi seulement la somme totale.

— Je vais devoir y réfléchir.

— Je comprends.

Il s'adossa à sa chaise pendant qu'on déposait leur nourriture sur la table : des pétoncles grillés avec une minestrone de palourdes, un filet de bœuf écossais avec champignons sauvages et une sauce aux échalotes et au vin rouge, un soufflé au fromage avec double crème et divers légumes aux couleurs vives.

— Je ne savais pas ce qui vous plairait. Veuillez vous servir.

Puis, il lui adressa un véritable sourire parce qu'il savait qu'elle allait accepter son offre.

— Bon appétit[6], ajouta-t-il avant de commencer à couper son filet.

Finissant rapidement sa petite pièce de viande, Dominic déposa son couteau et sa fourchette.

— J'aimerais que vous demeuriez discrète à ce sujet. Les gens des tabloïds me suivent de temps en temps et j'aimerais qu'ils continuent d'ignorer tout ceci. Je ne veux pas que Katherine se retrouve dans l'embarras. Alors, si vous décidez d'accepter, dit-il poliment, et quand vous aurez décidé d'un montant, faites-le parvenir à mon assistant par courriel. Je vais vous donner ses coordonnées. Max veillera à ce que vous receviez un chèque. Quant à

6. N.d.T.: En français dans le texte original.

ce que vous direz à Katherine à propos de votre nouveau plan d'affaires, à vous de décider.

Pendant qu'il parlait, Joanna avait terminé son soufflé au fromage.

Dominic attendit que le serveur prenne l'assiette de la jeune femme.

— Si vous avez quelque question que ce soit, ne soyez pas timide.

— Est-ce que j'ai l'air d'être timide ? demanda-t-elle en tendant la main vers son assiette de bœuf.

— Si je peux me permettre, dit Dominic avec un mince sourire, vous donnez l'impression que vous aimeriez m'arracher le foie.

— Le cœur, corrigea-t-elle en levant les yeux de son filet. Si vous en avez un.

— En fait, j'ai découvert que j'en avais un. Sur le coup, j'étais étonné, puis inquiet. Maintenant, j'en suis passablement heureux.

« Pour la première fois de ma vie », pensa-t-il.

Mais il *ne le dit pas* à une relative étrangère.

Elle soutint son regard par-dessus un morceau de bœuf qu'elle allait porter à sa bouche.

— Vous feriez mieux de ne pas mentir à propos du fait de marier Kate. Elle mérite quelqu'un qui connaît sa valeur, dit Joanna en le regardant de haut en bas, les sourcils froncés. Kate est une femme remarquable, brillante, en fait.

— J'en suis tout à fait conscient. Il y avait de graves raisons pour lesquelles nous avons été séparés ces derniers mois, dit-il en la fixant des yeux. J'étais profondément malheureux.

Pendant un bref moment, elle vit l'épuisement dans ses yeux, puis il lui adressa un sourire renversant qui fit également tourner les têtes des femmes aux tables près d'eux parce qu'il était impossible d'ignorer la beauté spectaculaire de Dominic Knight. Sa présence physique exerçait aussi un attrait puissant, comme s'il était sur scène, sous un faisceau de lumière, une énergie primitive époustouflante grouillant derrière son masque élégant.

— J'espère que c'est une affaire conclue, dit-il dans un silence lourd.

Après ce sourire qui vous saisissait au cœur, Joanna se demanda si une femme lui avait jamais dit non. Mais se sentant coupable de sa réaction honteuse devant le sourire de Dominic, son ton était exagérément sec quand elle parla.

— J'ai une question.

— Demandez-moi n'importe quoi, fit poliment Dominic, qui voyait depuis qu'il avait 14 ans des réactions semblables chez les femmes.

Il ignora le souffle coupé des autres convives attendant la suite ; c'était trop commun.

— Nous avez-vous envoyé des clients ?

— Pas directement, non.

— Indirectement ?

Il haussa très légèrement les épaules.

— Je connais beaucoup de gens. Je possède de très nombreuses entreprises. Mais vous et Katherine avez fait de l'excellent travail. Je serai heureux de continuer à recommander votre firme.

Grâce à l'attitude calme qu'il avait adoptée, elle regagna son équilibre.

— Je ne sais pas si c'est nécessaire, dit-elle.

— Ça ne peut pas faire de mal, répondit-il en souriant. À moins que vous n'aimiez pas faire de l'argent ?

Elle demeura silencieuse pendant quelques instants.

— Pourquoi feriez-vous ça ?

— Pourquoi pas ? Vous êtes excellente.

— Et vous savez parce que… ?

Il émit un petit soupir.

— Parce que j'ai constaté que j'avais versé beaucoup trop d'impôts pour mon parc éolien de la mer du Nord. Je n'ai rien contre le fait de payer ma part. Je fais suffisamment d'argent. Mais ces impôts étaient foutrement élevés. Alors, merci.

— Ça vous appartenait ? Windjammer Acquisitions ?

Il inclina la tête.

— C'est Kate qui a remarqué l'écart, dit-elle.

— Ne soyez pas modeste. Vous l'auriez découvert aussi.

— C'est vrai, fit Joanna en souriant.

— Alors, marché conclu ? murmura-t-il en soutenant son regard.

— D'accord, acquiesça-t-elle.

Dominic lui tendit la main.

— Et une poignée de main ?

Sa main semblait minuscule dans celle de Dominic, songea-t-elle. Et si elle n'aimait pas tant Kate, elle lui envierait son avenir.

Dominic Knight était absolument renversant.

« Et il est prêt à faire de toi une femme riche. N'oublie pas ça. »

— J'espère que vous aimez le chocolat, fit-il doucement en s'adossant à son siège, reconnaissant ce regard vitreux dans les yeux d'une femme et prenant soin de garder un ton sérieux. Je sais que Katherine l'aime. Les truffes, en particulier.

Il ne put s'empêcher de sourire en la revoyant manger des truffes au bar du Ritz Carlton, à Hong Kong, la première soirée qu'ils avaient passée ensemble.

— Avez-vous remarqué ? dit-il rapidement avant de capter le regard du serveur.

— Oui. Toutefois, vous auriez du mal à trouver une femme qui n'aime pas le chocolat.

— Bien, dit-il, tandis que le serveur déposait devant eux une riche mousse au chocolat. Et le chariot à fromages est excellent ici.

Il sourit.

— Aimeriez-vous le voir ?

— Non, merci, répondit-elle.

— Un café ? Un cappuccino ? D'autre champagne ?

— Un café.

— Un café et un cappuccino, Eduardo.

Il écarta son assiette à dessert et se détendit sur son siège.

— Je vous suis très reconnaissant de votre coopération, Mlle Thorpe. Je ne trouve pas les mots pour vous remercier.

— Il n'y a pas de quoi. Merci également de votre générosité, dit-elle en souriant pour la première fois.

— Aimeriez-vous que l'entreprise porte aussi votre nom ? demanda-t-elle.

— Vous n'êtes pas sérieuse ?

— Bien sûr que non.

Il éclata de rire.

— Alors, vous avez le sens de l'humour après tout.

— Et vous n'êtes pas un parfait salaud.

— Ça dépend à qui vous parlez, mais du moment où vous ne le pensez pas, je suis satisfait. Et si jamais vous avez besoin d'autres capitaux, n'hésitez pas à communiquer avec moi. Je vais dire à Max de se souvenir de votre nom. C'est mon filtre.

Il hocha la tête en direction du dessert de Joanna.

— Comment le trouvez-vous ?

Elle agita sa fourchette en direction de son assiette presque vide.

— Vous en prendriez une autre ?

— Pourquoi pas ?

Avant qu'il ait le temps de lever la main, un serveur apparut.

— Nous allons en prendre une autre, dit Dominic en indiquant la mousse. Et apportez-moi un porto, Taylor 1966.

Il jeta un coup d'œil à Joanna.

— Vous prendriez un porto avec moi ? Je célèbre, en ce moment.

— Oui, bien sûr. J'ai aussi une raison de célébrer. Et maintenant que nous avons conclu ce marché et que vous ne pouvez plus reculer…

— Vous ne le savez pas, intervint Dominic, sur un ton tout à coup froid.

— Je le sais. Vous voulez ça davantage que moi, dit Joanna en le regardant dans les yeux et en souriant. Vous feriez n'importe quoi pour Kate, n'est-ce pas ?

Il ne répondit pas tout de suite.

— Probablement, dit-il finalement. Que voulez-vous ?

— Est-ce que les gens veulent toujours quelque chose ?

— Bien sûr, dit-il avec une certaine brusquerie dans la voix. De quoi s'agit-il ? Je suis sûr que je peux vous accorder ce que vous demanderez.

— Vous pouvez vraiment faire peur, n'est-ce pas ? Mais j'ai survécu à un père alcoolique. On ne m'effraie pas facilement.

— J'ai eu des parents qui n'auraient pas dû avoir d'enfants. Nous pourrions comparer nos situations. Mais ça ne répond pas à ma question. Que voulez-vous ?

— Le bonheur de Kate.

— Je peux vous l'assurer, dit-il sèchement. Et ?

Dans son univers, il y avait toujours quelque chose de plus.

— Et si elle voulait retourner travailler après la naissance du bébé ? Le lui permettriez-vous ?

— Vous savez sûrement que Katherine fait ce qui lui plaît, dit-il avec un air indéchiffrable.

— Avec vous, je n'en suis pas si certaine. Je détesterais penser qu'elle puisse abandonner sa carrière pour vous plaire.

— Si Katherine veut retourner travailler, je vais prendre soin du bébé. Je ne ferai pas élever mon enfant par des nounous et des étrangers indifférents.

Un muscle se tendit le long de sa mâchoire.

— Est-ce que ça élimine vos inquiétudes ? termina-t-il.

Elle s'adossa brusquement à sa chaise.

— Vous feriez ça ? demanda-t-elle d'un ton incrédule.

Le léger sourire de Dominic fit disparaître la dureté de sa bouche.

— Vous ne croyez pas que je puisse nourrir un bébé et changer sa couche ?

— Non.

— Alors, vous seriez étonnée. Et avant que vos sourcils froncés ne se transforment en une grimace, laissez-moi mettre les choses au clair : je n'ai pas d'enfants, mais j'ai aidé ma sœur à élever ses deux premiers. J'avais 16 ans, ça ne me dérangeait pas de faire ce qu'elle me demandait, puis en fin de compte, ses enfants m'aimaient bien et je les aimais aussi.

— Ma parole ! s'exclama doucement Joanna.

— Est-ce que ça fait disparaître mon image de salaud ?

— Absolument.

— Bien. Alors, ne vous inquiétez pas, Mlle Thorpe. Je vais bien prendre soin de Katherine et de notre enfant. Vous pouvez y compter.

Il se pencha légèrement vers l'avant pour souligner sa remarque.

— J'ai seulement besoin que vous m'aidiez à ramener Katherine à la maison.

— Je vais faire de mon mieux.

— Alors, je vous en suis profondément reconnaissant, dit-il en se redressant et en lui adressant un autre de ses sourires éblouissants.

— Ah, voilà notre porto.

Le reste du repas se déroula de manière agréable, mais Dominic se comportait de la plus charmante manière afin d'envoûter Mlle Thorpe, tout en s'assurant de ne pas faire de gaffes.

S'il le voulait, il pouvait charmer les plus réfractaires.

Il le faisait souvent pour des raisons moins importantes.

Ce n'était pas difficile aujourd'hui alors qu'il obtenait exactement ce qu'il voulait. Le départ de Katherine de Londres.

CHAPITRE 6

Dominic se fit servir le dîner dans sa bibliothèque plutôt que dans l'immense salle à manger d'Eaton Place.

— Tu dois manger quelque chose, Katherine, dit-il doucement, avec un léger froncement de sourcils, en écartant son entrée de crevettes et de nouilles. Aimerais-tu que je te nourrisse ?

Elle se redressa sur sa chaise et prit une profonde inspiration.

— Désolée, je suis vraiment paresseuse.

— Tu devrais te reposer.

Il se leva, contourna la petite table installée près des fenêtres surplombant le jardin et prit Katherine dans ses bras, puis la déposa sur ses genoux.

— Si tu n'aimes pas les crevettes, essaie la lasagne. J'ai demandé à Nana d'envoyer sa recette.

Katherine écarquilla les yeux.

— Tu l'as appelée ?

— Nous n'avons pas parlé longtemps. Je voulais seulement savoir comment faire la recette. Tu m'as dit que c'était ta préférée.

— Tu n'as pas mentionné le bébé, n'est-ce pas ?

Tendant la main vers la lasagne, il se tourna à demi pour croiser son regard.

— Pourquoi ferais-je ça ? demanda-t-il en approchant le plat. Tu le lui diras quand tu seras prête.

Kate laissa échapper un soupir de soulagement.

Il sourit, puis déposa une portion sur l'assiette.

— Tu sais qu'aux yeux de Nana, tu ne peux rien faire de mal.

— Quand même… les rumeurs étant ce qu'elles sont dans une petite ville.

— Comme si Nana ne se foutait pas des rumeurs. Allez, chérie, détends-toi. Vois si Quinn a rendu justice à la recette de Nana. Quand tu décideras de lui parler du bébé, elle sera ravie.

Il saisit une fourchette et prit un peu de lasagne.

— Ouvre la bouche, maintenant. Voilà. Qu'en penses-tu ?

— Hmmfff, dit-elle en mâchant tout en souriant.

— C'est *vraiment* bon. J'en ai mangé un peu dans la cuisine.

Dominic lui fit manger la lasagne, puis la convainquit d'avaler un demi-bol de pêches et de crème. Et quand elle fit signe qu'elle en avait assez, il dit :

— Merci, chérie. Tu as bien fait. N'oublie pas que tu manges pour deux, maintenant. Tu dois apporter quelques ajustements à ton menu de pizza et de confiseries en barre.

Il sourit.

— Je suis profondément surpris que tu sois en si bonne santé.

— Nous n'avons pas tous des chefs cuisiniers.

— Maintenant, tu en as. Alors, commence à suivre le programme.

Elle sourit.

— Et si je ne le fais pas ?

— Peut-être que nous allons devoir établir un régime alimentaire et te donner des autocollants quand tu mangeras bien.

— Ou tu pourrais me donner des orgasmes.

Il éclata de rire.

— Encore mieux. Nous y gagnerions tous les deux.

Elle tendit la main et fit glisser un doigt sur la lèvre inférieure de Dominic.

— Comme maintenant peut-être ? Je ne t'ai pas vu de la journée…

Il prit une lente inspiration.

— L'organisatrice de mariages sera ici d'une minute à l'autre.

Elle lui entoura le cou de ses bras, le regarda et murmura :

— Elle ne pourrait pas attendre ? Ça ne sera pas long.

Il soupira.

— Ne fais pas ça, chérie.

Retirant une de ses mains de son cou, il la retourna, embrassa sa paume, puis replia ses doigts et les tint doucement.

— Si tu accordes 10 minutes à Mme Hastings, je vais te donner tout ce que tu voudras le reste de la nuit.

Il sourit.

— C'est un bon marché.

Elle grogna en retirant lentement son autre bras du cou de Dominic et se rassit.

— OK, mais j'ai au moins besoin d'un baiser.

Il laissa retomber la main de Kate.

— Juste un baiser. C'est tout.

— Tu ne me fais pas confiance ?

Elle lui jeta un regard plein d'innocence que n'auraient pu améliorer ses joues roses de chérubin.

Il sourit.

— Pas quand tu me regardes comme ça.

Penchant la tête, il l'embrassa comme on embrasserait une tante âgée — les mains immobiles, sur la joue, vite fait. Puis, il la mit sur pied et se leva de sa chaise.

— Allez, chérie, fit-il d'un ton cajoleur en glissant ses doigts le long de son bras. Ne boude pas. Dans 10 minutes, je serai tout à toi.

— Je suis à cran, fatiguée, et je suis terriblement assoiffée de sexe, marmonna-t-elle. Alors, je vais bouder si je le veux.

Il avait bien fait d'avertir Mme Hastings que Katherine pouvait avoir des changements d'humeur.

— Peut-être que nous pourrions faire ça en moins de 10 minutes, dit-il en entrelaçant leurs doigts. Tu n'as qu'à approuver quelques petites choses avec l'organisatrice, puis regarder quelques esquisses de robes de mariée pour que la designer puisse se mettre au boulot.

— Ou tu pourrais choisir la robe pendant que je parle à Mme Hastings. Ça accélérerait les choses, dit-elle en souriant tout à coup. Je ne vais pas te faire honte. C'est promis.

— Tu ne peux en aucun cas me faire honte, chérie. Jamais. Je veux seulement mettre les choses en branle.

— Tu es beaucoup trop gentil, fit-elle en lui serrant la main. Merci.

— C'est facile d'être gentil avec toi, répondit-il en la pressant contre lui. Tu es mon univers.

— Oh, mon Dieu, je vais encore me mettre à pleurer.

— Hé, hé, ça va aller.

Il lui embrassa l'arête du nez.

— Il n'y a aucune raison de pleurer, ajouta-t-il en souriant. Tu n'as pas le temps, de toute façon.

Elle prit une inspiration, renifla, exhala.

— Alors, pour détourner la conversation vers quelque chose qui vaille moins la peine de verser des larmes… est-ce que la designer sera scandalisée quand tu lui demanderas une taille ajustée ?

— Bien sûr que non. Elle est payée pour ne pas l'être.

— Quelque chose de simple, alors. Pas de traîne ni de voile, rien qui puisse me faire trébucher.

— Nous allons voir ça ensemble. Rapidement.

Elle feignit d'être surprise.

— Vraiment. Tu es d'accord ?

— Dans une certaine limite, chérie. Je ne veux pas que ma fiancée apparaisse dans ses foutus pantalons verts d'armée et une blouse blanche.

— Ils ne me vont plus.

— Bien.

Lâchant la main de Kate, il boutonna le col de sa chemise, remonta son nœud de cravate, attacha les boutons de son veston, puis reprit sa main et sourit.

— Allons-y.

Dans un coin du vaste salon de réception du style des frères Adam, deux femmes étaient assises côte à côte sur un des deux canapés recouverts de soie à rayures bleues qui se faisaient face. Comme Belgravia ne s'était développée qu'au cours de la deuxième moitié du XIXe siècle, la maison n'avait pas été conçue par les frères Adam, mais elle était fidèle à leur modèle néo-classique : des murs courbés bleu ciel aux pilastres grecs, à la moquette pastel en passant par les médaillons peints au plafond, le décor affichait une élégante légèreté, la marque de commerce d'un intérieur conçu par les frères Adam.

Martin déposait un grand cabaret d'argent avec un service à thé sur une table entre les canapés quand Dominic et Kate pénétrèrent dans la pièce.

— Merci d'être venues, dit Dominic en s'approchant des deux femmes. Je m'excuse pour l'heure tardive. Nous n'allons pas prendre trop de votre temps.

Il présenta Katherine à Mme Hastings qui, à son tour, présenta la jeune femme assise près d'elle. Martin versa du thé et du xérès pour les femmes, un thé pour Kate et un whisky pour Dominic avant de servir à tous des brioches aux couleurs vives, puis il se retira discrètement.

— Puisqu'il est tard, nous devrions nous y mettre immédiatement, dit sèchement Mme Hastings à l'instant où la porte se refermait derrière Martin, soulignant le fait qu'elle n'aimait pas les rendez-vous en soirée. J'ai trouvé une petite chapelle tout près.

Elle regarda Dominic, une main sur sa gorge en un geste calculé, son collier à trois rangées de perles étant un symbole de sa classe sociale.

— Ils avaient plusieurs heures à leur disposition, alors je les ai toutes réservées. Pour le mois prochain, vous aviez dit.

Dominic se tourna vers Kate.

— J'ai pensé que ce serait plus facile dans un endroit proche. Est-ce que ça te va ? demanda-t-il en regardant son assiette. Martin ne t'a pas donné de petits gâteaux au chocolat. J'en avais fait faire pour toi.

— Je vais bien, dit Kate en rougissant.

— Tu en es sûre ?

Ils auraient pu être seuls tellement il ignorait leurs hôtes. Il sourit et sa voix s'adoucit.

— Ils sont fourrés aux truffes.

— S'il te plaît, Dominic.

Sa voix était tremblante. Dominic était peut-être indifférent à la présence des deux femmes, mais elle était tout à fait consciente de l'expression ébahie de l'organisatrice de mariages.

Il se rendit finalement compte du malaise de Kate.

— Peut-être plus tard, fit-il sur un ton nonchalant en se penchant pour l'embrasser sur la joue. Alors, avons-nous ton approbation en ce qui concerne la chapelle ?

— C'est toi qui décides, vraiment, murmura Kate, les joues empourprées, l'air de souhaiter se trouver n'importe où ailleurs. Rien de tout ça n'a d'importance pour moi. Nous pourrions nous marier en sous-vêtements dans une armoire et ça ne me dérangerait pas.

Elle n'adorait pas les cérémonies.

— Dans ce cas, ma seule préoccupation, c'est l'intimité, Mme Hastings.

Dominic tourna son regard dépourvu d'expression sur la vieille dame mince et grisonnante aux lèvres serrées, droite comme un piquet, devant eux.

— Pas de journalistes ni de paparazzi, ajouta-t-il.

— Nous allons faire de notre mieux, M. Knight, dit Mme Hastings en ravalant son dédain devant l'attitude nonchalante de Dominic Knight.

Les Américains n'avaient aucun sens du décorum. Il parlait affectueusement à sa fiancée comme si elle et Abigail étaient invisibles.

— Puisque la réception aura lieu ici, comme vous l'avez exigé, poursuivit-elle en se forçant à sourire parce que M. Knight était aussi nonchalant à propos de ses prix.

— Oui, nous serions sûrs d'avoir de l'intimité. Vous pouvez discuter du menu avec mon chef au moment qui vous conviendra. Si Katherine a des demandes, nous vous les transmettrons. Notre cellier est à la hauteur, je crois ; les détails de la décoration et les fleurs à la chapelle et ici sont à votre discrétion et tout le reste — permis, si vous avez besoin d'une aide consulaire, ce genre de chose, j'aimerais que vous vous en occupiez. En ce qui concerne la liste d'invités, vous devriez peut-être en prévoir une cinquantaine et nous…

— Cinquante ! s'exclama Kate en se retenant à peine de crier.

— Ou moins, ajouta Dominic en lui souriant. C'est toi qui décides.

— Je me disais peut-être seulement nous deux.

— Et Nana. Et Melanie et sa famille, dit-il en penchant la tête. Et ta coloc, Meg ? Elle voudrait peut-être venir avec un de ses… euh… amis. Et Nana aimerait peut-être que les membres de son club de bridge y soient aussi.

— Oh, mon Dieu, elle a dit ça ?

Kate pouvait déjà imaginer les lèvres plissées de Jan Vogel.

— Non, mais tu dois au moins l'envisager, répliqua doucement Dominic. Elles et ses amies ont joué au bridge et partagé leurs secrets pendant 50 ans. Écoute, rien de tout ça ne doit être décidé tout de suite.

Il prit la main de Kate dans la sienne.

— N'est-ce pas ? dit-il en tournant les yeux vers Mme Hastings pour obtenir une confirmation.

L'organisatrice de mariages savait ce qu'on attendait d'elle.

— Pas du tout, dit-elle en essayant de ne pas s'étouffer.

Croyait-il qu'elle était magicienne, qu'il suffisait d'un coup de baguette pour qu'un mariage se *produise* ?

— Bien. Problème réglé, dit aimablement Dominic. Maintenant, pourquoi ne regarderions-nous pas quelques modèles de robe ?

Mme Hastings avait apporté une longue liste des importants clients de la designer de même que ses états de service. Mais malgré sa fiabilité, Abigail Strahan ressemblait à une étudiante en art d'avant-garde. Elle avait une large mèche rose dans sa chevelure blonde et lisse, portait une courte robe t-shirt noire, des collants rayés noir et blanc et des bottes victoriennes à talons hauts en cuir pourpre.

Kate l'aima immédiatement, de même que son grand sourire chaleureux.

— J'ai besoin de quelque chose d'ample, dit-elle tandis qu'Abigail déposait un carton sur la table entre elles.

— Nous allons avoir un bébé, intervint Dominic avec un sourire.

— J'ai vu ça, dit Abigail. Mes félicitations.

Mme Hastings serra tellement les lèvres qu'elles blanchirent. Kate ne le remarqua pas parce qu'elle se penchait au moment où la designer étalait devant elle des dessins à l'aquarelle. Dominic le remarqua, mais vit l'organisatrice changer immédiatement d'expression pour adopter un demi-sourire plus acceptable. *Bonne idée.* Il se fichait qu'elle approuve sa vie ou non du moment où elle exécutait ses ordres dont le plus important était de maintenir une complète confidentialité. Avant la cérémonie, ni Gora, le mafioso qui avait menacé Katherine, ni la famille cupide de sa femme qui allait bientôt divorcer, ni le monde général ne devaient connaître leurs projets.

Mme Hastings paraissait tout à fait capable de demeurer discrète.

— J'aime bien votre robe, dit Abigail en indiquant la tunique de soie ornée de broderies de Kate. Elle convient parfaitement à votre peau pâle et à vos cheveux roux.

— Merci. C'est Dominic qui l'a achetée. C'est lui qui a du goût. Je suis chanceuse.

— Mais c'est vous qui faites bien paraître les vêtements. C'est lui qui est chanceux.

— Tout à fait d'accord, fit Dominic en passant un bras autour des épaules de Kate et en se penchant pour lui embrasser la joue. Je suis l'homme le plus chanceux du monde.

Kate rougit.

Alors, il l'embrassa de nouveau, toujours captivé par sa naïveté mignonne. Elle était unique dans son univers sophistiqué, de loin différente de toutes les femmes qu'il avait connues, tout à fait naturelle, rafraîchissante et ingénue, irrépressiblement assoiffée de sexe. Son fantasme permanent. Bougeant légèrement pour dissimuler son érection croissante, il laissa tomber son bras des épaules de Kate et tourna rapidement son attention vers la discussion à propos des robes de mariée.

— Cette courte robe légère serait facile à porter.

La designer lui montra du doigt le dessin d'une robe de soie crème à col droit, avec de petites manches cape et un devant orné de trois boutons recouverts de soie.

— Ou cette robe en mousseline de soie qui dissimulerait votre ventre.

— Ce n'est pas nécessaire, dit Dominic avant de se tourner vers Kate. Ne te préoccupe pas de ça. Une fois mariés, le monde entier pourra le savoir. Je m'en fiche.

— Peut-être que je ne veux pas que le monde le sache tout de suite.

Il leva immédiatement les mains.

— Pardonne-moi, chérie. C'est ta décision.

Les femmes ignorèrent le reniflement de Mme Hastings.

Dominic la regarda, sourcils froncés.

— Il y a un problème ? demanda-t-il.

— Non, non, j'ai… un début de… rhume, bredouilla-t-elle.

Même si elle s'enorgueillissait d'être une femme au courage inflexible, elle trouva inquiétante la froideur dans les yeux bleus de Dominic.

Se retournant calmement vers les dessins, Dominic indiqua une robe trapèze simple sans manches en shantung ivoire.

— J'aime bien celle-ci. Et elle s'accompagne d'un manteau agencé au cas où la température serait maussade.

— J'aime celle avec le collet, dit Kate.

— Alors, prends-la.

Il sourit à la jeune designer.

— Quand pourriez-vous l'avoir finie ? J'ignore si Mme Hastings vous l'a mentionné, mais le prix est sans importance. Alors, si vous avez besoin d'embaucher d'autres couturières, n'hésitez pas à le faire.

— Je pourrais la terminer en deux ou trois jours.

— Parfait.

Il se leva en douceur du canapé, tendit la main à Kate et la mit sur pied.

— J'aurai besoin de prendre quelques mesures, dit Abigail.

Kate grogna.

— Si vous apportiez cette robe, dit Dominic en indiquant la tunique de Kate, est-ce que ça vous aiderait ?

— Je devrais quand même procéder à un dernier ajustement.

— Et ensuite ? De combien de temps auriez-vous besoin pour finir la robe ?

— Une journée, pas plus.

Il regarda Kate dans les yeux.

— Un ajustement, ce n'est pas si mal. Tu peux faire ça, n'est-ce pas ?

— Après le travail, si ça ne vous dérange pas, dit Kate en se tournant vers la designer.

Dominic jeta un coup d'œil à Abigail.

Elle inclina la tête.

— C'est réglé, alors. Nous vous ferons apporter la robe dans quelques minutes. Ce fut un plaisir de faire votre connaissance, Mlle Strahan. Et comme toujours, Mme Hastings, vous avez été d'une aide précieuse. Si vous avez des questions, n'importe lesquelles, vous pouvez vous adresser à Martin. Il s'occupera de tout à partir de maintenant. Je vais vous l'envoyer.

— Merci, dit Kate. C'était un plaisir de vous rencontrer toutes les deux. Et j'adore vos robes, ajouta-t-elle avec un sourire à l'adresse d'Abigail.

— Nous pourrions convaincre Mlle Strahan de concevoir quelques vêtements de maternité pour toi, intervint Dominic en passant un bras autour des épaules de Kate. Nous sommes tous deux des débutants en ce domaine. Réfléchissez-y au moins, dit-il en voyant hésiter Abigail. Katherine pense que les vêtements de maternité sont vulgaires. Vous pourriez la faire changer d'avis.

— Je vais y réfléchir, mais ce n'est pas mon domaine de compétence.

— Katherine aime votre travail, alors j'espère que vous accepterez. Je demanderai à Martin de vous donner mon numéro. Appelez n'importe quand.

Il se tourna vers Kate, puis pencha la tête.

— Ça te va, chérie ?

— Ouais, oui, se corrigea immédiatement Kate en souriant à Abigail. J'aime la simplicité de vos designs.

— Vous avez impressionné ma fiancée, Mlle Strahan. D'habitude, elle n'a aucun intérêt pour les vêtements. Assurez-vous de m'appeler.

Pendant que Dominic et Kate s'éloignaient main dans la main, Mme Hastings murmura :

— Si j'étais toi, je ne refuserais pas. Cet homme n'a aucune hésitation à payer n'importe quel prix.

— Il est amoureux d'elle. Il veut la rendre heureuse.

— Hum ! Peut-être, mais il veut davantage ce qu'il désire. Les hommes comme Dominic Knight sont impitoyables. Je n'aimerais pas être sa femme, s'ils en viennent à divorcer. Il ne sera alors pas aussi accommodant. Et ils divorcent tous. Ils trouvent un nouveau jouet et tournent la page.

— Malgré cela, vous organisez des mariages pour des hommes comme lui.

Mme Hastings lui adressa un de ses rares sourires.

— Les divorces sont excellents pour mes affaires. Certains de ces magnats de l'industrie se sont mariés quatre fois. Et toujours avec extravagance. En fait, je m'étonne de l'aspect modeste du mariage de M. Knight.

— Je ne pense pas que sa fiancée s'intéresse à l'extravagance.

— Peut-être. Il a déjà été marié une fois. Tu savais ça ?

— Non. Alors, peut-être qu'il suit votre modèle en ce qui concerne les mariages en série sauf pour la réception nuptiale.

— Il est *effectivement* plus étrange que la plupart de mes clients. Plus exigeant, ajouta-t-elle en secouant les épaules. Plus généreux aussi. Mais… ah, voici ce Martin.

CHAPITRE 7

— J'ai oublié de te dire qu'Amanda, la femme de Justin, a appelé aujourd'hui et nous a invités à dîner demain, dit Kate tandis qu'ils traversaient le corridor. Ce sera sans cérémonie, a-t-elle dit. Dieu merci. Et elle s'est excusée de l'invitation à la dernière minute, mais avec le nouveau bébé, c'est difficile de prévoir, a-t-elle dit aussi. Ça te va ?

— Bien sûr. Tout ce que tu veux.

— J'ai déjà parlé à Joanna. Alors, je n'aurai pas besoin d'aller travailler samedi.

Dominic sourit.

— Bien, dit Kate. Je vais t'avoir tout à moi samedi. Je vais avoir une journée de congé.

— Tu pourrais en avoir davantage, répondit-il en la regardant. Tu sais ça.

— Nous verrons, dit Kate avec un rapide sourire. Ne me presse pas.

« Joanna lui avait-elle déjà parlé ? » se demanda-t-il.

— La proposition tient toujours. C'est tout ce que je dis.

— Si je décide de faire partie des Entreprises Knight, dit Kate en exécutant une petite révérence devant Dominic qui avait tout à fait l'apparence d'un PDG dans son complet fait sur mesure, vous serez le premier à le savoir, M. Knight.

— Hmmm, maintenant, je suis *vraiment* intéressé, fit Dominic avec un sourire pervers. De la déférence de ta part en m'appelant M. Knight. Apparemment, vous serez une employée modèle, Mlle Hart.

— Comme si c'était ce que tu voulais, fit-elle en éclatant de rire.

— Je le veux de tout le monde sauf de toi. Je dirige une organisation sérieuse, mais tout t'est permis. Tu le sais.

Elle lui adressa un sourire séducteur.

— Je suis ta préférée, n'est-ce pas ?

— Sous tous les aspects. Alors, puisque nous en parlons, dit-il prudemment, si tu décides de monter à bord, nous pourrions diriger ensemble les Entreprises Knight. En tant que partenaires égaux. Tu aurais le même droit de veto, la même autorité, la même structure de commandement. Tu n'as qu'à dire « oui ».

— C'est complètement fou, répondit Kate, ébahie. Je ne connais absolument rien à….

— Bien sûr. Tu connais les affaires là où ça compte : les résultats nets. Comment l'argent entre et sort, combien, à quel rythme, si les marges de profit sont bonnes ou mauvaises. Et je peux te montrer à négocier des ententes. Alors, pas de fausse modestie. Tu peux faire n'importe quoi et tu le sais foutrement bien.

— Tu me fais penser à mon grand-père.

— Je vais prendre ça comme un compliment.

— Ça l'est, dit-elle doucement en déglutissant.

Il vit les yeux de Kate s'embrouiller et la souleva immédiatement dans ses bras.

— Je ne pourrai jamais le remplacer, chérie, mais je t'aime tout autant que lui. Inconditionnellement, murmura-t-il en l'embrassant délicatement tandis qu'il traversait à grands pas le corridor. Et pas de pression à propos de l'offre d'emploi. Je voulais seulement que ce soit sur la table. Peu importe ce que tu décideras, je suis d'accord. Maintenant, ajouta-t-il en détournant la conversation vers un sujet moins émotif, à quelle heure est notre dîner demain ? À 20 h ?

Elle sourit.

— Tu devrais faire carrière en diplomatie.

— Ça ne rapporte pas. Et je frapperais probablement la première personne qui m'engueulerait. Mais merci, dit-il avec un sourire, pour ton idée complètement folle.

Il hocha la tête en direction du concierge pendant qu'il se dirigeait vers l'escalier double qui s'élevait de l'immense hall d'entrée.

— L'invitation *était* pour 20 h, dit Kate pour répondre à la question de Dominic, mais j'ai demandé si nous pouvions venir à 19 h. Je deviens fatiguée tellement tôt, maintenant. Amanda a dit que ça lui allait parce que, même avec une bonne d'enfants et une nounou, elle manque parfois de sommeil.

— Nous n'allons pas nous attarder, alors, répondit Dominic en commençant à monter l'escalier de droite. Je viendrai te prendre à 17 h, puis nous reviendrons ici pour nous changer et nous nous rendrons chez eux.

— Tu es sûre que ça ne te dérange pas d'y aller ?

— Pas du tout et comme ils viennent de vivre une grossesse et une naissance, nous pourrons apprendre quelque chose. Je pense que nous pouvons le leur dire sans crainte qu'ils diffusent la nouvelle.

— Tu en es certain ?

— Tu peux faire confiance à Justin, non ?

— Bien sûr, fit Kate en souriant. Alors, je vais prendre des notes.

— Nous allons en prendre tous les deux.

Il tourna au premier palier, puis grimpa la deuxième volée de marches plus courte.

— Ce qui me rappelle que Max a parlé à Liv et qu'elle a recommandé une obstétricienne, alors j'ai appelé et pris rendez-vous.

— Je suppose qu'il faut le faire.

— Ça pourrait être une bonne idée. Je n'aime pas être dans l'ignorance.

— C'est vrai, dit-elle en soupirant. Quand ?

— Lundi prochain.

Ses souliers ne faisaient aucun bruit tandis qu'il marchait sur l'épaisse moquette du corridor.

— À 15 h 30. C'était le rendez-vous le plus tard que j'ai pu obtenir. C'est son dernier de la journée.

— Parlant d'obtenir des choses, ronronna Kate tandis que Dominic venait de s'arrêter devant des doubles portes, tu as dit que si j'accordais 10 minutes à l'organisatrice de mariages et à la designer, je t'aurais toute la nuit.

— J'étais sincère, chérie. Je suis tout à toi.

Abaissant la poignée avec ses jointures, Dominic ouvrit la porte du pied, transporta Kate à l'intérieur de la chambre, la mit sur pied et alla refermer la lourde porte.

— Wow.

Elle parcourut des yeux l'immense chambre à coucher : des murs couleur crème, des meubles élégants, un grand lit à baldaquin autour duquel pendait de la soie couleur menthe, des peintures murales au plafond affichant des nymphes s'ébattant dans un paysage étrusque — et un mur de portes vitrées débouchant sur un balcon avec vue sur les jardins. La luminosité dorée du coucher de soleil semblait faire briller l'air.

— Sans blague, wow.

Il ne se fatiguait jamais de la regarder.

— Tu es magnifique, chérie, murmura-t-il en songeant à quel point elle avait redéfini sa vie, comment elle lui avait en fait donné une vie.

Puis, elle se tourna et lui adressa ce sourire qui lui donnait toujours l'impression d'être l'homme le plus chanceux du monde.

— Garde ça en tête lorsque pendant que je deviendrai de plus en plus grosse, dit-elle. Je t'avertis que je vais avoir besoin d'être constamment complimentée. Je n'ai jamais été grasse avant.

Son regard se fit légèrement provocateur.

— Et je ne parle pas des flatteries que tu distribues depuis des années.

— Ne t'inquiète pas. Ce monde est depuis longtemps révolu, chérie. Tu vas obtenir de tout nouveaux compliments. Dis-moi seulement si je m'égare.

— Du moment où tu m'aimes profondément, follement, avec ferveur, tu ne pourras pas t'égarer.

C'était là une demande qu'il aurait fuie à toutes jambes seulement quelques mois plus tôt.

— Toujours, chérie. Tous les superlatifs dans toutes les langues t'appartiennent, de même que mon cœur ; mon cœur dégelé, ajouta-t-il avec un sourire et un petit coup de poing sur sa poitrine. Sans parler de tous mes biens terrestres.

Elle croisa son regard et lui sourit.

— Si ça ne te dérange pas trop, il n'y a qu'un bien qui m'intéresse en ce moment.

Il baissa les yeux.

— Il a toujours une bonne longueur d'avance sur toi.

— Oh, mon Dieu, Dominic, souffla-t-elle, son regard posé sur l'érection évidente qui étirait la laine fine de son pantalon de complet. Arrêtons de parler. J'ai besoin de lui *maintenant.* Mes nouvelles hormones folles sont prêtes à se déclencher comme une fusée et…

— Compris, fit-il brusquement en la faisant pivoter avant de descendre la fermeture éclair de sa robe et en la lui enlevant. Saute dans le lit, ajouta-t-il en lui administrant une tape sur les fesses. Je reviens tout de suite.

Il sortit rapidement de la chambre, puis traversa le corridor jusqu'au haut des marches.

— Hé oh ! cria-t-il.

Quand le concierge leva les yeux, Dominic lui lança la robe.

— Donne-la à Martin, dit-il d'une voix suffisamment forte pour être entendu sept mètres plus bas. Et dis-lui que je ne veux pas être dérangé.

— Oui, Monsieur, répondit le jeune homme en réprimant un sourire et en attrapant la robe. Je vais le lui dire, ajouta-t-il, bien qu'à ce moment il parlait tout seul.

Dominic se trouvait déjà à mi-chemin du corridor de l'étage, se débarrassant d'une main de son veston tout en desserrant sa cravate de l'autre. Il entra dans la chambre quelques instants plus tard, jeta les vêtements sur une chaise, passa sa chemise par-dessus sa tête, la laissa tomber par terre et déboucla sa ceinture. Concentré sur son déshabillage rapide, il ne leva les yeux qu'en entendant un doux gémissement.

Kate était étendue au milieu du lit dans toute sa beauté, terriblement désirable, éblouissante tandis qu'elle inclinait la tête d'un air indolent sur une pile d'oreillers de lin, l'édredon ramené à ses pieds. Elle était encore plus voluptueuse enceinte, ses seins un cadeau pour les yeux, la courbe de ses hanches légèrement plus arrondie, le léger soulèvement de son ventre lui coupant toujours le souffle comme si leur enfant représentait quelque rare réalisation.

— Dominic, fit-elle.

Ses yeux étaient à demi fermés, sa voix débordante de désir.

Il émergea de sa transe amoureuse.

— Deux secondes, chérie.

Se débarrassant de ses souliers, il descendit sa braguette d'un geste rapide.

— Oh… Seigneur…

Les joues de Kate s'étaient empourprées, sa chair pâle rougie de la tête aux pieds tellement elle était excitée — ses mains posées sur son mont de Vénus comme pour contenir ses désirs féroces.

— Ne songe même pas à jouir sans moi, gronda Dominic. Merde, Katherine, ouvre les yeux.

Elle leva lentement les paupières.

— Alors, tu ferais foutrement mieux de te dépêcher, dit-elle, ses yeux brûlant de désir, le monde entier se limitant au désir *immédiat* qu'elle avait de lui.

— Maintenant, j'ai toute ton attention, murmura-t-il en souriant tandis qu'il descendait son pantalon et son boxeur.

— Je ne sais pas à propos de toi, mais lui, dit-elle en pointant du doigt son énorme érection, de nouveau tout à fait visible alors qu'il se relevait, il a toute mon attention. J'y ai pensé toute la journée.

— Alors, ouvre les jambes, chérie, dit-il d'un ton dur. Nous arrivons.

Elle frissonna alors qu'une poussée de désir envahissait ses sens, son ordre brusque déclenchant plein de souvenirs osés.

— J'ai vu ça, murmura-t-il en se débarrassant de ses derniers vêtements. Mais je ne peux pas entrer à moins que tu t'ouvres toute grande.

Elle écarta immédiatement les jambes.

Il vint s'arrêter à côté du lit.

— J'ai dit « toute grande », chérie.

Il baissa les yeux.

— Il ne va pas pouvoir entrer là à moins que…

Elle baissa rapidement les mains, fit glisser ses doigts sur la chair tendre et moite de son sexe et l'ouvrit.

— Encore plus, chérie, dit doucement Dominic. À moins que tu ne le veuilles pas en toi.

Elle gémit doucement, la voix profonde de Dominic, sa douce menace ou sa promesse éhontée, alimentant son désir rageur.

— J'attends, murmura-t-il en souriant à peine.

Parce qu'elle avait glissé ses doigts encore plus profondément et s'était ouverte en une offre alléchante de plaisir charnel.

— Bonne fille, dit-il doucement. Tu obtiens une récompense quand tu fais ce qu'on te dit.

Il se pencha, caressa délicatement son clitoris exposé, le regarda enfler en un petit bourgeon dur.

— Non, non, ne bouge pas tes mains, la prévint-il quand elle commença à haleter, et il tapa son clitoris suffisamment fort pour qu'elle émette un petit cri.

Ses yeux s'ouvrirent brusquement.

— J'ai une demande toute simple, dit-elle, les dents serrées.

Il lui adressa un petit sourire.

— C'est toujours le cas. Peut-être que je veux jouer pendant quelques secondes.

— Et peut-être que je ne le veux pas, siffla-t-elle.

Il empoigna son membre dur comme la pierre.

— Il le veut.

Elle se lécha inconsciemment les lèvres en contemplant son érection dressée contre son ventre.

Il lui sourit d'un air insolent.

— Tu aimes ?

Haletante, frénétique et fiévreuse, il fallut à Kate un moment pour répondre.

— Tu sais que oui.

Ça n'avait jamais eu d'importance, auparavant — à quel point une femme le désirait.

— Bien, murmura-t-il. Maintenant, dis-moi que tu m'appartiens, chérie. Que tout ton appétit sexuel débridé m'appartient.

Il se laissa descendre avec grâce entre ses cuisses ouvertes, guida son membre jusqu'à sa fente, s'arrêta un instant.

— Seulement à moi…

— Oui, oui, seulement à toi… Oh, mon Dieu, Dominic, s'il te plaît…

Sa voix se transforma en un langoureux gémissement tandis que Dominic se glissait lentement dans sa chaleur moite, accueillante.

Il ferma les yeux en sentant le flux de plaisir féroce envahir ses sens.

— Pour toujours et à tout jamais, chérie, dit-il d'une voix tendue et basse. Toi et moi.

Elle inclina la tête, incapable de parler alors que le ravissement se propulsait dans tout son corps, le désir fiévreux l'entraînant vers l'orgasme. Mais plutôt que de lui répondre, elle serra ses bras autour de son cou, fit glisser ses pieds à l'arrière de ses cuisses et lui ouvrit complètement son corps.

— Merci, chérie, murmura-t-il, son souffle léger contre les lèvres de Kate.

Il sentit son petit sourire et s'émerveilla à quel point un petit geste pareil provoquait chez lui un si inexplicable plaisir. Mais elle était moite et sauvage et elle accéléra le rythme presque immédiatement. Il l'embrassa doucement.

— Tu es pressée, chérie ?

— Maintenant, maintenant, maintenant, haleta-t-elle.

Impuissante, frissonnante, elle avait attendu toute la journée. Pour ça, pour lui, pour éprouver la sublime sensation de son membre plongeant en elle. S'enfonçant jusqu'à la garde. Ouiouioui. *Oh, c'est trop* — non, *exactement* comme ça… Oh, mon Dieu, oh, mon Dieu, Seigneur ! Soudainement, elle étouffait de plaisir, frissonnant et se tendant tout à la fois. Criant.

Mais elle était avide et féroce et impitoyable dans le besoin qu'elle ressentait, et il continua de répondre à ses désirs fous, orgasmiques, jusqu'à ce qu'il murmure finalement :

— Assez, chérie. Nous allons arrêter. Tu trembles.

Puis, il jouit délibérément en mettant fin temporairement aux demandes de Kate.

Elle le regarda avec une petite moue.

— Et si je veux davantage ?

— Tu peux avoir plus, mais pas maintenant. Nous ne savons ni l'un ni l'autre ce qui est permis jusqu'à ce que nous voyions un médecin. Ne faisons pas d'excès.

— Je me sens bien.

— Je ne veux pas argumenter à ce propos, dit-il d'une voix douce en se redressant dans une position assise.

— Moi non plus. Je ne suis pas une de tes employées qui doit accepter tes ordres, dit-elle un peu brusquement, comme s'il ne lui avait pas offert une place à ses côtés au sein des Entreprises Knight.

Il ravala sa réplique, inspira lentement.

— Je le sais, Katherine. Je m'inquiète seulement pour ta santé.

— Pourquoi ne me laisses-tu pas me préoccuper de ça ?

Un autre moment tendu de maîtrise de soi.

— Je me sentirais mieux après que nous ayons parlé au médecin, dit-il avec un calme forcé.

— Et je me sentirais mieux après quelques autres orgasmes.

Il fronça les sourcils.

— Ne fais pas l'enfant.

— Agis comme un foutu tyran avec quelqu'un d'autre. Ça ne m'intéresse pas.

Il détourna les yeux pendant un moment comme s'il s'interrogeait, débattait intérieurement, refrénant quelque impulsion. Les trois, finalement. Puis, il laissa glisser ses pieds au bord du lit, se retourna et la souleva aussi facilement que s'il avait pris un livre sur une table.

— Qu'est-ce que tu fais ?

Elle se retrouva tout à coup le visage vers le bas, étendue sur les jambes écartées de Dominic dont la main posée sur ses fesses la tenait fermement en place.

— Combien de fois t'ai-je menacée de faire ça ? Le sais-tu ?

Il la retint tandis qu'elle essayait de se relever.

Elle tourna la tête pour le regarder.

— Je n'aime pas ça, Dominic.

— Six fois, dit-il comme si elle n'avait pas parlé. Et tu le méritais chaque fois.

— Non, Dominic, ne fais pas ça.

Elle tenta de résister tandis que sa main glissait entre ses jambes et écartait de force ses cuisses.

— Garde tes jambes ouvertes, dit-il d'un ton sec en caressant son clitoris avec une savoureuse précision.

Elle retint son souffle en éprouvant un élan de plaisir sans vergogne devant cette concupiscence qui réchauffait ses sens, impuissante devant ce désir perturbant.

— Tu dois apprendre, Katherine. Tu ne peux pas toujours avoir ce que tu veux.

La main de Dominic s'abattit brutalement sur ses fesses.

Elle cria sous le choc. Ses fesses tremblèrent, la douleur vive. Puis, une palpitation honteuse se déclencha entre ses jambes et elle se tendit contre son excitation croissante, sentit venir le délicieux frisson, l'humidité de son sexe.

— Réponds-moi.

Une autre claque, l'empreinte de sa main dessinée sur la chair pâle de Kate, sur sa libido confuse. Puis, l'autre main de Dominic se retrouva sur son clitoris, un doigt parfaitement positionné, et le doux, involontaire gémissement de Kate s'éleva dans le silence de la pièce.

— Je ne t'entends pas, gronda Dominic.

Une autre claque dure, puis sa caresse sur son clitoris par contraste magistralement délicate.

— Comprends-tu ? ajouta-t-il.

Elle retint son souffle, débordante de désir, d'humiliation, d'un besoin urgent, sa peau encore vibrante après la dernière claque sur son tendre postérieur, son excitation croissante la faisant haleter.

— Tu dois parler, Katherine, sinon tu ne pourras pas t'asseoir demain, dit-il, puis sa main s'abattit de nouveau sur la chair embrasée. Dis-moi que tu comprends qui donne les ordres.

Une autre claque, ses fesses blanches devenues roses et brûlantes, les marques de doigts comme un sceau sur sa peau.

— C'est toi, Dominic, oh, mon Dieu, oh, mon Dieu, souffla-t-elle tandis qu'il glissait l'extrémité de son doigt au-delà de son clitoris pour frôler son point G.

— Je ne peux pas continuer de faire ça toute la nuit, Katherine. Tu dois dire : « Je comprends qui donne les ordres ». Que tu sais que tu ne peux pas toujours avoir ma queue en toi.

Puis, il soupira quand elle jouit soudainement.

— Bon Dieu, je ne sais pas si ça sert à quelque chose.

Si elle avait pu lui répondre à ce moment, elle l'aurait joyeusement désapprouvé. Et quand sa respiration ralentit finalement et que ses tremblements s'arrêtèrent, elle leva les yeux, sourit et dit :

— Je comprends, Dominic. Vraiment. Tout à fait.

Il lui adressa un sourire patient.

— Jusqu'à la prochaine fois où tu voudras jouir.

— Nous irons voir le docteur. Ça aidera.

Il soutint son regard, ses cils légèrement abaissés.

— Nous serons prudents d'ici là, alors. D'accord ?

— D'accord, acquiesça-t-elle.

Il la releva facilement, comme si c'était un enfant.

— Je m'inquiète, c'est tout, fit-il en la déposant sur le lit, le visage contre l'édredon. As-tu mal ? Est-ce que je me suis conduit comme une brute ?

Il pencha la tête, puis embrassa ses fesses rougies avec la plus grande délicatesse.

— Je suis désolé, ajouta-t-il en déposant un autre baiser sur les empreintes de ses doigts. Désolé. Désolé. Désolé.

Chaque excuse ponctuée par un baiser.

Puis, ses baisers remontèrent lentement le long du dos de Kate et, relevant ses cheveux, il l'embrassa tendrement sur la nuque.

— Tu veux une serviette froide sur ton joli cul ? murmura-t-il.

Elle roula sur le dos et lui tendit les bras.

— Ce que je veux, c'est que tu me baises vraiment doucement pendant que je m'endors.

Dominic hésita une seconde, puis dit :

— Pourvu que ce soit ma définition de la gentillesse.

Elle sourit, tout empourprée et gentille à souhait.

— Évidemment. C'est toi le patron.

Il riait encore un peu pendant qu'il la pénétrait lentement.

Après qu'elle se soit endormie, il attendit près d'une heure avant de quitter le lit pour répondre aux courriels sur son téléphone cellulaire. Mais après que Kate ait dormi profondément pendant quelque temps, il se rendit dans sa salle d'habillage, enfila des pantalons de jogging et un t-shirt, puis descendit dans sa bibliothèque.

Martin apparut quelques minutes plus tard.

— Tout va bien, Monsieur ? Avez-vous besoin de quoi que ce soit ?

Dominic leva les yeux de son ordinateur.

— Apporte-moi quelque chose à manger ; je n'ai pas eu beaucoup à dîner.

— Le chef l'a remarqué, Monsieur. Prendriez-vous du vin ?

— Une demi-bouteille. Je diminue mes rations.

— Je suis sûr que Mlle Hart est reconnaissante pour votre soutien.

Dominic haussa les sourcils.

— Je veux dire, puisqu'elle ne peut pas boire, vous vous adaptez. Le mari de ma fille a fait la même chose quand Jenny était enceinte.

— Ah, je vois. Alors, tu es grand-père ?

— Doublement, Monsieur. D'un garçon et d'une fille.

— Mes félicitations, fit Dominic en souriant légèrement. J'avoue que c'est emballant de songer à avoir un enfant.

— Vous ne le regretterez pas, Monsieur.

Dominic hocha la tête.

— Il faut que ça vous arrive pour comprendre ça.

— Effectivement, Monsieur.

Le majordome se tourna pour partir, puis pivota sur ses talons.

— M. Roche a appelé deux fois. Je lui ai dit que vous aviez donné l'ordre de ne pas vous déranger.

— Je vais l'appeler. Et si tu envoyais quelqu'un à l'étage s'asseoir à l'extérieur de ma chambre, je serais rassuré. Demande-leur de venir me chercher immédiatement si Katherine se réveille. Et quand tu m'auras apporté mon repas, tu seras libre pour la nuit.

— Merci, Monsieur.

— Tu demeures loin ?

Martin travaillait pour lui depuis huit ans et il n'avait jamais songé à le lui demander.

— Pas très loin, Monsieur. D'habitude, mon gendre vient me prendre. Nos familles vivent ensemble, ajouta-t-il devant le regard interrogateur de Dominic.

— Par nécessité ? Excuse-moi, je ne veux pas me mêler de ce qui ne me regarde pas, mais si tu as besoin d'une augmentation de salaire, je serais heureux…

— Non, Monsieur. Mon salaire est très généreux. Ma femme aime avoir les enfants et les petits-enfants près d'elle, répondit-il en souriant. Moi aussi.

— Si tu changes d'avis, nous pourrions certainement faire office de banquiers et te prêter de l'argent, ou à ta fille, pour une seconde hypothèque.

— Nous sommes très bien ainsi, Monsieur. C'est un arrangement qui satisfait tout le monde.

— Je vois, répondit Dominic.

C'était faux, évidemment, parce qu'il venait d'un foyer où les querelles étaient incessantes.

— Si tu en es certain, alors.

— Absolument, Monsieur, mais merci, dit Martin en souriant. Je vous fais monter directement votre dîner.

Il se tourna, sortit de la bibliothèque et referma lentement la porte derrière lui.

Renversant, songea Dominic. Martin et sa famille vivaient harmonieusement ensemble. Il sourit faiblement. Il avait beaucoup à apprendre à propos des familles. Et en peu de temps. Il prit le téléphone.

— Tu as appelé ?

— Tu sembles heureux, dit Max.

— Je le suis. Savais-tu que Martin vit avec sa fille et sa famille ?

— Oui. Ils vivent dans une maison jumelée au nord de Londres. Il l'a achetée quand il a commencé à travailler pour toi.

— Il dit qu'il aime cet arrangement.

— Il adore sa fille et ses petits-enfants.

— Apparemment, il s'entend bien avec son gendre aussi.

— Et, apparemment, tu viens de sortir d'une caverne.

— Sans blague. Merci de t'être occupé du personnel pour moi. Je ne l'avais jamais remarqué.

— Tu leur verses d'excellents salaires. Ils ne se plaignent pas du fait que tu ne bavardes pas avec eux.

— Il semble que Katherine m'ait ouvert les yeux sur un monde au-delà…

— Toi ?

— Ouais, moi, fit Dominic en éclatant de rire.

— Elle doit être en train de dormir.

— Elle s'est endormie tôt encore, répliqua Dominic d'une voix amusée.

— Tu devras t'y habituer. Liv dormait sans arrêt quand elle était enceinte.

— C'est ce que tout le monde me dit. Je m'attends à ce que mes horaires deviennent chaotiques.

— Nous pouvons composer avec ça. La raison pour laquelle je t'appelle, c'est qu'ils deviennent inquiets chez Star Mining. Et c'est à toi qu'il revient de prendre la décision. Ils te proposent le choix entre deux gisements de palladium. Ou les deux.

— Lesquels ?

— Le Russe et le Canadien.

— Je ne peux pas m'occuper du Russe, en ce moment. C'est trop loin de Katherine. Rappelle-moi où se trouve celui du Canada ?

— À Thunder Bay.

— Super. Nous allons prendre les locations là-bas.

Le palladium jouait un rôle important dans la technologie utilisée pour les convertisseurs catalytiques qui transformaient jusqu'à 90 % des gaz toxiques de l'échappement d'une voiture en substances moins dangereuses. Plusieurs des compagnies de Dominic s'occupaient de questions environnementales.

— J'ai pensé que tu serais intéressé.

— Absolument. La région ne se trouve qu'à quelques centaines de kilomètres de chez la grand-mère de Katherine, au Minnesota.

— Sais-tu quand tu vas partir pour les États-Unis ?

— Non. J'y travaille. Quelles sont les nouvelles du médecin à Rome ?

— La petite amie de Gora pourrait accoucher prématurément, dit-il. Le bébé pourrait naître d'un jour à l'autre. Et ton divorce se faire le lendemain, selon l'avocat.

— Bon Dieu. La vie me semble devenir trop belle. Quand les nuages d'orage vont-ils poindre ?

— Peut-être jamais.

— Ça ne correspond pas à mon expérience, mais je suis prêt à garder l'esprit ouvert.

— Ça ne fait jamais de mal. À titre de renseignement, j'envisage d'aller chez moi la semaine prochaine.

— Ça ne devrait pas représenter un problème. Pourvu que ton téléphone fonctionne.

— Toujours.

Un court silence s'ensuivit, puis Dominic dit :

— As-tu eu l'impression que tu renaissais quand Liv portait ton enfant ?

— Tu demandes ça à quelqu'un qui a vu plus de tueries que quiconque le devrait ?

— Alors, c'est vraiment un nouveau monde. Pas seulement pour moi.

— Un magnifique nouveau monde. Attends et tu verras.

— Tout est déjà trop parfait. Ça me rend nerveux.

— Une fois terminée cette sale affaire avec Gora, tu pourras te détendre.

— Sans aucun doute.

— Martin dit que tu ne bois pas. Ça devrait calmer ta nervosité.

— Ce n'est pas ça. J'ai simplement décidé que je ne voulais pas devenir un salaud d'alcoolique comme mon père.

— Ce n'est pas son seul problème.

Dominic éclata de rire.

— Sans blague. La liste est longue. Écoute, va dormir un peu. Je te verrai au bureau demain.

CHAPITRE 8

Il était précisément 19 h, la Mercedes noire se rangea devant la maison de ville de Justin et Amanda.

— Ne te dérange pas, Jake, je vais ouvrir la portière, dit Dominic. Reviens dans une heure.

— Parfait, patron.

Kate jeta un coup d'œil acéré à Dominic.

— Une heure ?

— Au cas où, c'est tout, expliqua Dominic. Je ne veux pas attendre la voiture. Et ça ne dérange pas Jake de rester assis ici.

Kate se mordit la lèvre et fronça les sourcils.

— J'ai cru t'entendre dire que ça ne te dérangeait pas que nous allions dîner. J'aurais pu rappeler Amanda et trouver un prétexte quelconque, fit-elle.

— Ça ne me dérange *vraiment* pas. Parole d'honneur, chérie. Et Jake regarde toujours des films pendant qu'il attend, alors nous pouvons rester aussi longtemps que tu le souhaites.

Il ouvrit la portière, descendit et lui tendit une main.

— Prête à bavarder de tout et de rien ? fit-il en souriant. Moi oui.

— Très drôle.

— En fait, je veux *réellement* voir le bébé.

Jake dissimula sa surprise bien que, plus tard, il dit à Max que c'était un de ces moments où on se souvenait toujours de l'endroit où on se trouvait quand la bombe avait explosé. Il avait été le chauffeur de Dominic depuis la création des Entreprises Knight, alors il avait une assez bonne idée du désintérêt qu'avait affiché Dominic auparavant en ce qui concernait les bébés.

Kate eut un grand sourire.

— Oh, c'est bien, fit-elle en lui prenant la main. Alors, il n'y a pas que moi qui sois terriblement emballée à l'idée de le voir.

— Dieu du ciel, non. Nous sommes sur la même longueur d'onde. Non pas que ne soit pas le cas depuis le début, dit-il en l'aidant à descendre de la voiture.

Elle sourit.

— Je ne sais pas à propos de la longueur d'onde, mais tu étais terriblement sexy.

— Et je te désirais foutrement plus que je l'aurais dû.

— C'était le destin, répondit-elle d'un ton léger.

— Ou bien c'était seulement une chance incroyable pour moi. Bon Dieu, marmonna-t-il en l'attirant contre lui. Sommes-nous obligés d'entrer ? Nous pourrions être au lit dans 10 minutes et je pourrais être en train de te faire sentir vraiment bien.

— C'est tellement tentant, murmura Kate en saisissant les épaules de Dominic et en se haussant sur la pointe des pieds pour un baiser.

Toutefois, en se levant, elle aperçut la façade de la luxueuse maison de brique rouge à quatre étages et elle redescendit.

— Trop tard, dit-elle avec un soupir. Justin est à la fenêtre.

Dominic grogna.

— Au moins, dit-elle en lui souriant, nous pourrons voir le bébé.

Elle lissa l'ourlet de son chemisier brodé.

— Maintenant, dis-moi que ma tenue n'est pas *trop* décontractée. Cet endroit est vraiment sophistiqué.

Dominic avait choisi des capris verts et des souliers verts Bottega Veneta qui s'agençaient à la blouse. Des boucles d'oreilles en or et en émail corail, vert et blanc, de même qu'un bracelet rayé noir et blanc en émail et en or à son poignet ajoutaient une petite note luxueuse.

— Tu es parfaite, chérie. Comme la mère vraiment charmante de mon enfant.

Sur le ton nonchalant qu'Amanda reconnaîtrait.

— Je ne suis pas tellement sûre à propos de la partie « charmante ».

— Tu l'es absolument, à mes yeux, dit-il en souriant. N'oublie pas que je vis dans un foutu monde de requins.

— Était-ce un compliment ? Je n'en suis pas tout à fait sûre.

— Aussitôt que nous reviendrons à la maison, chérie, je vais faire en sorte que tu saches exactement comment je me sens.

— Voilà un encouragement à raccourcir cette visite, murmura-t-elle en lui lançant un clin d'œil séducteur.

Il la regarda avec une lueur perverse dans les yeux.

— Alors, je me suis bien fait comprendre.

La porte à garniture de laiton s'ouvrit avant qu'ils l'atteignent, et Justin et Amanda les accueillirent chaleureusement. Après les politesses d'usage, et après avoir déploré la situation de la circulation à Londres, Dominic et Kate se firent conduire dans un petit jardin d'hiver pour les boissons.

— Rien pour moi, murmura Kate en s'assoyant près d'Amanda dans une chaise rembourrée à motifs tropicaux. C'est encore un demi-secret, mais je suis enceinte.

— Comme c'est adorable, répliqua Amanda avant de jeter un coup d'œil vers Dominic. Pour tous les deux.

— Nous sommes ravis, dit Dominic en s'assoyant dans une chaise tout près.

Justin servit aux femmes un cidre pétillant sans alcool, puis quand il se détourna du cabinet pour demander à Dominic ce qu'il voulait boire, celui-ci répondit :

— Le cidre, ça me va.

Justin le dévisagea.

— Tu veux rire.

Dominic sourit.

— Ce n'est pas une blague.

— Merde. Excusez-moi, mesdames. Mais je ne vais pas boire seul.

Et il versa deux whiskies.

Quand il tendit son verre à Dominic, les femmes étaient occupées à parler bébés de l'autre côté de la table basse.

Justin haussa un sourcil comme pour demander silencieusement ce qui se passait et quand Dominic ne réagit pas, il dit plutôt :

— Tu vas aimer ce whisky. Il vient d'une réserve de 40 ans.

— J'en suis certain, répondit Dominic en souriant. Il se trouve que je possède la distillerie.

— Depuis quand ?

Justin s'assit sur la table basse et leva son verre pour trinquer. Dominic leva le sien.

— Presque 10 ans. À la tienne !

Puis, il avala une gorgée de la boisson corsée.

— Alors, j'ai contribué à te rendre riche avec cette boisson de qualité, fit Justin un moment plus tard, sa bouche se tordant en un petit sourire.

Dominic parut amusé.

— Tu n'es pas le seul. Tu voudrais que je t'en envoie une caisse ?

— Est-ce qu'il arrive à quiconque de refuser ?

— Le whisky ?

Justin eut une moue de dédain et baissa la voix.

— Tu penses que tu peux changer ?

— Tu y es parvenu, répondit Dominic tout aussi doucement. Ou peut-être pas ?

— Ouais, ouais… OK. Mais je n'étais pas dans ta ligue. Loin de là.

— Ça rend tout ça encore plus plaisant. Fais-moi confiance, dit Dominic en levant son verre. Au mariage et à la famille.

Il fallut à Justin une fraction de seconde pour composer avec son étonnement profond devant Dominic qui faisait ouvertement étalage de ses sentiments. C'était l'homme le plus discipliné qu'il connaisse sur le plan émotionnel ; calme, retenu, lointain. Même dans les clubs de sexe privés où la plupart des hommes affichaient un certain degré d'excitation, ce n'était jamais arrivé à Dominic. Mais Justin n'avait pas atteint les sommets du monde financier sans avoir les réflexes d'un matador.

— Tout à fait d'accord, dit-il en levant son verre. Aux épouses et aux enfants adorables.

Dominic vida son verre, le déposa et secoua la tête devant l'offre silencieuse de Justin de le remplir. Puis, il se pencha vers l'avant, croisa le regard de Kate par-dessus la table basse et sourit.

— Qu'est-ce que je rate ?

Kate sourit de toutes ses dents.

— Les horaires de soins. Ça ne relèvera pas de ton domaine.

— Je peux changer les couches.

— Écoute ça, Justin, intervint Amanda en hochant la tête d'un air approbateur. Dominic ne va pas dormir pendant la tétée de 2 h du matin.

— Ça me fait certainement mal paraître, grommela Justin en allant s'asseoir près de sa femme sur le canapé.

Dominic haussa les épaules.

— J'ai le sommeil léger.

— Et ce n'est pas mon cas, dit Kate en souriant à Dominic.

— Du travail d'équipe, chérie. Bien que j'aie la partie facile.

— Tu pourrais simplement me réveiller quand je dois déplacer le bébé sur l'autre sein.

— Ou je pourrais le déplacer moi-même, dit Dominic très doucement en soutenant son regard. Qu'en penses-tu ?

— Bon Dieu, vous deux, calmez-vous, intervint Justin.

— Je trouve que c'est mignon, dit Amanda.

Le visage de Kate était d'un rouge écarlate.

— Nous venons tout juste de nous retrouver. Dominic a été absent, ces dernières semaines.

— Pas parce que je le voulais. Mais je suis de retour, maintenant.

Il inspira doucement.

— Les affaires, dit-il d'un ton morne. Ça peut être vraiment emmerdant.

Puis, il changea délibérément de sujet.

— Parle-nous des enfants, Amanda, dit-il d'une voix tout à coup pleine d'aisance. Pour des raisons évidentes, ça nous intéresse tous les deux. En fait, nous songeons tous les deux à prendre des notes ce soir puisque nous sommes tellement novices.

— Aimeriez-vous voir nos petits anges ?

— Nous le pourrions ? demanda Kate en bondissant pratiquement sur sa chaise. Je ne savais pas si je devais oser le demander.

— N'hésite pas, dit Justin en se levant rapidement. Nous faisons partie de ces parents fous dont vous entendez parler qui croient que leurs enfants sont parfaits.

Dominic se leva, contourna la table basse et prit la main de Kate.

— Nous nous sentons déjà comme ça, n'est-ce pas ?

Elle leva la tête en lui souriant.

— Tout à fait.

— En même temps qu'avec notre propre type de folie, fit-il doucement, baissant les yeux sur elle et se souvenant à quel point tous deux s'étaient montrés fous des bébés à Hong Kong. Depuis le début, non ?

Kate prit une profonde inspiration et inclina la tête tandis que ses yeux se remplissaient de larmes.

— Eh, eh, murmura Dominic en l'attirant contre lui et en lui massant doucement le dos. Tout va bien.

Justin songeait qu'il avait tout vu, maintenant.

Amanda se disait à quel point c'était bien que Dominic ne soit plus seul.

Et le couple qui s'enlaçait oubliait où il était.

Alors que le silence se prolongeait, Amanda et Justin se regardèrent, ne sachant trop s'ils devaient les interrompre.

Puis, le braillement d'un enfant brisa le silence.

— Oh, murmura Amanda. Bee était censée dormir pendant quelques heures de plus.

— C'est le bébé, Dominic, dit Kate en essuyant ses larmes et en lui souriant, puis à Amanda.

— S'il te plaît, je peux la tenir ? Si tu n'y vois pas d'inconvénient.

— Bien sûr. Ah… voilà, dit-elle au moment où les pleurs s'arrêtèrent brusquement, la bonne d'enfant vient de la prendre. J'ai laissé une bouteille au cas où. Venez, dit Amanda en indiquant la porte d'un signe de la main. Nous allons vous montrer nos parfaits enfants.

La chambre d'enfants à l'étage était une suite de deux pièces attenantes à la chambre principale. Kate et Dominic admirèrent d'abord le bébé pendant que la bonne le nourrissait. Il n'était pas nécessaire d'être poli par courtoisie comme c'était parfois le cas avec les nouveau-nés. Bee était un magnifique bébé.

Kate administra un petit coup de coude dans les côtes de Dominic, sourit de toutes ses dents et murmura :

— Qu'en penses-tu ?

— Je pense que je suis impatient, lui souffla-t-il en lui rendant son sourire. Mais ce sera tout un nouvel univers pour nous.

— Nous pouvons faire n'importe quoi, non ?

Il rit.

— Absolument, répondit-il avant de lever les yeux vers leurs hôtes. Désolé. Tout cela est encore tellement nouveau. Nous sommes…

— Pris de vertige, intervint Kate.

— Passablement.

C'était un autre de ces moments mémorables qui allait se retrouver dans le livre de souvenirs de Justin. Dominic Knight avouant qu'il était pris de vertige. Quiconque le connaissait n'aurait jamais parié que ça puisse se produire — l'idée aurait auparavant été inconcevable à propos de cet homme impitoyable et qui tenait si intensément à sa vie privée.

Amanda intervint, brisant le silence.

— Laissez-moi vous montrer Adam, proposa-t-elle, et elle les conduisit dans la chambre voisine.

— Comme il est mignon, murmura Kate un moment plus tard, debout près du petit lit où dormait le bambin aux cheveux foncés, un lapin en peluche sous le bras.

Elle leva les yeux sur Justin.

— Il te ressemble.

— C'est ce qu'a dit ma mère.

— J'adorerais le tenir, mais peut-être à un autre moment quand il sera réveillé. Bien qu'un bambin ne se soucie probablement pas de ça.

— Il a ses mauvais moments, fit remarquer Amanda. Surtout quand il est fatigué, mais tu as raison : il préfère qu'on dise de lui qu'il est un « grand garçon ». Si tu veux, je demanderai à la bonne de nous amener le bébé quand il aura terminé sa bouteille. C'est plus facile de tenir un enfant qui dort qu'un enfant qui crie.

Kate leva les yeux vers Dominic, sourit, puis regarda de nouveau Amanda.

— J'adorerais ça. Dominic pourrait la prendre aussi. Toute la situation nous décourage un peu. Tout arrive si vite.

— Vous n'êtes pas les seuls. Nous n'avions pas envisagé de fonder une famille aussi tôt après notre mariage, mais…

— Amanda a oublié une ou deux fois de prendre ses pilules, intervint Justin en souriant de toutes ses dents.

— Parce que tu m'as enlevée pour une fin de semaine surprise, répondit-elle en jetant un regard amusé vers son mari. Mais nous sommes absolument heureux de ce qui est arrivé. Et vous l'êtes aussi, je le vois, ajouta-t-elle en souriant à Dominic et Kate.

— C'est une sensation formidable, dit Dominic, en attirant Kate sous son bras et en lui donnant un baiser sur la joue. Meilleure que quoi que ce soit, n'est-ce pas, chérie ?

— Beaucoup mieux, acquiesça Kate en songeant que la vie ne pourrait être plus parfaite si elle avait une bonne fée avec une baguette magique qui prenait les décisions.

Une dizaine de minutes après être redescendus, la bonne d'enfant amena le bébé dans le jardin d'hiver. Kate tendit immédiatement les bras et elle se trouva le souffle coupé quand elle prit le bébé sur ses genoux.

— Elle est si petite, murmura-t-elle avant de lever les yeux. Viens voir, Dominic.

Les hommes examinaient la collection de whiskies écossais. Dominic sourit en direction de Justin.

— J'ai des choses plus agréables à faire.

Il alla retrouver Kate assise sur le canapé, demeurant debout un moment à admirer l'image de la mère et de l'enfant, puis, se penchant, il frôla doucement la petite main du bébé.

— Oh… regarde… elle a souri, dit Kate. As-tu vu ça ?

— Oui, murmura Dominic. C'était un petit sourire endormi.

— C'est un trésor.

— Absolument.

— Ça ne te dérange pas que nous ayons une fille, n'est-ce pas ?

— Peu importe que tu me donnes une fille ou un garçon, ce sera parfait.

— Tu en es sûr ?

Il s'accroupit devant elle pour la regarder dans les yeux.

— Je suis sûr à mille pour cent, dit-il doucement. Ne t'inquiète jamais du fait que je n'aime pas notre enfant. Je l'aime déjà. Maintenant et pour toujours. OK ? C'est compris ? Mon amour pour toi et pour notre enfant est inconditionnel, infini.

Elle acquiesça de la tête, trop émue pour parler.

Amanda croisa le regard de Justin, fit signe à la bonne, se leva vivement de sa chaise et quitta la pièce avec eux.

Dominic et Kate ne le remarquèrent pas.

— Parfois, l'amour est un mot trop faible pour décrire le sentiment que j'ai pour toi, murmura Dominic en souriant faiblement. J'ai besoin d'un mot plus grandiose.

— Supercalifragi…

— Oui, quelque chose comme ça.

Il se releva, puis se laissa tomber sur le canapé près d'elle.

— Nous avons dû les mettre mal à l'aise, fit-il en indiquant la pièce vide. Non pas que je m'en soucie.

— Tu ne t'en soucies jamais.

Il haussa les épaules.

— Je vais t'enseigner comment ignorer le monde.

Kate sourit.

— Et je vais te laisser tenir le bébé si tu fais attention.

— Vraiment ? dit-il d'un air amusé. J'ai ta permission ?

— Sois prudent, maintenant, dit-elle en soulevant doucement le bébé et en le déposant dans les bras de Dominic. Oh, mon Dieu, elle paraît vraiment minuscule.

Dominic tint la tête du bébé dans sa large main pendant un moment avant de blottir la petite forme emmaillotée dans le creux de son bras.

— Ils grandissent vite, fit-il en souriant. Je me souviens de Nicole à sa naissance. Toutefois, elle avait plein de cheveux foncés plutôt que ce duvet blond. Elle aimait le trampoline.

— Tu ne vas pas mettre notre bébé sur un trampoline, dit Kate d'une voix nerveuse.

— Je bondissais légèrement, bougeais à peine. Nicole adorait ça.

— Eh bien, peut-être, alors. Nous verrons.

Il leva les yeux et sourit.

— Es-tu responsable de notre bébé ?

— Je le suis, en ce moment.

— Et tu es séduisante à souhait en maman, murmura-t-il. Crois-tu qu'ils nous en voudraient si nous partions maintenant ? ajouta-t-il en lui adressant un regard concupiscent.

Elle éclata de rire et le bébé tressaillit.

Dominic interrompit le rire de Kate avec un bref baiser et calma le bébé en le berçant comme un pro. Et Bee se rendormit.

Les yeux écarquillés, Kate observa le bébé sombrer de nouveau dans le sommeil.

— Tu sais ce que tu fais.

— Plus que toi, apparemment. Tu n'as même jamais gardé d'enfants ?

Elle secoua la tête.

— En fait, deux fois, et Nana était là.

— Alors, tu n'as pas fait de gardiennage, dit-il avec un petit sourire. Je vois bien qui va prendre soin du bébé.

— Pendant que tu seras occupé au boulot, sans aucun doute, rétorqua-t-elle.

— Ce n'est pas un problème. Mais tu devras rester tout près parce que nous allons avoir besoin de ton lait.

Il la regarda, les sourcils froncés.

— Tu pourrais avoir le bureau près du mien, ajouta-t-il. Nous pourrions travailler ensemble sur tout. Ça t'intéresse ?

— C'est une idée séduisante, M. Knight, ronronna-t-elle.

— Je t'ai déjà dit que la plupart de mes bureaux possèdent une chambre pour les soirs où je travaille tard ? Quand le bébé sera endormi, nous pourrions le mettre dans son berceau, fermer la porte de la chambre et nous servir du canapé dans mon bureau. Qu'en penses-tu ?

Elle se laissa aller contre les coussins et ferma les yeux.

— Bon Dieu, Dominic, ça me semble paradisiaque.

— Je te donnerai le paradis de ton choix si tu acceptes de travailler avec moi.

Elle ouvrit les yeux.

— Tu es vraiment sincère, n'est-ce pas ? Tu ne me taquines pas à propos des Entreprises Knight ?

— Je ne fais jamais de blague quand il est question d'affaires. En particulier des miennes.

— Tu dis que nous pourrions prendre soin du bébé ensemble.

— Nous pourrions ou, si tu ne veux pas le faire, je pourrais.

Elle lui adressa un petit regard surpris.

— Tu ferais ça ?

— Je ferais n'importe quoi pour toi, Katherine, dit-il doucement. Il n'y a rien que je ne ferais pas.

Elle commença à renifler. Passant le bébé sur son autre bras, il attira Kate contre la chaleur de son corps solide.

— Ça va, chérie, pleure autant que tu veux. Mais pas trop fort pour ne pas réveiller Bee, OK ?

Elle le frappa doucement pour ne pas réveiller le bébé.

— Il y a un mouchoir dans ma poche arrière.

Elle passa la main derrière lui, prit le mouchoir et s'essuya les yeux.

— Comme un scout, murmura-t-elle. Toujours prêt.

— Dis ça à Martin. C'est lui qui l'a mis là. Sa fille a eu deux enfants. Je suppose qu'il sait.

Elle se redressa, l'air ahuri.

— Il a dit ça ?

— Détends-toi, chérie. Il n'a rien dit. J'ai juste constaté que j'avais un mouchoir et j'ai additionné deux et deux. D'habitude, je n'ai pas de mouchoir dans ma poche de jeans, alors tu devrais le remercier. Hé, ce n'est qu'une blague, ajouta-t-il vivement en voyant l'inquiétude dans ses yeux. Je vais le remercier.

Elle jeta un regard acéré.

— Tu es très agaçant.

— Mais tu m'aimes quand même.

— Comment pourrais-je ne pas t'aimer puisque tu sais si bien t'occuper des bébés ?

— Tu as raison. C'est réglé. Maintenant, embrasse-moi, puis nous allons manger et foutre le camp d'ici. Je suis affamé.

— Tu es toujours affamé, murmura Kate.

Saisissant le col du chandail de polo Cucinelli marine qu'il avait porté pour se conformer au style décontracté d'Amanda, elle s'étira.

Dominic pencha la tête, l'embrassa rapidement, puis sourit contre son visage.

— Je ne fais que m'assurer d'avoir suffisamment à manger pour garder mes forces, chérie. Tu aimes beaucoup baiser.

Son sourire s'élargit.

— Prête ? ajouta-t-il parce que plus tôt nous mangerons, plus tôt nous partirons.

Il se leva du canapé avec le bébé dans un bras et tendit l'autre main pour aider Kate à se relever.

— Je viens juste de vérifier auprès du cuisinier, dit Amanda en rentrant dans le jardin d'hiver par le corridor d'où elle les avait observés. Donnez-moi une minute pour aller chercher la bonne qui prendra Bee et nous allons dîner.

La table était magnifiquement mise, avec de la vaisselle fine, de la coutellerie en argent, des coupes à vin et un magnifique bouquet comprenant surtout des roses et un grand centre de table argenté qu'avait créé un fleuriste à l'âme d'artiste afin que les convives puissent se voir entre les chandelles allumées.

Amanda joua son rôle d'hôtesse avec l'assurance d'une aristocrate, dirigeant l'un après l'autre les services avec un regard ou un geste presque imperceptible. Et, comme le savait Dominic, l'idée qu'elle se faisait de ce qui était décontracté signifiait des perles plutôt que des diamants et une jupe longue plutôt qu'une robe de soirée. Mais Justin portait un jeans comme Dominic et ni l'un ni l'autre ne prêtait attention à qui faisait le service, seulement à ce qui était servi. Les deux hommes mangeaient avec appétit.

— Tu vas simplement t'y habituer, dit gentiment Justin après avoir observé les yeux de Kate suivre la jeune femme qui leur servait le dîner. J'ai suivi les cours à Columbia grâce à des bourses et à des prêts étudiants et je ne l'ai pratiquement plus remarqué ensuite.

— Je suis sûr que tu as raison, dit poliment Kate tout en sachant qu'elle ne s'habituerait jamais à la présence de serviteurs. En fait, elle se demandait où vivait la jeune femme qui les servait, si elle avait des enfants, jusqu'à quelle heure elle travaillait les soirs de réception comme celui-ci, comment elle retournerait chez elle.

Dominic sourit en entendant la réponse évidemment peu sincère de Kate.

— Katherine a une âme rebelle, n'est-ce pas, chérie ? Tu n'as pas besoin de changer.

Elle lui adressa un sourire reconnaissant.

— Je ne suis pas sûre que je le puisse.

— Ou bien que tu le voudrais, dit-il en souriant. N'est-ce pas ?

— Probablement, répondit-elle très doucement, de plus en plus mal à l'aise alors que Justin et Amanda les observaient comme des spectateurs devant un match de tennis.

— Nous allons trouver une solution, dit Dominic tout aussi doucement. Je ne veux pas que tu sois malheureuse. Tu ne bois pas ton cidre ? ajouta-t-il sur un ton quelque peu inquiet. Et tu ne manges pas beaucoup. Te sens-tu bien ?

— Vraiment, Dominic, je me sens bien.

Kate n'allait pas avouer qu'elle n'aimait pas le tartare de saumon, bien que le cresson à la vinaigrette au citron ait été savoureux. Et les champignons ne l'avaient jamais attirée. Elle avait essayé de les contourner dans le risotto sans que ce soit trop évident. Elle *avait mangé* les pommes de terre au gratin et un peu de steak jusqu'à ce que le gras grésillant lui lève le cœur.

— Tu n'as pas aimé le steak? lui demanda Dominic.

Les hommes en avaient avalé deux.

— Il était merveilleux, dit Kate à Amanda en lui souriant poliment. C'est que je n'ai pas beaucoup d'appétit en ce moment.

Amanda acquiesça.

— C'est parfaitement compréhensible.

— Malgré ça, chérie, tu dois *essayer* de manger, l'exhorta doucement Dominic. Aimerais-tu autre chose? Une rôtie au beurre d'arachides? Tu aimes ça.

— Pas en ce moment. Je vais bien.

Justin et Amanda étaient pétrifiés; ni l'un ni l'autre n'avait jamais entendu Dominic parler à une femme avec une pareille sollicitude. Auparavant, il avait à peine remarqué les femmes autrement que comme des objets sexuels.

Dominic tourna soudainement les yeux vers Amanda.

— Tu n'aurais pas du lait au chocolat par hasard?

La question l'ébahit tellement qu'il aurait tout aussi bien pu demander si elle nettoyait elle-même ses toilettes.

— Euh... nous... pourrions... Je ne suis pas tout à fait...

— Je vais aller demander au chef.

Dominic était debout et se dirigeait vers la cuisine avant que quiconque à la table — surtout Kate — puisse protester.

Elle aurait souhaité fondre sur place. Terriblement mal à l'aise, Kate leva les yeux au ciel et dit presque en un murmure :

— Désolée. Comme vous pouvez le constater, Dominic s'inquiète quand je ne mange pas assez.

— Comme c'est mignon de sa part, fit Amanda qui avait retrouvé son aplomb. Je suis certaine qu'il fait ça pour ton bien.

Kate soupira.

— À sa propre façon autoritaire. Je suis habituée à manger beaucoup de pizzas, mais Dominic n'approuve pas.

— La pizza peut être nourrissante, fit remarquer Amanda, alors qu'il était clair qu'elle voulait dire en réalité : « De la *pizza*, vraiment ? »

Justin sourit.

— Ma mère préparait des pizzas à partir de rien. J'ai grandi avec ça et je ne suis pas ce qu'on pourrait appeler rachitique.

C'était un homme costaud comme Dominic.

— Tu pourrais dire ça à Dominic, fit Kate, reconnaissante pour son soutien. Ça m'éviterait des tracas.

— J'ai entendu, dit Dominic en souriant, un grand verre de lait au chocolat à la main. Tu vas nous donner cette recette, Justin. Et si tu bois ton lait, chérie, je vais faire quelque chose de gentil pour toi.

Tous comprirent ce qu'il voulait dire.

Ou bien chacun interpréta ce qu'il voulait dire selon ses propres souvenirs.

Tirant une chaise près de Kate plutôt que de prendre la sienne devant elle et ignorant sciemment son regard assassin, Dominic lui tendit le verre.

— Bois, chérie. C'est bon pour toi.

— Nous parlerons de cela plus tard, lui souffla-t-elle en prenant le verre.

— J'en serai heureux, répliqua-t-il joyeusement. Tu aimerais avoir une paille ?

Ce qu'elle aimerait faire c'était de le rouer de coups. Comme ce n'était pas possible et qu'il le savait fort bien, elle but le lait sous le regard radieux de Dominic et la surprise à peine dissimulée de leurs hôtes.

Au moment opportun, puisqu'un malaise évident s'installait dans la pièce, la chef cuisinière apparut tout à coup par la porte de la cuisine en portant un baba au rhum magnifiquement décoré de kumquats et de raisins verts saupoudrés de sucre. Elle le plaça d'un grand geste sur la table, puis le découpa habilement et servit son chef-d'œuvre. Le dessert était aussi délicieux qu'il le paraissait, accompagné de quantité de crème Chantilly et de sauce au rhum.

Kate n'eut aucun problème à retrouver son appétit.

Même si elle comprenait l'inquiétude de Dominic et la nécessité de bien s'alimenter pendant une grossesse, il demeurait qu'à part les friandises et les glucides, peu de choses l'attiraient en ce moment.

— Tu aimes le baba, dit Dominic en regardant son assiette presque vide. Et merci d'avoir but le lait, ajouta-t-il doucement.

— Et merci de m'en avoir apporté, répondit-elle de la même voix douce. C'était gentil de ta part.

Il se pencha, puis murmura à son oreille :

— Je serai encore plus gentil quand nous serons partis d'ici.

Elle retint son souffle tandis qu'un élan de désir envahissait ses sens et se fixait en une délicieuse pulsion entre ses jambes.

— Encore seulement quelques minutes, murmura Dominic, puis il leva les yeux, sourit à Justin et prit le décanteur de porto que ce dernier poussait vers lui.

Quelques minutes plus tard, alors que les assiettes à dessert étaient enlevées et que les hommes savouraient leur porto, Amanda comprit que si elle voulait obtenir une réponse à sa question, il lui restait peu de temps.

— Il faut que je le demande, dit-elle alors que ses yeux passaient de Kate à Dominic. Et tu peux me dire que ça ne me regarde pas du tout parce qu'évidemment, c'est vrai, mais envisagez-vous de vous marier ?

— Bon Dieu, Amanda, marmonna Justin en adressant un regard vif à sa femme. C'est un peu personnel.

Il regarda Dominic et grimaça.

— Désolé.

— Ça va.

Dominic adressa à Justin un sourire tolérant.

— Nous avons déjà parlé à une organisatrice de mariages. Mme Hastings s'occupe de tout ça.

Amanda écarquilla les yeux.

— Vraiment ? Mme Hastings ?

Elle avait parlé comme quelqu'un qui aurait vu un Martien pour la première fois — sur un ton d'étonnement profond.

— Elle est incroyablement difficile et dominatrice.

— Je la paye bien. Elle semble accommodante.

— Accommodante ? Je ne pensais pas qu'elle comprenait ce mot.

— Ça coûte un peu plus cher, mais elle comprend. Nous ne sommes pas encore tout à fait certains de ce que nous faisons, dit Dominic avant de tourner les yeux vers Kate. Mais si nous décidons d'en faire un événement public, soyez assurés que vous serez invités.

— J'hésite, intervint Kate. Dominic n'aime pas me voir hésiter.

— Je vais m'y habituer, dit-il en lui souriant.

— Comme si j'essayais de m'habituer à quelqu'un qui veut tout régenter, rétorqua-t-elle sur un ton blagueur.

Les cils de Dominic s'abaissèrent légèrement.

— Vous voyez les ajustements que nous faisons.

Amanda retint sa réaction ébahie.

Justin s'étouffa avec sa gorgée de porto.

Et un peu plus tard, tandis que la porte se refermait sur les invités, Amanda regarda son mari, renversée.

— As-tu *jamais* pensé voir le jour où Dominic Knight ferait des *ajustements* ?

— Non, sauf quand il ajustait les menottes ou attachait les jambes d'une poupée quelconque, répondit Justin.

— Exactement.

Amanda avait été mise au courant des excès de Dominic par son mari qui l'avait connu avant son mariage.

— Crois-tu qu'il va vraiment l'épouser ?

— On dirait. Souviens-toi que Dominic traque Katherine depuis au moins quatre mois. Ce n'est pas seulement inhabituel, c'est sans précédent pour lui. Ses arrangements avec les femmes se sont toujours comptés en heures et non en mois.

— Sauf pour sa femme.

Justin renifla doucement.

— Tu les as vus ensemble. Il traitait Julia comme une amie. Sa meilleure amie, mais une amie quand même. Ce soir, c'était différent. Dominic touchait Katherine aussi souvent que possible. Et lui et Julia n'ont jamais parlé d'avoir des enfants. Il *veut* vraiment cet enfant. Et si la taille de l'anneau qu'il a donné à Katherine peut représenter une quelconque indication à propos de ses sentiments, il est absolument sérieux.

— C'est vrai. Je n'ai jamais vu un aussi gros diamant.

— C'est le cas de la plupart des gens. Un diamant comme celui-là apparaît rarement sur le marché.

— Il peut évidemment se le permettre.

Justin haussa un sourcil.

— Mais il n'a jamais décidé d'en acheter un, auparavant.

Amanda sourit.

— Alors, qu'est-ce que je devrais porter au mariage ?

— C'est le moment où je devrais dire : « Tu devrais acheter quelque chose de nouveau » ?

— Ça doit être une des raisons pour lesquelles je t'aime. Tu lis dans mes pensées.

Justin lui adressa un large sourire.

— Peux-tu lire dans les miennes ?

Amanda éclata de rire.

— Je le peux toujours. Ça ne change jamais.

— Alors ?

— Alors, personne ne nous entendra dans le bureau en bas.

— C'est ce que je pensais, dit-il en lui prenant la main et en l'attirant pour l'embrasser. Maintenant, tout ce que tu as à faire, c'est me dire ce que tu veux, murmura-t-il contre sa bouche.

CHAPITRE 9

Ils étaient rentrés à 21 h, Kate était endormie à 22 h et Dominic avait le reste de la soirée pour lui seul. Il enfila un bas de pyjama, apporta une chaise près du lit, prit son ordinateur portable et travailla jusqu'à minuit.

Si on pouvait dessiner une image de la satisfaction, pensa-t-il, il en était le portrait tout craché et la preuve vivante. Sa magnifique future épouse, qui portait son enfant, était tout près de lui et leur dernier rapport sexuel lui avait échauffé les sens. En plus du temps pour s'occuper de ses affaires dans la quiétude de la nuit… merde, il avait tout ça.

De plus, Katherine ne semblait plus aussi réticente à l'idée de se joindre aux Entreprises Knight. Il eut un demi-sourire. À tout le moins, ses refus étaient moins véhéments : c'était encourageant.

Qu'il s'agisse de l'heure tardive, de la présence de Katherine ou du fait qu'il ait laissé aller sa vive imagination, il visualisa Katherine en tant que partenaire dans le mariage et au sein des Entreprises Knight. Une idée agréable qui surpasserait de loin ses 32 dernières années de merde au royaume de la perfection transcendante ou de l'équivalent en termes d'expérience religieuse pour les âmes moins perverties. Sans aucun doute un miracle d'après n'importe quelle norme.

Comme si quelque sombre esprit de son passé se rendait soudain compte qu'il allait perdre son boulot, une voix venue de nulle part grogna : « Non-non, mec, cette sottise à propos du bonheur est réservée à d'autres gens… pas à toi ». Et tous ses démons familiers réapparurent en le mettant en garde contre le fait de trop espérer, de faire confiance aux gens, lui rappelant les innombrables trahisons au cours de sa vie, ouvrant toutes les cicatrices.

Sa mâchoire se tendit au souvenir de toutes ces années solitaires, sans attaches.

— Merde, marmonna-t-il en écartant les sentiments oppressants, en luttant pour résister à la désolation et au cynisme exténuant qui avaient jadis constitué son fardeau. Au diable tout ça !

Kate ouvrit lentement les yeux.

— Quelle heure est-il ?

Ses joues étaient rouges, sa voix ensommeillée.

— Désolé, chérie. Je ne voulais pas te réveiller.

Il pouvait sentir la tension disparaître de son corps, son réflexe de lutte s'atténuer. La chaleur dans le regard de Katherine était un baume contre la désolation de son passé.

— Il est un peu dépassé minuit, ajouta-t-il. Retourne dormir.

— Hummm… Viens au lit, fit-elle en faisant glisser ses doigts sur l'édredon et en les agitant en une prière silencieuse. J'ai besoin que tu me tiennes…

— Tu devrais dormir, murmura-t-il, poli et vertueux.

— Je ne veux pas, marmonna-t-elle avec ce petit tressaillement du nez qui le faisait toujours sourire. J'ai besoin de toi…

Et c'en est fait de la vertu.

— Accorde-moi une minute.

Il ferma son ordinateur portable et se pencha pour le déposer sur la moquette.

— Dépêche-toi.

Il leva les yeux en entendant le suave murmure.

Elle écarta les couvertures et roula sur le côté de sorte que la courbe de sa hanche apparaissait en silhouette contre les rideaux de lit, ses gros seins mûrs doucement posés l'un sur l'autre, ses mamelons enflés, roses et immenses, et terriblement attirants pour sa bouche.

— Bon Dieu, chérie… je n'en aurai jamais assez de ça, murmura-t-il tout en déplaçant sa chaise dans un brusque mouvement de ses muscles fermes, ses doigts sur l'attache de son pantalon de pyjama.

Une seconde plus tard, il s'en était débarrassé et marchait vers le lit.

Il l'embrassa et suça ses mamelons luxuriants, la regarda se dissoudre doucement à travers deux orgasmes, à demi endormie, délicieusement sexy et, quand elle murmura gentiment : « Merci, Dominic, je vais me rendormir », il lui écarta les jambes et inhala son gémissement de satisfaction tandis qu'il enfonçait son membre dans son corps lisse et chaud. Elle était incroyablement douce et magnifiquement réceptive et complètement sienne, songea-t-il avec un plaisir impudique. Tous ses démons s'étaient évanouis. Grâce au désir nostalgique et à une passion torride, à des appétits mutuels assouvis. Grâce à une abondance de bonheur.

Ce fut finalement une fin de semaine tranquille. Ils demeurèrent surtout au lit. La nourriture qu'ils commandaient était déposée dans le corridor ; une fois, ils passèrent dans la chambre voisine quand le personnel vint changer les draps et nettoyer la salle de bain. Jusqu'à ce que, tard le samedi, ils descendent prendre un repas spécial que Quinn avait préparé pour Kate.

Inquiet à propos du manque d'appétit de Kate, aux petites heures du samedi matin, Dominic avait envoyé un courriel à Nana pour lui demander quelques-unes des recettes préférées de Kate. Quinn avait passé son temps à tout préparer depuis que la réponse de Nana était arrivée à 16 h.

Dominic et Kate, pieds nus et à demi habillés en pyjamas, entrèrent dans la vaste salle à manger éclairée par des chandelles.

— Tout est si beau, souffla Kate tandis que quelqu'un refermait les portes derrière eux. Tant de fleurs.

L'odeur des roses embaumait l'air, des torchères ornées de roses blanches en cascade flanquaient les doubles portes, de même que le buffet contre le mur du fond où la nourriture attendait sur des assiettes à dôme d'argent. Quatre grands candélabres étaient posés à intervalles réguliers sur la table d'acajou de sept mètres au milieu de la pièce, des bols de roses blanches stratégiquement placés entre eux, et deux places étaient visibles à un bout de la surface d'acajou polie. Elle sourit à Dominic.

— Tu dois faire rouler le marché des fleurs.

— C'est ce que je fais maintenant, dit-il avec un rapide sourire. Elles sont pour toi. D'habitude, je mange dans la bibliothèque.

— Comment peux-tu t'habituer à cette splendeur ? dit-elle en faisant un geste de la main.

La tapisserie chinoise était d'un bleu azur décoloré dans la lumière diffuse, de superbes draperies couleur abricot moiré recouvraient les immenses fenêtres et descendaient jusqu'au sol en étincelant doucement sous la lueur des chandelles, les ombres vacillantes diminuant la taille des meubles massifs agencés aux dimensions de l'énorme pièce.

— Ce n'est splendide que quand tu es ici, dit doucement Dominic en voyant la pièce avec un regard neuf.

Ou peut-être pour la première fois. Son agent londonien avait acheté la maison après que Dominic l'ait vue sur Internet. Il y venait rarement; quand il était à Londres, il dormait habituellement à son bureau ou à son club.

Prenant la main de Kate, il s'éloigna de l'entrée.

— Viens voir ce que Quinn nous a préparé.

La table à buffet devait avoir été montée pour des géants. Kate dut se tenir sur la pointe des pieds pour regarder dans les plats et les bols que Dominic découvrait les uns après les autres. De délicats sandwichs au fromage grillé; des côtes levées barbecue parfaitement cuisinées à la sauce de Nana; un macaroni au fromage croquant comme l'aimait Kate; une salade aux trois fèves; et un grand gâteau aux carottes avec glaçage de fromage à la crème entouraient un grand récipient de soupe aux tomates.

Reconnaissant ses mets préférés, Kate se tourna vers Dominic.

— Tu as encore parlé à Nana? demanda-t-elle sur un ton inquiet.

— Ne panique pas. Je lui ai envoyé un courriel, répondit-il en l'entraînant vers la table. Et je ne lui ai parlé que de recettes. Je lui ai dit que sa nourriture te manquait, c'est tout.

Il tira un grand fauteuil bergère pour Kate au bout de la table.

— Assieds-toi, chérie. Je vais nous servir. Tu vois ce tabouret? Tu veux que je le rapproche?

Il se pencha et le tira sous ses pieds pendants.

— Je vais lui parler du bébé bientôt, dit Kate en faisant glisser ses pieds sur le velours bleu clair du tabouret. Mais pas maintenant, ajouta-t-elle avec une petite grimace.

— Quand tu voudras, ou jamais, ça ne me dérange pas du moment où tu restes toujours près de moi, dit-il avec un sourire. J'ai mes priorités.

Elle se laissa aller contre le dossier du fauteuil et sourit.

— J'aime quand nous ne sommes que tous les deux aussi.

— Bien. Ça m'épargne de devoir t'enfermer quelque part, dit-il par-dessus son épaule tandis qu'il retournait au buffet.

— Très drôle.

— Je ne blague pas, Katherine.

— Tu ferais mieux.

Il pivota sur les talons, et un muscle tressaillit sur sa mâchoire.

— Tu sais ce que tu signifies pour moi, n'est-ce pas ?

Il avait parlé d'une voix si basse que Kate l'entendit à peine.

— Dominic, tu ne peux tout de même pas *penser* à m'enfermer.

Il lui fallut un moment pour répondre, puis il lui adressa ce sourire irrésistible qui lui avait toujours fait obtenir ce qu'il voulait d'une femme.

— Je sais, chérie. Tu as raison. Je me suis laissé emporter.

Mais ça ne signifiait pas qu'il ne le ferait pas. Un autre sourire bref, gamin et adorable.

— As-tu aussi faim que moi ? Ou est-ce seulement parce que la nourriture de Nana sent si bon ?

Dominic s'occupa du service. Kate préférait ne pas avoir de personnel autour et lui préférait ne pas être dérangé. Après avoir apporté plusieurs plats pour que tous deux en aient toute une variété, il prit une chaise à la droite de Kate. Tout était délicieux, comme de la cuisine de ferme, pensa-t-il, bien qu'il ne soit jamais allé sur une ferme. Mais la nourriture était saine, terre à terre, et il s'amusa à regarder manger Katherine avec un appétit qu'il ne lui avait pas vu depuis qu'il était revenu.

Toutefois, après une demi-heure complète à manger, après plusieurs services de côtes levées et de gâteau, il lui dit prudemment :

— Tu devrais peut-être te reposer. Te laisser digérer un peu.

— Je t'adore pour avoir fait tout ceci, dit Kate en léchant la sauce barbecue sur ses doigts tandis que Dominic poussait vers elle un rince-doigts. Tu n'aimes pas le gâteau aux carottes ?

— J'en ai avalé trois morceaux, chérie.

— Il en reste encore beaucoup.

— Plus tard, peut-être, dit-il en souriant.

— Je pense que je peux encore manger un de ces jolis petits sandwichs au fromage grillé que ton chef a découpé en forme de petits lapins.

Dominic haussa un sourcil et lui tendit un petit sandwich.

— Nana a dit que tu aimais les formes de petit lapin.

— Mais ceux-là sont comme les lapins de Dürer ; l'air presque réel avec ses petits yeux en olive et ses moustaches en macaroni. Comment fait-il pour qu'ils aient l'air d'avoir une fourrure ?

— Aucune idée.

Elle prit une bouchée.

— Nous n'avons rien d'aussi sophistiqué à la maison. Nana se sert seulement d'un emporte-pièce, dit-elle en mâchant, puis en avalant. Ils ressemblent à des lapins, mais tout juste.

La deuxième et dernière bouchée disparut dans sa bouche, puis elle ferma les yeux de béatitude pendant qu'elle mâchait.

— Mon Dieu, ce fromage est extraordinaire, dit-elle un moment plus tard. Bien que tout le beurre dans lequel les sandwichs sont frits aide aussi.

Elle s'essuya les doigts sur une serviette de table que Dominic lui tendit.

— Tu me gâtes terriblement, mais merci, fit-elle en lui envoyant un baiser. Ça me fait vraiment du bien de manger.

Il saisit son baiser et sourit.

— J'aime te voir manger et je suppose que le bébé aussi. Pour que tu aies de la nourriture que tu aimes, nous allons rester en contact avec Nana en ce qui concerne les recettes.

— Si ça ne dérange pas ton chef de préparer des mets si dépourvus d'imagination.

— Ça ne le dérange pas.

— Tu dis ça, mais il est probablement en train de s'arracher les cheveux.

— Quinn est chauve depuis des années. Ce n'est pas un problème. Alors, si tu veux des sandwichs au beurre d'arachide et à la confiture, ou un bol de céréales, tu les auras, OK ? Soit dit en passant, Nana a envoyé sa recette de pain, alors nous allons avoir des sandwichs au bacon pour le petit déjeuner demain.

— Oh, mon Dieu ! Je t'aime à la folie ! Avec de la mayonnaise ?

Il éclata de rire. Elle ressemblait à une enfant avec ses boucles rousses en désordre, ses yeux illuminés, son grand sourire irradiant le bonheur.

— Oui, chérie, avec de la mayonnaise. Nana a aussi envoyé la recette pour ça.

— Tu es si gentil, Dominic. Je ne sais pas comment te remercier d'avoir pensé aux sandwichs au bacon.

— Si tu as fini de manger, tu peux me remercier en ouvrant le haut de ton pyjama, dit-il doucement tandis qu'un petit sourire se dessinait au coin de ses lèvres.

S'adossant au gros fauteuil rembourré, elle défit rapidement les boutons de perle sur le haut en vichy bleu, en écarta largement les deux côtés et sourit.

— Ta-dam !

— Magnifique, dit-il d'une voix mielleuse avec un regard de prédateur. Il se pourrait que je doive sucer ces nichons.

— Ici ? demanda-t-elle en touchant ses mamelons du bout de ses index.

— Voilà, et puis nous allons poursuivre…

Remontant ses jambes alors que la voix profonde de Dominic déclenchait au plus profond d'elle une réaction chaleureuse, elle laissa reposer sa tête contre la soie somptueuse rayée bleu et blanc du dossier.

— Leur as-tu dit de mettre ce fauteuil ici ? Pour moi ? Pour ça ?

Dominic sourit brièvement.

— Je gère un empire international, Katherine, dit-il en s'étendant près d'elle dans un fauteuil d'acajou.

Il était tout à fait chez lui dans cette superbe pièce, vêtu d'un t-shirt gris et d'un pantalon de pyjama en flanelle.

— Je peux gérer une femme.

— Peut-être, ronronna-t-elle, les yeux à demi fermés, le vert de ses yeux illuminé de désir.

— Pas de peut-être à ce propos, Katherine. Retire ton haut.

— Et si je refuse ? demanda-t-elle, mi-figue mi-raisin, en haussant un sourcil d'un air espiègle.

— Alors, je vais le faire.

Repoussant son fauteuil, il se leva, déplaça le candélabre jusqu'à l'extrémité de la table, poussa les bols de fleurs dans la même direction et dégagea un large espace.

Kate se redressa.

— Qu'est-ce que tu fais ?

— Je vais te manger comme dessert.

— Pas ici !

— Ici, Katherine. C'est pour ça que je fais de la place.

— Des gens pourraient entrer, dit-elle nerveusement en faisant un petit geste vers les portes.

— Ils ne viendront pas, dit-il sans lever les yeux en lissant la nappe, puis en la tirant.

— Ils pourraient. Dominic ! Arrête !

Il la regarda, prit une petite inspiration, puis, se levant, il se tourna et traversa la vaste pièce jusqu'aux doubles portes qui faisaient face au vestibule. Il les verrouilla, retraversa la salle et fit de même sur les deux portes qu'utilisait le personnel. Retournant à la table, il soutint le regard de Kate, un sourcil relevé.

— C'est mieux ?

— Pas vraiment. Maintenant ils *savent* que nous sommes en train de baiser.

Il songea à toutes les fois où il s'était trouvé dans des clubs de sexe privés où tout le monde baisait tout le monde. Réprimant un petit mouvement d'impatience devant une si inutile modestie, il dit d'une voix douce :

— Décide-toi, chérie. Verrouillées ou ouvertes. La partie baise va de soi.

— Je pourrais refuser.

— Mais tu ne le feras pas.

— Peut-être.

Il éclata de rire.

— Ce serait une première.

— Ne sois pas arrogant.

— Ça n'a rien à voir avec le fait d'être arrogant, chérie. C'est à propos de toi qui as besoin de baiser. Regarde, fit-il en baissant les yeux. Je devine que tu vas vouloir ça.

Elle retint son souffle tandis que son érection enflait devant ses yeux, se demanda si elle pourrait résister à cette magnifique, énorme queue, qui étirait le tissu léger de son pantalon de pyjama, et souhaita que son corps ne se liquéfie pas de désir afin de pouvoir prendre sa décision avec une plus grande confiance.

— Viens ici, chérie. Pose ton petit cul sur la table, dit-il en un murmure. Ou bien veux-tu que je vienne te chercher ?

Il s'écoula un court moment pendant qu'elle luttait contre la soumission, contre le fait qu'elle le désirait davantage, le désirait trop — comme toujours. Elle se laissa glisser du fauteuil.

Il s'approcha d'elle en souriant, l'embrassa sur la joue, puis se pencha et prit le tabouret de velours bleu. Lui saisissant la main, il l'entraîna jusqu'à l'espace dégagé sur la table sans dire un mot, laissa tomber sa main, plaça le tabouret sur la nappe et fit glisser sa main sur le velours lisse comme pour en évaluer la douceur.

Il était étrangement calme, concentré, l'air légèrement menaçant à la lueur des chandelles, les ombres soulignant ses traits austères et ses sourcils foncés, le noir d'encre de ses cheveux — sa taille amplifiée dans le petit cercle de lumière.

— Es-tu sûr de vouloir faire ça ? demanda-t-elle en essayant de supprimer le malaise dans sa voix. Je veux dire, nous…

— J'en suis sûr, l'interrompit-il en la regardant. Enlève ton pyjama. S'il te plaît, ajouta-t-il une fraction de seconde plus tard.

Les vieilles habitudes.

— Ou bien aimerais-tu que je t'aide ?

Sa voix était apaisante, la courtoisie momentanée disparue.

— Oui, dit Kate en levant le menton pour qu'il sache qu'elle l'avait entendu la première fois.

Il remarqua son petit air têtu, avait depuis longtemps appris tous les petits gestes de conciliation qu'aimaient les femmes. Il sourit.

— Tout le plaisir est pour moi, chérie.

Se tournant pour lui faire face complètement, il fit glisser son haut ouvert le long de ses bras. Il le déposa sur la table, s'agenouilla lentement à ses pieds, fit glisser son pantalon de pyjama sur ses hanches, le regarda tomber sur le sol et fit remonter ses larges mains le long des jambes et des hanches de Kate en se relevant.

— Tu es absolument parfaite, murmura-t-il. Merci de céder à mes désirs.

Il avait posé ses mains sur ses hanches, le bout de ses doigts reposant au creux de son dos et elle se sentit à la fois captive et captivée par cet homme splendide qui la dominait.

— Ça me fait plaisir aussi, dit-elle en émettant un petit soupir de convoitise. Tu as de très grandes mains.

— Effectivement.

Il avait parlé avec une calme certitude, une sorte d'acquiescement arrogant.

— J'espère que ça ne prendra pas trop de temps, dit-elle au cas où elle n'aurait pas été suffisamment claire.

— Certaines choses ne changent jamais, fit-il en souriant. Je n'ai qu'à te toucher.

— C'est ça, répondit-elle en levant la tête, ses yeux verts chaleureux, scintillants. Rien de neuf. Et alors ?

— Alors, j'ai l'impression que je ferais mieux de m'y mettre, dit-il avec un petit sourire, sinon tu pourrais atteindre la ligne d'arrivée avant moi.

Renforçant sa poigne sur la taille de Kate, il la souleva aisément, puis la rassit doucement sur le tabouret et, se penchant rapidement, il saisit le bas de son pyjama et le laissa tomber sur la table.

— Tu vois, je m'en suis souvenu. Tu es contente ?

Depuis leurs premiers jours à Hong Kong, la nonchalance avec laquelle Dominic traitait son personnel avait représenté un problème entre eux. Kate sourit.

— Tu te comportes vraiment bien. Est-ce que ça va être terriblement pervers ?

— Pas du tout, chérie, répondit-il tandis qu'il glissait sa main entre ses cuisses, puis enfonçait lentement son majeur dans sa chatte. Et tu sembles prête pour pratiquement n'importe quoi, dit-il en la regardant dans les yeux d'un air entendu.

Elle aurait dû résister à ce regard calme et évaluateur, mais la délicieuse douleur qui s'attardait dans le sillage de son doigt prenait une vie propre, s'installant en elle comme des souvenirs accumulés, lui rappelant la douce violence, le plaisir impitoyable qu'il offrait. Puis, quand il termina sa caresse en frôlant son clitoris, ses réflexions cédèrent la place au désir et elle gémit à travers un brouillard de sensations survoltées et ses jambes s'écartèrent en une reddition inconsciente.

Comme tout général compétent, il reconnut sa victoire.

— Un peu plus, chérie ? demanda-t-il en appuyant sur son clitoris avec un délicieux mélange de précision et de force.

Et un délire brut, rageur, s'empara de son sexe moite et palpitant, fit monter un cri à ses lèvres — un petit bêlement étouffé qui se désintégra rapidement dans l'immensité de la pièce sombre. Toutefois, son frisson était parfaitement évident aux yeux de son partenaire attentif, tout comme son soupir de ravissement qui se présenta à son heure, suivi d'un sourire.

Quand elle croisa le regard de Dominic un instant plus tard, tous deux souriaient.

— C'est bien, jusqu'ici. Pas trop pervers ? murmura-t-il, un regard amusé dans ses brillants yeux bleus.

— Comment peux-tu rester aussi calme ? demanda-t-elle, les sourcils légèrement froncés.

— C'est la discipline, répondit-il en haussant légèrement les épaules. Toi, au contraire, ajouta-t-il avec un sourire vicieux, tu t'abandonnes sans vergogne.

Laissant glisser ses mains le long des cuisses de Kate, il lui écarta doucement les jambes un peu plus, lui agrippa les chevilles, puis les croisa, laissant son sexe complètement exposé.

— Mais les contraires s'attirent, n'est-ce pas ?

Frôlant de ses doigts la chair rose et luisante, il prit une petite inspiration.

— Bon Dieu, chérie, le point de vue est foutrement beau.

Puis, il leva les yeux, lui adressa un sourire agréable et poursuivit :

— Je nous prédis un avenir radieux.

— Si nous ne nous tuons pas avant.

— C'est tellement mignon, chérie, répondit-il avec un clin d'œil. Bonne chance avec ça.

Et il caressa de nouveau son sexe luisant, charnu, de bas en haut, puis de haut en bas, ses doigts glissant langoureusement sur sa chair moite.

Elle trembla quand un ardent frisson de désir la traversa. Son cœur s'accéléra, le désir rageur commandant à sa libido de desserrer les freins. Et, saisissant les côtés du siège de velours, elle tenta de maîtriser sa soudaine envolée de désir.

Il sourit.

— Tu vas bien ?

— Je me suis déjà sentie mieux, marmonna-t-elle. Et ne me dis pas de me détendre.

— Je n'y songerais même pas.

Il fit courir ses doigts sur ses mamelons, referma ses pouces et ses index à leur extrémité et serra juste assez pour provoquer chez elle une poussée de désir sauvage qui se faufila jusqu'à son sexe.

— Nous voulons tous deux la même chose, chérie. La différence, c'est que nous y parviendrons chacun à notre manière.

Elle aurait pu répondre à son foutu commentaire émis d'une manière si désinvolte, si elle n'avait pas été fortement concentrée sur le ravissement incroyablement intense qui s'étendait dans tout son corps.

Elle sentit les cheveux de Dominic frôler sa joue, puis son souffle lui réchauffa l'oreille.

— Vas-y doucement, chérie. Je ne vais pas te baiser immédiatement.

Kate souleva lentement ses paupières.

— Je n'ai pas besoin de toi.

— Pas même un peu ?

Elle retint brusquement son souffle, puis émit un soupir tremblant quand Dominic glissa un doigt, puis un autre dans son sexe palpitant, allant effleurer directement son point G.

— Tu veux passer un marché ? demanda-t-il.

Elle réintégra lentement le monde, puis cligna des yeux.

— Quelle sorte de marché ?

— Tu viens une fois, maintenant, puis tu me laisses jouer.

Il enfonça davantage ses doigts, la forçant à donner la réponse qu'il souhaitait, lui faisant en même temps une fleur : c'était toujours frustrant de le faire tout seul.

Elle avait de nouveau fermé les yeux, alors il lui souffla :

— Oui, non, peut-être ?

— Évidemment, répondit-elle d'une voix tellement ordinaire qu'il leva les yeux de surprise.

Les yeux à demi fermés, à peine concentrée, son besoin profond et clair, terriblement attrayant.

— Je m'exerce à adopter une calme insolence.

Mais elle dut faire un effort pour parler tellement sa respiration était irrégulière.

— C'est très bien, chérie, dit-il avec un petit sourire, mais tu devrais plutôt profiter du moment.

Il fit jouer délicatement le bout de ses doigts contre son point G.

— Sommes-nous sur la cible ?

Pour toute réponse, elle retint son souffle.

— Ici aussi ?

Une autre légère caresse qui déclencha chez elle un petit grognement.

— Et ici ?

Il glissa encore plus profondément ses doigts.

Ne s'attendant plus à une réponse puisqu'elle était pantelante, il caressa doucement son clitoris, son point G, sa chatte lisse, trempée, accordant habilement ses caresses fluides au rythme croissant des hanches de Kate, s'adonnant sans effort au jeu qu'il avait joué mille fois auparavant. Jusqu'à ce qu'elle réagisse comme d'habitude en un temps record et qu'elle se mette à trembler involontairement, puis que les doigts de Dominic soient complètement mouillés et que le rouge du désir s'étende de sa gorge à son visage.

— Pas trop brutal ? murmura-t-il.

Il connaissait la réponse.

— Non, non… oh, mon Dieu, non, souffla-t-elle tandis qu'elle éprouvait une extase renversante, se sentant comme si elle n'avait qu'à étendre une main pour toucher les étoiles.

Elle était tout près de l'extase. Il pouvait sentir les premiers petits tremblements sur ses doigts.

— Tu veux que j'aille plus loin, chérie. Hurle si je vais trop loin, fit-il en ajoutant un troisième doigt. Voilà ; tout va bien encore ? Que dirais-tu de ça ?

Elle retint son souffle alors que les doigts de Dominic atteignaient les extrêmes limites de la sensation.

— Oui, oui, oh, mon Dieu, oui !

Sa première violente convulsion frappa soudainement tous ses sens à fleur de peau, le raz-de-marée irrésistible commença à rassembler sa puissance et le ravissement étourdissant s'accrut, elle frissonna, geignit doucement, puis s'étendit, attendant que l'extase complète la saisisse.

Son hurlement soudain coïncida exactement avec la cadence des doigts de Dominic plongeant de plus en plus. Tandis que son cri devenait hystérique, il pencha la tête, couvrit sa bouche de la sienne et s'appropria le délire orgasmique de Kate comme s'il le méritait, comme si elle s'abandonnait complètement à lui. Comme s'il possédait son corps, son âme et son ravissement sauvage.

Un concept dangereux.

Un concept qu'il ferait mieux d'étouffer ou tout au moins de dissimuler, ni l'une ni l'autre solution ne convenant toutefois d'une manière naturelle à un homme au pouvoir absolu.

Quand ses tremblements se calmèrent lentement, Dominic la tint dans ses bras, la soutenant à travers son tumulte intérieur décroissant, s'assurant qu'elle ne glisse pas de son petit perchoir.

Son sourire était un peu timide quand elle ouvrit les yeux et, se laissant aller dans les bras de Dominic, elle releva la tête et soutint son regard.

— Merci d'être mon eunuque.

Une lueur d'amusement traversa son regard.

— Temporairement. Tu es simplement plus impatiente.

— Veux-tu que je m'excuse ?

Elle était sérieuse.

— Jamais, chérie, répondit-il en souriant. Je peux m'occuper de moi-même.

Faisant glisser ses mains le long du dos de Kate, il lui prit les mains et les plaça autour de son cou.

— Mais si tu pouvais ralentir les choses pendant un moment, dit-il en embrassant ses lèvres pulpeuses, je vais prendre mon dessert.

— C'est moi.

Il acquiesça.

— C'est toi.

Puis, il se dégagea de ses bras, en douceur, songea-t-elle, comme il l'avait fait une centaine de fois déjà. Avec grâce, évitant la controverse.

— Ça ne me dérange pas, dit-elle.

Et quand il détourna les yeux du candélabre qu'il rapprochait, elle ajouta :

— De jouer des jeux.

— Merci, dit-il plutôt que « Je sais ». Est-ce que tes jambes sont confortablement placées ?

— Tout est confortable maintenant que je viens de jouir. Je suis en amour avec le monde entier.

Il sourit.

— Tu as dit ça à Hong Kong, la première nuit. Je n'avais jamais entendu ça, auparavant.

— C'est parce que tu ne connaissais que des femmes d'expérience.

— Je l'ignore.

Son goût en matière de femmes avait toujours été très varié.

— Mais je n'avais certainement jamais connu de jeunes femmes telles que toi, fraîches comme la rosée, ajouta-t-il.

— Alors, j'étais une nouveauté.

— De mille manières.

Il prit son visage dans ses mains, se pencha en avant et lui murmura :

— J'ai commencé à croire aux miracles.

L'innocence qu'affichaient ses yeux écarquillés était encore plus charmante dans la lueur des chandelles, sa jeunesse épanouie plus généreuse, ses courbes affriolantes éclairées par les flammes vacillantes.

— Tu devras quand même me dire quand tu en auras assez parce que je me sens d'une humeur étrange, fit-il en inhalant lentement, puis en souriant. Peut-être est-ce le fait de te voir comme la pièce principale sur ma table à dîner.

Elle lui adressa un grand sourire.

— Alors, au moins, je ne suis pas la centième.

« Pas ici, en tout cas », pensa-t-il.

— Non, dit-il. Tu es ma décoration de table virginale.

— Est-ce que je vais t'avoir en moi cette fois ?

Il se mordit doucement la lèvre inférieure, puis répondit encore plus doucement :

— Aussitôt que nous aurons fini de jouer.

Et, en voyant son petit froncement de sourcils, il ajouta :

— Ce ne sera pas long.

Quand il barbouilla son mamelon de glaçage au fromage à la crème, elle se redressa instantanément, retint son souffle.

— C'est froid ? dit-il sans lever les yeux.

Mais il savait ce que signifiait cette petite respiration retenue. Il sentit son mamelon s'allonger et enfler sous son doigt et éprouva l'envie soudaine de sauter sur son dessert. Reprenant un peu de glaçage avec son index, il en couvrit lentement ses mamelons, étendant le glaçage blanc et crémeux avec une exigeante minutie, peignant ses aréoles avec le même soin, en léchant les bords avec de chaleureux coups de langue.

Quand il eut terminé, il se redressa pour admirer son œuvre, anticipant le plaisir qu'il allait avoir à caresser Katherine, à l'exciter et, en fin de compte, à la baiser. Sa peau était pâle dans la semi-obscurité de la pièce, la lumière des chandelles illuminant sa chair blanche, ses seins maintenant gonflés par la grossesse, ses hanches plus arrondies, étalées, comme si elle incarnait la splendeur de la féminité.

Et cette femme magnifique était *sienne* : épanouie, rassasiée, repue. Sa propre et somptueuse déesse de la fertilité perchée sur du velours bleu, attendant d'être baisée.

— Comment te sens-tu avec ce glaçage ?

C'était une question de pure forme ; elle haletait doucement tandis que de petites gouttes de fluide crémeux s'étaient ramassées sur sa chatte. Ses joues s'étaient empourprées.

— Sois une bonne fille et suce ça d'abord, dit-il en enfonçant dans sa bouche son doigt couvert de glaçage. Tu pourras sucer ma queue plus tard.

Son ordre émis d'une voix basse et profonde atteignit son sexe comme un coup de marteau, sa langue momentanément immobilisée pendant sa tâche.

Elle s'agita sur le tabouret, son sexe inondé, et son corps se fit accueillant comme si la queue de Dominic l'avait déjà pénétrée en une seule poussée violente.

— Tu aimes ça, chérie ?

Sa réaction fut immédiate, évidente ; il pouvait sentir sa chatte, la chaleur, le besoin immédiat.

— Je ne vais pas te faire attendre longtemps, dit-il en retirant son doigt de sa bouche.

Il glissa son doigt dans son sexe palpitant en un petit geste allumeur, avec seulement une légère caresse sur son clitoris gorgé de sang.

— Bon Dieu, quel petit clitoris dur ! Tu crois pouvoir attendre ?

Elle prit une inspiration tremblante, secoua la tête.

— Regarde-moi, Katherine. Réponds.

Elle croisa son regard bleu impassible.

— Je ne peux pas, dit-elle d'un ton plaintif.

— Tu ne peux pas ou tu ne veux pas ? demanda-t-il, amusé.

— Les deux.

Elle tremblait légèrement.

— Désolé, chérie, c'est mon tour d'abord.

Elle serra les cuisses tandis que la chaleur envahissait son entrejambe.

— S'il te plaît, Dominic !

— Écoute-moi, Katherine.

Il prit son menton entre ses doigts, lui leva la tête, se pencha et murmura :

— Mon. Tour. D'abord.

Fermant les yeux, elle glissa sa main entre ses jambes.

— Nooon, chérie, murmura Dominic en lui relevant le bras. Est-ce que je dois t'attacher les poignets ? Je vais le faire si tu ne peux pas t'empêcher de mettre tes doigts dans ta chatte.

Il referma la main de Kate, la porta à sa bouche et lui mordit un doigt.

— C'est clair ?

Elle retira vivement sa main.

— Ça fait mal !

— Alors, écoute bien, fit-il d'un ton brusque. Maintenant, prends un de tes nichons dans tes mains, chérie. Voilà. Monte-le. Plus haut. Je ne peux pas l'atteindre encore.

Se redressant rapidement, elle releva son sein jusqu'à ce qu'elle grimace.

— Ça fera l'affaire, dit-il d'une voix mielleuse en observant son sein généreux relevé en un monticule gonflé, ses mains à peine visibles sous la chair douce, flamboyante.

Puis, il sourit légèrement.

— Maintenant, regarde ce que tu as fait.

Toutefois, la coercition de Dominic avait toujours un effet prévisible sur sa libido : elle était tremblante, son sexe palpitait follement, l'attente du plaisir émoustillant tous ses sens. Elle ne lui répondit pas.

— Regarde, répéta-t-il. Tes mamelons se sont gonflés quand tu as levé ton sein. Je les aperçois à travers le glaçage. Je vais arranger ça, murmura-t-il en étendant le glaçage sur la partie visible de son mamelon.

— Lève ton autre nichon, maintenant. Ce mamelon est visible aussi.

Un instant plus tard, il avait de nouveau étalé le glaçage.

— Maintenant, essaie de te détendre. Si tes mamelons enflent encore, je ne vais pas te baiser.

Elle soupira doucement en voyant poindre les deux extrémités roses à travers le glaçage.

— Dieu du ciel, chérie, tu n'as aucune retenue. Qu'est-ce que je vais faire de toi ? Et ne réponds pas « Baise-moi ».

Il soupira de nouveau tandis que ses mamelons s'élargissaient encore davantage.

— Oh, puis merde, marmonna-t-il. Mets ce mamelon dans ma bouche, chérie, et je pourrai te laisser venir après tout.

Elle était foutrement près d'exploser, extrêmement sensible à la moindre caresse, si débordante de désir qu'elle commençait à s'agiter. Et à l'instant où la bouche de Dominic se referma sur son mamelon et qu'il le suça si fort qu'elle éprouva la sensation jusque dans ses orteils, le plaisir extraordinaire se déclencha en une détonation à travers son ventre et le long de sa colonne, en un orgasme intensément sauvage qu'elle était impuissante à réprimer. Et avec un grand cri frénétique, elle trembla et frissonna tandis que le délire incendiaire traversait son corps, la ravageait jusqu'à ce qu'elle s'effondre brusquement.

La prenant vivement dans ses bras, Dominic était rempli d'inquiétude, secoué à la fois par la vitesse et l'intensité de l'orgasme de Katherine. Elle était incroyablement sensible, réagissant à la vitesse de l'éclair. Était-ce normal ? Inoffensif ? Anormal ? Devait-il s'arrêter ? Devait-il l'obliger à s'arrêter ?

Mais un moment plus tard, tandis qu'il luttait contre la peur et l'angoisse existentielle, Kate laissa échapper un long soupir exultant.

— Ohmondieu, Dominic, murmura-t-elle en se penchant vers l'arrière et en faisant courir ses doigts sur ses joues, sa gorge, laissant reposer ses mains sur ses larges épaules. Je ne sais pas comment te remercier. Vraiment, j'ai vu des étoiles.

Il éprouva un profond soulagement.

— C'est super, chérie. Tu vas bien, alors ?

— Je vais infiniment bien, murmura-t-elle en soupirant de nouveau, langoureusement. S'il te plaît, ne me quitte jamais.

Son sourire de satisfaction était radieux.

— Je ne le ferai jamais, chérie.

Retirant sa main de son épaule, il porta son poignet à sa bouche et frôla de ses lèvres la légère pulsation sous sa peau.

— Mais nous devrions peut-être prendre une pause. Ton dernier orgasme m'a rendu nerveux. Il était trop rapide, trop hystérique.

Elle fit une petite moue.

— Non, ça ne l'était pas. C'était fabuleux !

Il exhala lentement.

— C'est seulement que je panique un peu, chérie.

— C'est seulement que tu n'as jamais eu de sexe avec une femme enceinte, auparavant.

« Sans blague. »

— C'est pour ça que je veux voir un médecin. Me situer dans tout ça.

— Je serai ton étoile polaire jusqu'à notre rendez-vous lundi, répondit-elle d'un ton enjoué, comme si elle se spécialisait dans la navigation céleste.

— C'est étrange, je ne me sens pas rassuré, fit sèchement Dominic.

— Alors, faisons un compromis, dit-elle en souriant. Suce seulement mon autre mamelon très doucement.

Il éclata de rire.

— Pile tu gagnes, face tu gagnes.

— Tu n'as pas joui encore non plus, dit-elle tout doucement. Tu as *dit* que tu viendrais en moi. Tu l'as promis.

Merde. Les paroles de Kate eurent un effet prévisible sur sa queue. *Merde et merde encore.* Sa raison s'envolait rapidement pendant que son érection s'élevait à la verticale.

— Tu vois ! s'exclama-t-elle en indiquant son membre gonflé. Tu le veux.

— Bien sûr que je le veux. Je pourrais te baiser jour et nuit, sept jours sur sept, répondit-il en soupirant. J'essaie seulement de faire preuve d'esprit pratique.

Si elle ne lui avait pas saisi la tête et ne l'avait pas attiré sur son mamelon couvert de glaçage en même temps qu'elle enfouissait sa main entre ses jambes, sa queue n'aurait pas réagi en un foutu sursaut et un raz-de-marée de désir n'aurait pas balayé les questions d'ordre pratique. Avec l'entière coopération de son membre excité, la voix obscène dans sa tête dit : « Vois ça de cette façon. Tu lui fais une fleur. Considère ça comme un geste charitable ». Et compte tenu de l'humeur extrêmement sensuelle de Katherine en ce moment, elle allait probablement jouir rapidement, ce qui raccourcirait cet épisode troublant. Il se releva, les mains de Katherine retombèrent et, soutenant son regard, il dit brusquement :

— Une fois, et c'est tout. Ensuite, nous montons à l'étage. Tu dois accepter ça.

— Bien sûr, répondit-elle en souriant. Tout ce que tu veux.

Il plissa les yeux.

— Je suis sérieux, Katherine.

— Oui, oui… je comprends, répondit-elle en levant une main. Parole de scout.

— Tu ferais mieux de ne pas me mentir. Je suis vraiment près de refuser, dit-il en lui montrant l'infinitésimale distance entre son pouce et son index.

— J'ai compris. Une seule fois. Ne t'inquiète pas.

Mais il s'inquiétait vraiment après son dernier orgasme. Il s'inquiétait suffisamment pour dire :

— Je peux te faire confiance ?

— Bon Dieu, Dominic, j'ai l'impression que nous négocions la paix dans le monde. Tu peux me faire confiance et vérifier, OK ? Une fois. Pas plus. Je vais être une bonne fille.

Il se sentit momentanément agacé du fait qu'il parlait de *ne pas* baiser une femme. Toutefois, il se souvint rapidement que la baise systématique ne lui avait pas apporté beaucoup de bonheur — ou *aucun* bonheur.

— OK, alors, dit-il avec réticence, comme s'il était sur le point de sauter d'une falaise.

Il se débarrassa rapidement de son t-shirt, détacha le bas de son pyjama et, une seconde plus tard, il se tenait debout, nu, émoustillé et tellement dépourvu de maîtrise sur lui-même qu'il trouva ça tout aussi agaçant. Il ne perdait jamais la maîtrise de soi.

— Oh, mon Dieu, Dominic, dit Kate avec un petit soupir exalté. Tu es magnifique ! Incroyable !

Elle se pencha pour saisir son érection.

Il recula rapidement, frénétique, son orgasme sur le point d'exploser, et il la leva brusquement de sur le tabouret, la retourna, repoussa le tabouret et dit d'une voix tendue :

— Mets-toi à quatre pattes, chérie.

Mais il l'aida à se redresser, la stabilisa brièvement, puis dit avec un minimum d'explication :

— J'espère que ça ne te dérange pas, mais la table est trop basse.

Elle lui lança un sourire par-dessus son épaule, agita son derrière comme si elle n'avait pas joui depuis un mois et demanda d'un ton joyeux :

— C'est une bonne hauteur ?

— Bon Dieu, chérie, comme si j'avais besoin d'encouragement, dit-il les dents serrées en essayant de garder ses esprits, la chatte rose et lisse de Katherine brillant comme une vision paradisiaque, encadrée par ses cuisses pâles et son cul parfait.

— Baise-moi fort cette fois, ronronna-t-elle en le regardant de nouveau, ses yeux verts irradiant de désir, agitant les hanches d'une manière terriblement séductrice. Je suis tellement affamée. S'il te plaît ?

— J'aimerais pouvoir, chérie.

Il n'arrivait pas à se souvenir du moment où *il* avait été si affamé de sexe. Probablement quand il avait 14 ans et qu'il se branlait 20 fois par jour.

— Mais après ton dernier orgasme éblouissant, nous allons nous calmer.

Elle frémit soudain.

— S'il te plaît, Dominic, haleta-t-elle en agitant encore les hanches. Je vais bien. J'ai vraiment besoin de te *sentir*, *maintenant* ! Ne me torture pas. Fais-le ! gémit-elle.

Dominic prit une lente inspiration, se rappelant rapidement les mantras qu'il connaissait pour maîtriser sa queue, mais de gouttelettes pâles glissaient le long des cuisses de Kate, sa chatte palpitant visiblement. Ce qui signifiait que la foutue piste d'atterrissage était complètement dégagée. Comment pouvait-il même songer à se retenir quand son cul tremblant et son sexe savoureux lui étaient offerts si généreusement ?

Mais, n'ayant pas encore complètement perdu toute raison, il la pénétra prudemment.

Elle émit un cri de mécontentement.

— Qu'est-ce que tu *fais* ? hurla-t-elle.

— J'essaie de ne pas te faire mal, marmonna-t-il en luttant pour résister à l'urgence de son désir, en pensant que peut-être on perdait toute maîtrise de soi quand la personne qu'on baisait avait de l'importance.

Quand elle avait *beaucoup* d'importance. Mais refrénant impitoyablement son désir, il serra davantage les hanches de Kate, la maîtrisant et se maîtrisant lui-même.

S'il n'avait pas complètement été pris de court quand elle projeta sa main vers l'arrière, lui saisit la jambe en même temps qu'elle reculait son joli cul, il aurait peut-être mieux encaissé sa frappe préventive.

Dieu qu'elle était forte dans cet état d'excitation, pensa Dominic en se demandant dans quelle mesure il devait protéger sa vertu inexistante et, plus précisément, s'il devait protéger Kate d'elle-même. Mais il n'était pas un moine non plus qu'il était vertueux et, quand elle haleta « Plus fort, plus fort, plus fort ! », il oublia toute maîtrise parce que c'était foutrement trop pour n'importe quel homme avec une queue et un cœur battant.

Il s'enfonça en elle comme un animal, violemment, les jambes écartées comme s'il avait besoin d'une meilleure traction.

Elle hurla.

Mais même s'il était follement excité et comme une bête en rut, il connaissait la différence entre le plaisir et la douleur dans le cri d'une femme. Alors, il ne s'arrêta pas et elle non plus. Ils baisèrent frénétiquement à grands coups rapides, mais jamais pendant longtemps compte tenu de l'humeur insatiable de Katherine. Même au milieu de ce chaos, cette pensée demeurait vivante dans le cerveau de Dominic. Alors, quand il la sentit s'immobiliser, retenir son souffle, commencer à convulser autour de lui, il se tint profondément en elle — infiniment poli même au bord de l'orgasme pour la femme qu'il aimait. Il se retint de jouir, respirant difficilement, puis attendit encore et encore jusqu'à ce que, finalement, l'orgasme de Katherine se calme complètement.

Une fraction de seconde plus tard, il jouit comme un animal, puissamment, en un grognement féroce, la pénétrant avec une telle violence qu'il se rendit compte qu'il tremblait quand ce fut terminé.

Pendant un long moment silencieux, incroyablement intense, ni l'un ni l'autre ne bougea tandis que Dominic retenait Kate qui avait du mal à garder son équilibre sous le poids de tant d'orgasmes violents, tous deux encore essoufflés, le plaisir bouleversant toujours leurs sens.

Mais mû par la politesse et le devoir, Dominic se secoua un peu, aspira une bouffée d'air, puis prit Kate dans ses bras, s'assit, la tint sur ses genoux et lui caressa doucement le dos jusqu'à ce qu'elle ouvre lentement les yeux.

— Je suis vraiment désolé, chérie, chuchota-t-il. Je n'aurais pas dû faire ça.

Elle sourit.

— Hé, je te l'ai demandé.

Il soupira.

— Je n'aurais quand même pas dû agir comme une brute. J'ai l'impression d'être un salaud.

Elle leva les mains et fit courir ses doigts le long de sa mâchoire.

— Arrête de t'excuser. Je t'aime. Tu n'as rien fait de mal.

Il exhala doucement.

— Il faut que nous voyions ce médecin. Alors, je pourrai arrêter de paniquer. Mais OK, OK, ajouta-t-il en voyant Kate froncer les sourcils. Le sujet est clos. Je vais t'habiller, puis nous allons monter à l'étage.

Se servant d'une serviette de table pour nettoyer quelque peu les dégâts, il lui remit son pyjama tandis qu'elle reposait sur ses genoux, puis se leva et la rassit sur le fauteuil.

— Vas-tu tomber si je te lâche ?

— Je suis plus forte que tu ne le crois, répondit-elle en souriant.

Il ne discuta pas, mais garda une main sur son épaule pendant qu'il lui enfilait son pantalon de pyjama. Sans prendre la peine de mettre son t-shirt, il la souleva, la transporta à l'extérieur de la salle à manger, passa devant les serviteurs dans le vestibule de l'entrée, puis grimpa les marches en direction de leur chambre.

Elle dormait avant même qu'il ne l'atteigne.

« C'est à ce point qu'elle est forte, mec. N'oublie pas ça », se dit-il.

Après l'avoir bordée dans le lit, il prit une douche rapide pour se réveiller et fit quelques appels. Il répondit à ses courriels pendant une heure, puis s'attaqua à deux rapports qui nécessitaient des réponses immédiates. Ensuite, il grimpa dans le lit, prit Kate dans ses bras, se détendit finalement et tomba bientôt endormi.

Il se réveilla en sursaut et regarda l'horloge.

« Merde… 3 h du matin. »

Levant la main de Katherine qui lui tapotait la poitrine, il la porta à sa bouche, embrassa sa paume, la regarda et sourit d'un air ensommeillé.

— Qu'est-ce qu'il y a ?

— J'ai faim.

Il se secoua mentalement pour se réveiller, retira son bras d'autour des épaules de Katherine, puis s'assit.

— Qu'aimerais-tu avoir ?

— J'étais là, étendue, à songer à ce macaroni au fromage, mais je peux aller le chercher si tu me dis où il est.

— Non, j'y vais, répondit-il en posant les pieds par terre. Tu ne vas pas trouver la cuisine dans l'obscurité.

— Tu n'as pas besoin de le réchauffer. Un macaroni au fromage froid, ça me va.

Il se retourna en se levant.

— Froid ? Tu me fais marcher.

— J'aime ça froid.

— Si tu le dis, chérie. Autre chose ?

Il tendit le bras pour prendre son peignoir.

— Peut-être aussi un des sandwichs d'hier.

Il enfila le peignoir en tissu éponge.

— Tu ne vas pas manger *ça* froid.

— Tu n'as jamais mangé des restes debout devant le frigo ? Tout est froid. C'est bon.

— Je n'ai jamais fait ça, dit-il en nouant la ceinture de son peignoir, mais je te crois.

Debout devant la porte un moment plus tard, il dit :

— Dernière chance. Tu veux encore autre chose ?

— Je suppose qu'il n'y a plus de ces petits gâteaux au chocolat ?

— Bon Dieu, j'espère que non. C'était il y a trois jours.

— La garniture aux truffes devrait être encore bonne. Les truffes se conservent longtemps.

Il soupira.

— Je ne veux pas que tu te rendes malade.

— Vérifie simplement, OK ? La garniture de truffe serait tellement délicieuse, en ce moment.

— Je vais voir. Je ne te promets rien, mais je vais apporter le reste de la nourriture.

— Je veux *vraiment* des truffes.

— S'il n'était pas 3 h du matin, j'enverrais quelqu'un t'en chercher, mais je pense que ce serait une entrée par effraction à cette heure de la nuit.

— Je n'avais pas l'intention d'envoyer quiconque en chercher.

— Alors, tu me casses seulement les couilles pour des gâteaux rassis.

Elle sourit.

— Même un seul serait super ; à moins qu'il y en ait plus.

— Je vais voir ce que je peux faire, grommela-t-il. Mais comme je l'ai dit, je ne promets rien.

— S'il y avait même seulement du macaroni au fromage, ce serait parfait.

Il rit.

— Menteuse. OK, reste sous les couvertures pour ne pas avoir froid. Ça prendra un moment.

Il lui fallut effectivement un certain temps parce qu'il n'était jamais allé dans la cuisine de sa maison de Londres.

Il savait qu'elle se trouvait tout en bas, mais après avoir tourné deux fois et abouti d'abord dans le cellier, puis dans ce qui semblait être la salle des chaudières, il revint au bas des marches et cria pour faire venir Quinn.

Huit autres membres de son personnel apparurent rapidement, plus ou moins vêtus, certains alarmés, d'autres se demandant si leur employeur n'était pas complètement ivre puisqu'il n'était jamais descendu auparavant.

Quinn s'avança devant la petite foule en boutonnant sa chemise.

— Je m'excuse d'avoir réveillé tout le monde, dit Dominic, mais Mlle Hart a décidé qu'elle avait faim et je n'arrive pas à trouver la cuisine.

— Par ici, Monsieur, fit Quinn en indiquant sa droite.

— S'il vous plaît, retournez tous dormir. J'aimerais vous promettre que ça ne se reproduira plus, mais je crains que ça puisse arriver encore. Et je m'excuse à l'avance de ce qui pourrait devenir un horaire irrégulier si Mlle Hart continue à avoir faim au milieu de la nuit. Il se pourrait qu'elle ne veuille pas toujours des restes.

— Pas de souci, Monsieur, dit Quinn en faisant partir tous les autres d'un geste de la main. Suivez-moi.

Finalement, la cuisine se trouvait sur le devant de la maison, et quand Quinn alluma les lumières, Dominic regarda avec surprise l'immense espace.

— Apparemment, nous sommes prêts pour des réceptions royales.

— En fait, la cuisine a *vraiment* été construite pour accueillir des hôtes royaux. Un des nouveaux millionnaires préférés de Bertie[7] a vécu ici au cours des années 1890. Bertie en a fait un pair du royaume pour le récompenser de sa superbe hospitalité.

7. N.d.T.: Époux de la reine Victoria.

— Vraiment, murmura Dominic.

Quinn sourit.

— Vraiment. Si vous voulez un titre, vous allez devoir recevoir davantage.

— C'est la dernière chose que je veuille faire.

Dominic sourit à son chef qui donnait l'impression de pouvoir soulever une maison sans effort. Max l'avait trouvé comme il avait trouvé tous les autres membres du personnel et Dominic soupçonna que Quinn pouvait s'être servi d'une arme une fois ou deux dans le passé.

— Je ne suis pas du genre sociable, ajouta-t-il.

— J'ai remarqué, répondit Quinn d'une voix traînante, un vestige de son accent irlandais qui adoucissait ses mots. Alors, de quoi avez-vous besoin à 3 h du matin.

— D'un peu de sommeil, dit Dominic en souriant. Mais avant ça, voici ce que Katherine a demandé.

Il s'assit au long du comptoir d'acier inoxydable pendant que Quinn préparait la nourriture.

— Vous êtes certain que je ne dois rien réchauffer ?

— Ce sont les ordres que j'ai reçus. Personnellement…

Dominic s'interrompit un instant avant de poursuivre :

— Mais mieux vaut ne pas le faire. Tu as des enfants ? Les demandes au milieu de la nuit m'ont rappelé les enfants de Melanie.

— J'en ai, mais ils sont grands, maintenant. Des enfants extraordinaires. Ma femme les a élevés parce que je n'étais pas beaucoup à la maison.

— Est-ce qu'ils t'aiment ?

Il y avait quelque chose dans la voix de Quinn qui l'autorisait à poser la question ou peut-être n'était-ce que sa propre dynamique familiale qui l'avait suscitée.

— Oui. Nous sommes de bons amis. Je venais à la maison chaque fois que je le pouvais.

— Est-ce que ta famille vit à Londres ?

— Mon garçon fréquente un institut culinaire à Paris, ma fille est enseignante à Brighton, et ma femme est au bout du couloir, Monsieur. Elle s'occupe de la tenue de livres de la maison.

— Ah ; excuse-moi de ne pas l'avoir su. C'est Max qui embauche.

— Pas de problème. Compte tenu des salaires que vous versez, vous pourriez être le diable en personne. Voilà, c'est terminé.

Le chef basané plaça délicatement les petits gâteaux sur le cabaret avec ses énormes doigts.

— Dites à Mlle Hart que la garniture de truffe est bonne, mais qu'elle pourrait laisser tomber les gâteaux. Ils sont un peu difficiles à mâcher, maintenant.

— Mais ça ne la rendra pas malade ?

— Non, j'ai congelé ce qui restait pour le personnel. Et vous pouvez manger ces gâteaux directement du congélateur, mais je les ai fait chauffer pendant quelques secondes. Vous n'avez pas besoin de le lui dire.

— Je suis doué en cette matière, répondit Dominic avec un petit sourire.

— La plupart des hommes le sont.

— Question de survie.

— C'est exactement ça, Monsieur. Aimeriez-vous qu'on vous monte le cabaret ?

— Non, dit Dominic en le prenant. Et je te remercie de ta compréhension. Je m'attends à ce que ce ne soit pas la dernière fois que je descende ici au milieu de la nuit.

— N'importe quand, Monsieur. Et nos meilleurs vœux à Mlle Hart.

Quelques minutes plus tard, Dominic regardait manger Kate, refusa poliment les restes, prit plaisir à la voir dévorer chaque dernier morceau — y compris le gâteau — et la trouva de nouveau endormie quand il se retourna après avoir déposé le cabaret sur la commode.

Bon Dieu, était-elle devenue narcoleptique ? Ça pourrait être une chose à demander au médecin.

Le dimanche, ils dormirent tard, lirent les journaux au lit, prirent leur petit déjeuner au lit, puis leur repas du midi. Kate fit une sieste en après-midi, et Dominic alluma son ordinateur portable. Et tandis que la fin de semaine se terminait, ils demeurèrent étendus à regarder un film à la télé… au lit.

CHAPITRE 10

— Vraiment, Dominic, quelqu'un devrait nous avertir qu'on est constamment fatiguée quand on est enceinte, marmonna Kate quand il la secoua pour la réveiller le lundi matin. Seigneur, tu es habillé !

Dominic était assis au bord du lit vêtu de son complet de PDG.

— Quelle heure est-il ?

— Il est tard, chérie, dit-il. Je me suis dit que, comme tu avais pris ta douche hier soir, je pourrais te laisser dormir un peu. Mais il faut que nous commencions la journée.

Écartant les couvertures, il se leva, se pencha et évita consciemment de la regarder — sinon il se serait débarrassé de ses vêtements —, la souleva dans ses bras et la porta dans la salle de bain. Il l'assit sur le comptoir de marbre, étala du dentifrice sur la brosse à dents, garda les yeux sur son visage, lui tendit la brosse avec un verre d'eau et dit :

— Brosse. Quinn a déjà emballé ton petit déjeuner. Tu pourras manger dans la voiture. Je vais t'attendre dans la salle d'habillage.

Un peu plus tard, il entendit la chasse d'eau, le robinet, puis ce fut le silence. Pendant trop longtemps.

Il retournait à la salle de bain quand elle sortit de la chambre, l'image renversante de courbes roses et de seins plantureux qui incita Dominic à soupeser rapidement ses options.

— Je pense que je me suis assoupie, murmura Kate en se frottant les yeux comme une enfant de deux ans ensommeillée.

Ayant maîtrisé sa libido et, par la pure force de sa volonté, refréné son ego qui lui chuchotait qu'il pouvait faire n'importe quoi, Dominic sourit brièvement.

— Il se peut que CX Capital n'en ait pas pour son argent aujourd'hui.

— Ou pour l'avenir prévisible si je ne peux pas me débarrasser de cette somnolence perpétuelle.

— Est-ce le signe que je peux répéter mon laïus à propos de travailler pour moi ? N'importe quand, chérie. Tu n'as qu'un mot à dire.

Il ouvrit plus grande la porte de la salle d'essayage.

— Si tu ne m'épuises pas, mère Nature le fera, dit Kate en passant devant lui pour entrer dans la salle d'habillage. Je devrais demander à Amanda si elle a passé les neuf mois à dormir ou à songer à dormir.

— Nous allons le demander au médecin cet après-midi. J'irai te prendre à 15 h. Ne t'assois pas, dit-il rapidement, nous devons t'habiller et te mettre dans la voiture.

Si on avait demandé à une quelconque des connaissances de Dominic s'ils pouvaient l'imaginer en train de servir une femme, elles auraient fixé cette personne d'un air incrédule. Dominic ne dérogeait pas de ses habitudes avec les femmes. Il ne l'avait jamais fait.

Jusqu'à Kate.

Mais elle n'avait aucun moyen de savoir que la sollicitude de Dominic ne s'adressait qu'à elle, alors elle acceptait ses attentions comme étant normales. Et comme elle n'avait pratiquement pas d'énergie, Dieu merci, ça ne le dérangeait pas de faire pratiquement n'importe quoi.

Y compris lui faire avaler un sandwich au bacon dans la voiture pour éviter que ses doigts ne soient complètement graisseux quand elle arriverait au travail.

— Comment diable peux-tu manger du bacon le matin, murmura-t-il tandis qu'elle savourait le sandwich, et que ça ne te rende pas malade ?

— Sais pas, répondit-elle en avalant la dernière bouchée. Aliments réconfortants ? Comportement compulsif ? Un déclencheur génétique néanderthalien ? Peut-être…

— Désolé d'avoir posé la question, dit-il en souriant. Tiens, chérie, prends un peu de lait au chocolat pour faire descendre tout ça.

Il lui tendit une petite bouteille thermos.

— Je vais te rendre ça un jour, promit-elle en souriant tandis qu'elle lui rendait la bouteille. Je vais prendre soin de toi.

— Tu le fais déjà, Katherine. Tu fais en sorte que chaque jour vaille la peine d'être vécu. Alors, laisse-moi faire ça. C'est un plaisir pour moi.

— OK, alors, répondit-elle avec un large sourire. Je crois que je vais te laisser faire.

Il rit, ravi qu'elle ait pu le faire rire alors qu'il n'avait pas eu beaucoup de raisons de le faire par le passé.

— Peut-être que quelqu'un de si futé a besoin d'une fessée, murmura-t-il d'une voix légèrement rauque.

Elle le regarda appuyé contre le dossier de cuir noir, impeccablement vêtu d'un complet écru pour la température printanière, ses cheveux peignés vers l'arrière, son sourire séducteur pour elle seule.

— Et je connais peut-être quelqu'un qui pourrait faire ça, murmura-t-elle.

— Bon Dieu, chérie, fit-il en soupirant, puis en inspirant de nouveau et en regardant sa montre. Sérieusement, tu dois quitter ton boulot. J'ai besoin que tu sois constamment à ma disposition. Oh, merde.

La voiture se rangea près du trottoir devant CX Capital.

— Il n'y a pas que toi qui aies des besoins, souffla-t-elle, le regard fixé sur son érection croissante, son corps réagissant instantanément.

— Jake va t'aider à descendre de la voiture, fit-il, les narines palpitantes, la voix soudainement tendue comme la corde d'un arc. Je ne vais pas te toucher avec cette foutue érection. Et je suis sérieux, Katherine, ajouta-t-il poliment d'un air sévère. Tu dois quitter ce boulot de merde.

— Parce que tu le dis ?

La voix de Kate avait prit tout à coup un ton dur.

— Surtout, dit-il, les dents serrées, puis il leva les yeux quand la portière s'ouvrit. Merci, Jake. Aide Katherine, s'il te plaît.

Elle passa devant lui tandis qu'il déplaçait ses jambes sur le côté.

— À 15 h, dit-il.

— Va te faire foutre.

— Nous allons le faire après le rendez-vous, répondit-il d'un ton sec.

Pendant qu'elle s'éloignait, il lança la glacière Prada à Jake.

— Rattrape-la. Si j'essaie, elle va jeter ça.

Une fois dans son bureau, pendant une demi-heure de fureur, Kate fixa sans le voir l'écran de son ordinateur pendant qu'elle imaginait mille répliques acérées pour répondre à Dominic exigeant qu'elle quitte son travail. Quelque chose de plus créatif que « Va te faire foutre ». Comme pour lui rappeler de manière acerbe qu'elle était une femme indépendante qui prenait ses propres décisions. Ou peut-être lui demanderait-elle en hurlant pour qui il se prenait en lui disant quoi faire. Ou bien elle pourrait lui parler de la vraie question à savoir qu'elle ne voulait pas être la femme-objet d'un homme qui en avait déjà eu à satiété. Pendant que celle sur le fait qu'il soit un imbécile dominateur revenait toujours sur le devant de la scène.

Elle songea à retourner à son appartement, à partir sans se retourner comme dans les films ou dans les romans du XIXe siècle où les femmes se faisaient toujours avoir en fin de compte.

Au moment même où l'image de toutes ces femmes fictives à l'esprit de sacrifice l'incitait à envisager de partir sans se retourner, un jeune homme dégingandé aux cheveux tombant sur le visage entra dans son bureau en portant avec difficulté un grand vase de cristal rempli de magnifiques roses blanches de David Austin.

Sa colère fondit comme neige au soleil. Disparue en une fraction de seconde. *Abracadabra — pouf — partie.* Dieu du ciel, l'amour était une foutue balade inexplicablement folle en montagnes russes. Mais, franchement, peu importait à quel point elle se mettait en colère, peu importait à quel point Dominic pouvait être têtu, elle en revenait toujours au même point : il n'y avait que lui qui pouvait la faire sentir aussi heureuse.

Quand elle indiqua le coin de son bureau, le jeune homme déposa le vase, puis recula et redressa ses épaules comme s'il s'attendait à une réprimande ou qu'on allait lui remettre quelque médaille vraiment importante. Sa pomme d'Adam s'agita de haut en bas, il ouvrit la bouche, la referma brusquement et son visage adopta 10 teintes de rouge. Au moment où Kate se demandait s'il avait pris des drogues si tôt le matin, il dit d'une voix pressée :

— Je suis censé dire « Je suis désolé ». Il a dit que vous sauriez ce que ça signifiait.

Puis, il pivota sur ses talons et s'enfuit littéralement de son bureau.

Kate espéra que Dominic lui avait versé un généreux pourboire parce que ce petit discours dépassait de loin la zone de confort du jeune homme. Mais le geste gentil de Dominic lui réchauffa le cœur. Il était doué pour ça, ou bien elle était excessivement naïve, ou peut-être était-ce justement ça l'amour. Le fait d'oublier qu'on était fâché en une fraction de seconde; faire des concessions que vous n'auriez jamais faites auparavant. Être ravie d'avoir un enfant alors que cette idée ne faisait partie que de projets à long terme… comme dans une décennie.

Elle se pencha, prit l'enveloppe attachée au col du vase avec un ruban et en sortit la carte.

Contemplant l'écriture inhabituellement petite de Dominic sur la carte, elle lut :

Mille excuses. Je suis un parfait salaud. Je vais t'administrer une fessée très, très douce ce soir pour me faire pardonner mon mauvais comportement.

Dominic avait signé son nom et ajouté un petit visage qui souriait pour la toute première fois de sa vie.

Katherine ignorait qu'il n'avait auparavant jamais jugé que les visages souriants pouvaient convenir à une situation, mais elle sourit en le voyant.

Elle lui expédia immédiatement un texto : *Je vais peut-être te laisser faire*, en ajoutant un petit visage animé qui non seulement souriait, mais bondissait et agitait les bras parce qu'elle se sentait ainsi. Extraordinairement heureuse.

Alors… tous les deux entreprirent leurs tâches considérables de la journée de bonne humeur. Kate toléra même les jeunes qui faisaient du piratage dépassant de loin ce pour quoi ils étaient payés. *Refaites ça*, leur écrit-elle en expédiant un courriel dans leur compte personnel, *et j'envoie la police frapper à votre porte. Ce n'est pas une blague.*

Dominic était si joyeux que Max faillit lui demander s'il s'était défoncé.

— Je connais ce regard calculateur, dit Dominic en souriant à Max par-dessus son bureau. Ne me pose pas de question.

— Tu ne peux pas me le reprocher, lui répondit Max en le regardant de sous ses sourcils. Je t'ai déjà vu comme ça… mais pas au bureau.

Dominic sourit de nouveau.

— Habitue-toi. Pour moi, c'est encore meilleur que n'importe quelle sensation.

— Tu es complètement parti, alors, fit Max sèchement.

— Je vole, mec. Je ne pourrais pas être plus heureux. Je pourrais même épargner ce foutu Larry qui a essayé de m'escroquer à propos de cet immeuble de bureaux à San Francisco.

— Alors, il va le refaire. Il va se dire que tu es mou.

— Peut-être que je le suis, en ce moment.

— Pas pour longtemps, j'espère, marmonna Max. Sinon, tes revenus vont en souffrir.

Dominic se laissa aller contre le dossier de son fauteuil, croisa ses mains derrière sa tête et adressa à Max un sourire détendu.

— Ne t'inquiète pas. Je pourrai escroquer Larry plus tard. Il va réessayer. Nous le savons tous les deux.

Max se redressa, et l'inquiétude avait disparu de son visage.

— Bien. Je pensais t'avoir perdu pendant une minute.

Dominic secoua la tête, laissa retomber ses bras et se pencha légèrement vers l'avant.

— Je ne suis pas gentil à ce point. Tu le sais mieux que quiconque. Toutefois, je vais devoir modifier un peu mon comportement ou tout au moins être prudent avant de décider d'agir comme un salaud ou non. Katherine se joint à nous, au cas où tu ne le saurais pas.

— C'est ce que je m'étais dit. Quand ?

— Quand je pourrai la convaincre de quitter CX Capital.

— Joanna a reçu son chèque.

Dominic haussa légèrement les sourcils.

— Elle a demandé beaucoup ?

— Pas vraiment.

— Alors, expédie-lui un chèque en remerciement. Vingt pour cent.

— Ça devrait faire son bonheur.

— Pas autant que moi quand elle dira à Katherine qu'elle peut racheter ses parts.

— Alors, tout le monde est heureux, répondit Max d'une voix traînante. Mais puisque tu sembles te foutre de tout en ce moment, ajouta-t-il sur un ton plus sérieux, je tiens à te rappeler de ne pas oublier la vidéoconférence de cet après-midi.

— Je vais revenir pour ça. Katherine et moi avons un rendez-vous chez un médecin à 15 h 30. Une femme, cette fois.

— Apparemment, le sexe a de l'importance.

— Ouais, répondit Dominic sur ce ton à la fois sec et courtois auquel Max était habitué.

Contrairement à la personnalité hyper-enthousiaste de Dominic quelques minutes plus tôt alors que même le fait que Larry le baise n'avait pas d'importance.

— Veux-tu qu'Helen reste jusqu'à ce que la conférence soit terminée ?

— Non. Elle peut rentrer chez elle à 17 h. Ce n'est rien dont je ne puisse pas m'occuper.

La D^re^ Fuller était jeune et mince, l'air gamin, ses longs cheveux bruns noués en queue de cheval, son grand sourire attirant. Elle les accueillit à la porte de son bureau et leur serra fermement la main, puis leur fit un signe en direction des fauteuils devant son bureau, s'assit derrière et sourit de nouveau.

— D'après ce que je comprends, ce n'est pas une urgence, mais c'est pressant.

Elle avait été convaincue de prendre le temps de les recevoir par deux éminents médecins qu'elle connaissait ; Dominic Knight était impatient et avait eu recours à ses puissantes relations.

— Nous ne connaissons rien à la grossesse, dit-il avec un sourire poli. Alors, nous avons quelques questions urgentes.

Il haussa légèrement les épaules.

— Disons, urgentes pour nous, termina-t-il.

Il jeta un coup d'œil à Kate, toucha légèrement sa main sur l'accoudoir du fauteuil et sa voix se fit plus tendre.

— Veux-tu commencer ?

— D'accord, répondit Kate en souriant.

Rien que ça, aucune parole de plus.

Mais la D^re^ Fuller se sentit tout à coup de trop devant cet étalage d'affection, et surprise également de l'engagement de Dominic Knight auprès de Mlle Hart. Elle l'avait rencontré une fois ; il ne s'en souvenait pas et elle n'en était pas étonnée. Toutefois, elle l'*était* de voir qu'il pouvait faire preuve de tendresse. Sa réputation était toute autre.

Dominic perçut le malaise de la docteure. Ses sentiments ne l'embarrassaient pas et Katherine ne semblait pas s'en rendre compte, mais la docteure attendait.

— Pose tes questions, chérie, dit-il en lui frôlant de nouveau la main.

— Désolée, dit Katherine en sursautant. Est-ce que je somnolais ? Dieu du ciel, marmonna-t-elle. C'est ma première question. Est-ce normal d'être toujours fatiguée ? Autrement, je me sens bien. Enfin, sauf pour les nausées matinales.

Elle grimaça.

— Ça s'améliore, mais ce n'est pas encore terminé. Combien de temps ça devrait durer ?

La docteure répondit aux questions de Kate et à celles de Dominic qui avaient trait au manque d'appétit de Kate et à ses inquiétudes quant à ce qui pouvait représenter un excès de sexe. Aucune de ces questions ne donna lieu à une réponse limpide ou à des lignes directrices, ce qui ne contribua pas beaucoup à apaiser les craintes de Dominic. Mais la docteure ajouta à la fin :

— Vous n'avez pas à vous sentir seuls concernant votre ignorance. Tous les gens sont pareils la première fois, dit-elle en souriant. C'est une longue courbe d'apprentissage. Maintenant, si vous n'avez pas d'autres questions…

Elle attendit un moment, puis se leva et fit un signe de la main en direction de la porte.

— Nous y allons ?

Dominic entra avec Kate dans la salle d'examen, demeura debout près d'elle et lui tint la main quand elle fut couchée sur la table.

La docteure adressa un sourire à Kate.

— Si vous éprouvez de l'inconfort, dites-le-moi.

Et elle commença l'examen.

— Tout semble normal, dit-elle quelques instants plus tard, puis Dominic aida Kate à s'asseoir. Je vais vous renvoyer à la maison avec quelques vitamines et un dépliant contenant des suggestions pour atténuer les nausées matinales. Et, si vous le pouvez, dormez quand vous êtes fatiguée. Il n'y a pas d'inquiétude à avoir à ce sujet. Certaines femmes ont tout simplement besoin de plus de sommeil quand elles sont enceintes. Et je vous reverrai dans un mois.

Pendant que la docteure quittait la pièce, Dominic se pencha vers Kate.

— Je vais régler les choses à la réception pendant que tu t'habilles, OK ? dit-il.

Quittant rapidement la salle d'examen, il rattrapa la docteure dans le corridor.

— J'ai une question que je ne voulais pas aborder devant Katherine.

Dominic Knight aurait été un homme renversant même sans les signes extérieurs de la richesse et du pouvoir. Son beau-frère, qui aspirait à devenir un député important au Parlement affichant une grande élégance vestimentaire, aurait été stupéfié devant les vêtements superbement taillés de M. Knight.

— Aimeriez-vous que nous retournions dans mon bureau pour parler en privé ?

Dominic secoua la tête.

— Ça me va ici. Je voulais seulement vous demander quels étaient les effets du Depo-Provera sur le fœtus. Les renseignements sur Internet vont dans tous les sens. Kate en a reçu une injection peu avant de tomber enceinte.

— Alors, vous savez que certaines études ne font état d'aucune différence significative en ce qui a trait au poids à la naissance, à des anomalies congénitales ou à des décès alors que d'autres montrent un risque plus élevé. Nous ne savons tout simplement pas parce que nous n'avons aucune étude menée dans des conditions restreintes dans la population en général même si le Royaume-Uni le recommande activement en tant que contraceptif depuis 2008. Sans qu'on observe de problèmes particuliers, ajouterais-je.

Elle sourit faiblement.

— J'aimerais pouvoir vous donner une réponse plus utile. De toute évidence, c'est une grossesse imprévue. Est-ce une préoccupation pour vous ?

C'était peut-être l'expression de son visage ou le ton de sa voix, mais il comprit ce que signifiait le mot-code « préoccupation ».

— Je ne suis préoccupé que par la sécurité de l'enfant. Nous sommes tous les deux ravis de cette grossesse, imprévue ou non.

— Je suis heureuse de l'entendre.

Le fait que Dominic Knight soit ravi d'avoir un enfant était époustouflant. Il n'avait pas la réputation d'être attaché aux valeurs familiales. Elle pensait qu'il aurait pu être impatient d'obtenir rapidement un rendez-vous parce que le temps pressait s'il voulait mettre un terme à la grossesse de sa fiancée.

Elle l'avait rencontré pour la première fois dans un cocktail. Ian, son beau-frère, faisait partie du comité parlementaire chargé d'examiner l'octroi d'un permis pour le parc éolien de Knight dans la mer du Nord et Dominic avait organisé la réception afin d'obtenir des votes en faveur de certaines dérogations qu'il voulait. Il passait d'un invité à l'autre, une superbe femme à ses côtés. Une blonde, si elle se souvenait bien. Il avait charmé tout le monde, en particulier les femmes députées. Elle avait soupçonné que la blonde jouait un rôle semblable vis-à-vis les invités masculins. Elle n'avait jamais oublié les yeux de Dominic Knight quand on le lui avait présenté. Son regard bleu et neutre était remarquable, comme si l'homme fonctionnait sur le pilote automatique après mille événements semblables au cours de l'année.

Même s'il ne se souvenait pas d'elle, il était, bien sûr, inoubliable même dans une foule.

Toutefois, il semblait ne pas être conscient de l'effet qu'il avait sur les gens.

— Est-ce que votre fiancée est inquiète ?

Il parut surpris, comme s'il avait eu l'esprit ailleurs.

— Nous n'en avons pas discuté. Si elle est inquiète, elle ne l'a pas dit.

Sa bouche se tordit légèrement.

— Je serais étonné, si elle n'avait pas déjà songé à tout ça, ajouta-t-il en souriant. Nous évitons probablement tous les deux le sujet.

— C'est mieux ainsi.

— C'est exactement ce que je pense. Merci de nous avoir accordé de votre temps.

— C'était un plaisir. Nous nous reverrons dans un mois.

Pas s'il y pouvait quelque chose. Son avion était à Heathrow, ses pilotes en attente.

Il sourit de nouveau.

— Je vais prendre immédiatement rendez-vous.

CHAPITRE 11

Les bureaux londoniens de Dominic se trouvaient dans un magnifique manoir typiquement victorien qu'il n'avait acheté que pour le point de vue sur la Tamise. Son bureau au deuxième étage donnait sur la grande courbe du fleuve, le spectaculaire panorama encadré par d'immenses fenêtres qu'il avait fait installer après avoir acquis la propriété.

Il y avait un gardien de sécurité à la porte et une réceptionniste derrière un comptoir dans le hall d'entrée. Et Dominic les salua tous les deux d'un signe de tête et d'un sourire tandis qu'il escortait Kate jusqu'à une cage d'ascenseur située sous la courbe d'un impressionnant, mais étrange escalier aux motifs à la fois art nouveau et égyptiens qui grimpait majestueusement jusqu'au deuxième étage.

Kate sourit tandis qu'il faisait glisser pour elle la porte en fer forgé noir superbement décorée.

— Et elle doit être d'origine, dit-elle en y entrant.

— Oui, répondit-il en la suivant à l'intérieur. Nous l'avons restaurée à grands frais. Nous avons dû réusiner certaines parties.

Il referma la porte, poussa un bouton et la cage commença à monter.

— Il n'est plus dangereux.

— C'est bon à savoir, dit-elle en lui adressant un regard moqueur. Combien y a-t-il eu de victimes ?

— Il pourrait y en avoir une maintenant.

Il fit un mouvement brusque, elle poussa un petit cri et il sourit.

— N'essaie pas de baiser le patron, chérie. Tu perdras toujours.

— Hé, sois gentil, *j'aime* baiser le patron, murmura-t-elle en faisant un pas vers lui. C'est une de mes activités préférées.

Elle tendit le bras vers le panneau de contrôle de l'ascenseur.

— Laisse-moi appuyer sur ce petit bouton ici et…

— Non-non, fit-il en lui écartant la main.

— Pourquoi pas ?

Elle était sincèrement étonnée. Elle n'avait jamais vu à Dominic Knight refuser une séance de sexe.

— Parce que ce n'est ni le temps ni l'endroit, répondit-il d'une voix calme.

— Et si je voulais que ça le soit ? le défia-t-elle en passant de l'étonnement à la frustration. Ça ne sera pas long.

Il lui adressa un regard froid, légèrement combatif.

— Tu ne veux pas faire ça, Katherine.

Sa rebuffade était comme une gifle au visage. Reculant d'un pas, elle lui dit tout aussi froidement :

— À moins que tu puisses lire mes pensées, comment sais-tu ce que je veux faire ?

L'ascenseur s'arrêta à leur étage.

— Je vais peut-être attendre dehors dans la voiture, dit-elle, son ton se situant entre fâché et très fâché.

Les narines de Dominic palpitèrent.

— Je ne veux pas que tu attendes dans la voiture.

Elle releva le menton d'un air de défi.

— C'est toi qui as commencé.

— Merde, as-tu cinq ans ?

— Si j'en ai cinq, tu en as quatre. Alors, ne t'avise pas de crier après moi. Et à titre d'information, quand tu veux baiser, dit-elle ses yeux verts brillants de colère, je ne refuse généralement pas.

« Vrai. Tellement vrai », pensa-t-il.

Se forçant à maîtriser sa colère, Dominic se rappela que son ancien égoïsme n'avait plus sa place, que cette femme au caractère bouillant était l'amour de sa vie, la mère de son enfant et le soleil qui réchauffait son univers.

— Toutes mes excuses, Katherine, dit-il avec une exquise courtoisie et une certaine retenue parce que c'était très bien de rationaliser sa colère, mais c'était autre chose que de la faire disparaître complètement. Si tu me permettais de ne pas avoir de sexe en ce moment, je te serais vraiment reconnaissant.

Il soupira.

— Vraiment très reconnaissant, ajouta-t-il.

— Oh, mon Dieu, je suis désolée, souffla Kate contrite en voyant à quel point Dominic était généreux en prenant soin d'elle. Je suis une sale égoïste qui te harcèle alors que tu as cette vidéoconférence à l'esprit et la journée a déjà été longue et vraiment… Je m'excuse. Je regrette de m'être fâchée.

— Moi aussi

Il pencha la tête, soutint son regard et sourit.

— Écoute, finissons-en avec cet appel, ensuite nous pourrons baiser tout notre soûl. OK ?

Elle ravala sa remarque sarcastique et dit « OK » comme une adulte bien élevée, compréhensive, compatissante.

— Parfait.

Il ouvrit la porte de l'ascenseur, puis lui fit un geste de la main.

— Prends à gauche.

Le corridor en panneaux de noyer était silencieux, orné des peintures maritimes dans des cadres dorés qu'elle reconnaissait maintenant comme étant les préférées de Dominic. Une épaisse moquette atténuait le bruit de leurs pas.

— Cette conférence téléphonique pourrait prendre un moment. Sens-toi libre de dormir pendant qu'elle va durer si tu le veux. J'aimerais pouvoir le faire. Voilà, nous y sommes.

Ouvrant une des deux portes marquetées joliment décorées, il fit entrer Kate dans un vaste bureau ensoleillé flanqué d'étagères de livres et meublé de deux espaces pour s'asseoir, un près d'un foyer. Il y avait une grande table de bibliothèque avec des chaises au milieu d'une moquette Ispahan à motifs floraux. Au-delà de la vaste antichambre, deux autres portes tout aussi élaborées menaient à un bureau intérieur, là où la réceptionniste les regardait avec de grands yeux à travers des lunettes à monture noire.

Kate adressa un rapide coup d'œil à Dominic, mais il souriait à la vieille dame sévère dans un tailleur pourpre, ses lèvres pincées brillant d'un magenta saisissant.

— Bon après-midi, Helen.

Il pointa du doigt un vase de marguerites jaunes sur son bureau.

— Ce sont des fleurs de votre jardin ?

— Bien sûr.

— Je devrais le savoir, non ?

— Ça fait 10 ans, fit-elle sèchement tandis qu'elle tournait les yeux vers Kate. Maintenant, montrez-moi vos bonnes manières.

— J'y arrivais, dit Dominic avec un sourire. Helen, je vous présente Katherine. Mme Langdon, Mlle Hart, ma fiancée.

L'assistante de Dominic dissimula sa surprise en entendant le mot « fiancée ».

— S'il vous plaît, appelez-moi Helen, dit-elle en souriant.

Même si Max lui avait mentionné la nouvelle situation de Dominic, elle ne l'avait pas cru, surtout parce qu'au cours de la dernière décennie, nombre de femmes étaient passées devant son bureau — certaines qu'il avait présentées et d'autres non. Il n'y avait que Julia qui était restée plus de quelques heures.

— Tout le monde m'appelle Kate.

Kate réussit aussi bien à dissimuler sa surprise en voyant la vieille dame à l'allure de grand-mère derrière le bureau.

— La plupart des gens, ajouta-t-elle avec un petit sourire moqueur en direction de Dominic. Dominic tient aux cérémonies.

— Cela m'étonne, répondit la dame en regardant son employeur. Il préfère généralement la simplicité dans tous les aspects de sa vie.

— Et Helen essaie sans cesse de m'enseigner la politesse.

— Vraiment, fit Kate en souriant, vous pensez qu'on peut lui enseigner quoi que ce soit ? Je n'avais pas remarqué que c'était possible.

— Ah ! s'exclama Helen en pointant un doigt vers Dominic, son vernis à ongles pourpre scintillant dans la lumière. Maintenant, j'ai une alliée.

— Vous et tout le monde essaie de m'enseigner quelque chose, dit Dominic d'un air comique. Essayez encore. Je suis peut-être prêt à changer.

« Si le fait de se marier représente une indication quelconque, songea Helen, le changement avait déjà commencé. »

— En admettant que ce soit vrai, il est à peu près temps, dit-elle en haussant les sourcils. Je ne dirai que ça.

— J'aurais préféré que vous ne le disiez pas, fit-il en soutenant son regard pendant un moment révélateur. Sérieusement.

— Certainement, Monsieur, répondit-elle en se sentant tout de même offusquée qu'il ait seulement envisagé qu'elle puisse dévoiler des aspects de sa vie privée.

« Oh, merde, maintenant elle était fâchée. »

Helen ne l'appelait jamais Monsieur. Mais il s'en fichait ; il ne voulait pas que de quelconques rumeurs parviennent jusqu'à Katherine.

Un petit silence s'installa.

— Je ne vous en veux pas, Helen, dit-il gentiment sur le ton qu'il adoptait pour les impasses diplomatiques qui exigeaient une délicatesse extraordinaire. Vous comprenez.

— Oui, bien sûr. Je ne vous en veux pas non plus.

En faisant abstraction de sa fierté, elle était heureuse de constater que Dominic avait suffisamment d'affection à l'égard d'une femme pour s'inquiéter.

Kate se demanda brièvement ce qui pouvait bien se passer. Helen était-elle une parente ? Le faisait-elle chanter ? Pourquoi Dominic était-il tout à coup si poli ?

— Max m'a dit de vous rappeler que Hobbs s'était joint au consortium et il est toujours à prendre avec des pincettes, dit Helen qui avait retrouvé son aplomb. Et je vous demande de ne pas trop pousser de jurons, ajouta-t-elle d'une voix brusque, maternelle.

Dominic grimaça.

Et pendant une seconde, il a eu l'air d'un enfant indiscipliné, pensa Kate.

Mais une seconde plus tard, il avait remis l'armure qu'il portait devant le monde entier.

— Merci pour le conseil, dit-il d'une voix neutre. Mais les fanatiques de la moralité sont agaçants.

— Hobbs est immensément riche, d'après Max.

Dominic secoua les épaules.

— Je ne sais toujours pas si le jeu en vaut la chandelle. De combien ?

— Un milliard. Ça pourrait valoir la peine de se retenir un peu.

— J'y réfléchirai, répondit Dominic d'une voix qui laissait entendre qu'il n'allait pas le faire. Un milliard ne va pas faire sauter la banque. Max est trop conformiste.

— Vous savez qu'il préfère dépenser l'argent des autres plutôt que le vôtre.

— Mais moi pas, si c'est trop exigeant.

— À vous de décider, bien sûr, dit-elle calmement.

Dominic sourit.

— Merci, Helen. C'est bon de savoir que vous m'approuvez encore.

Kate songea à Nana en entendant le petit reniflement de Mme Langdon.

— Max a dit aussi qu'il pourrait être de retour avant la fin de la conférence, dit-elle avec contenance. Ça dépend combien de temps durera la rencontre au ministère de la Marine.

— Ça me va. Je n'ai pas besoin de lui. Et de vous non plus, alors rentrez chez vous. Je vous verrai demain matin. Et j'aime bien vos ongles pourpres, dit Dominic avec un bref sourire. Ils sont renversants.

Kate vit apparaître une lueur de plaisir derrière ses verres qui lui donnaient un air de hibou.

— J'ai pensé que ça faisait un joli contraste avec mes marguerites jaunes.

— Vous avez l'œil, Helen. C'est parfait. Maintenant, fichez le camp d'ici. Mike adore quand vous rentrez à temps pour prendre un verre avant le dîner.

— N'oubliez pas à propos de Hobbs.

Comme n'importe quelle mère, elle ne rendait pas les armes devant sa résistance.

— Je vais me retenir les trois premières fois où il va m'agacer. Qu'en pensez-vous ?

Helen secoua la tête.

— La façon dont vous réussissez à gagner votre vie me dépasse complètement.

Mais elle souriait en prenant son sac à main dans un des tiroirs.

Dominic fit entrer Kate dans son bureau, lui montra le point de vue spectaculaire sur la Tamise, puis lui indiqua un canapé Chesterfield en cuir vert.

— Mets-toi à ton aise. Helen a commandé de la nourriture pour toi.

— C'est une parente ? demanda Kate en s'assoyant. Tu n'es pas si poli avec beaucoup de gens.

Il sourit.

— Seulement avec toi, chérie.

— Et avec Helen, apparemment. Alors ?

— Ce n'est pas une parente, mais elle travaille ici depuis longtemps. Si tu penses que je fais preuve de déférence à son égard, ça doit être vrai, dit-il avec un sourire poli en se dirigeant vers son bureau. Maintenant, si tu manges ce qui est bon pour toi, il y aura des truffes pour dessert.

— Tu ne vas pas me répondre ?

— Je pensais l'avoir fait, dit-il en se retournant vers elle. Je suis malhabile avec les sentiments, chérie. Tu sais ça. J'aime bien Helen. Ce n'est peut-être que ça.

— OK, si c'est tout ce que je vais obtenir.

Elle plia ses jambes sur le canapé, puis s'appuya sur l'accoudoir.

Il soupira doucement.

— J'aimerais vraiment pouvoir t'aider, chérie, mais j'ai simplement un espace vide là où les gens normaux entreposent leurs dossiers sur les sentiments.

Il eut un large sourire.

— Je reproche cette lacune à mes parents tout comme je leur reproche mes 10 millions d'autres carences. Maintenant, avale quelque chose et tu pourras avoir des truffes.

Mettant de côté la séance de thérapie parce qu'elle n'était pas compétente en ce domaine et que, comme à l'habitude, il évitait la conversation, elle lui rendit son sourire.

— Et si je voulais manger d'abord les truffes. Tu n'es pas mon patron, tu sais.

Il éclata de rire.

— On pourrait toujours en débattre, chérie. Mais cette fois, dit-il en tapotant la boîte sur son bureau, tu devras me passer sur le corps pour les manger en premier.

— Je pourrais bien vouloir faire ça, dit-elle doucement en commençant à déboutonner la veste de son tailleur.

Il saisit la boîte sur le bureau, la glissa dans un tiroir et le verrouilla.

— Et peut-être que non.

Elle arrêta de se déboutonner, fit une moue.

— Seulement pour que tu le saches : tu es cruel avec la mère de ton enfant.

— Mais bon pour notre bébé.

Dominic se laissa tomber sur son fauteuil, déboutonna son veston, desserra sa cravate et détacha son col.

— Et je serai vraiment gentil avec toi aussitôt que nous arriverons à la maison. Alors, sois une bonne maman et mange au moins la salade Caprese que tu aimes. Ensuite, je vais déverrouiller mon tiroir.

— Tu es un épouvantable tyran, marmonna-t-elle.

Il sourit.

— Fais-le et tu auras une récompense. Deux, en fait : les truffes, puis moi dans le type d'humeur tyrannique que tu aimes.

Elle lui adressa un quasi-sourire, à demi pervers, surtout gentil.

— Vous êtes un fin négociateur, M. Knight.

— Effectivement, Mlle Hart, bien que vous soyez très facile à convaincre. Le sexe et le chocolat, répondit-il d'un air amusé. Vous acceptez ce marché chaque fois.

Il indiqua d'un geste le cabaret sur la table près du canapé.

— Une salade Caprese, une boîte de truffes et aussitôt que je termine cette foutue conférence téléphonique, nous allons au lit et nous obtenons tous deux notre prix. Toi d'abord et souvent, bien sûr. OK ?

— C'est une proposition qu'il est impossible de refuser, dit-elle avec un sourire, les paroles de Dominic lui rappelant son jardin des délices sexuels. Surtout la partie « d'abord et souvent ».

Il baissa la voix et se pencha légèrement vers l'avant, son regard bleu intense, hypnotisant.

— Tu aimes cette disposition ? Je pourrais l'intégrer à toutes nos ententes.

— Dieu du ciel, Dominic…

Elle ferma les yeux, sentit la profonde résonnance de sa voix s'insinuer dans son corps, chaude et avide en elle, déclencher tous ses besoins libidineux.

Il jeta un coup d'œil à l'horloge en se demandant s'il avait le temps, vit que non, alluma plutôt la télé, trouva un jeu télévisé bruyant et attendit que Kate ouvre les yeux.

Quand elle le fit, elle dit d'une voix quelque peu maussade :

— Tu ne perds donc jamais ?

— Avec toi ? Constamment. Il y a quelques secondes, je me demandais si j'allais renoncer à cette conférence.

— Mais tu ne l'as pas fait.

Il soutint son regard.

— Veux-tu que je le fasse ?

— Oui, évidemment ; non, ne fais pas ça, dit-elle rapidement quand il tendit la main vers son téléphone.

Il leva les yeux, s'adossa à son fauteuil.

— À toi de décider, chérie. Et je ne fais jamais ça pour quiconque sauf toi, alors quand il s'agit de perdre, sourit-il, tu es à toi seule ma mutinerie qui met ma vie sens dessus dessous.

Son sourire s'élargit.

— Je veux dire sens dessus dessous de la plus belle façon.

— Oh, mon Dieu…

Elle prit une profonde inspiration, réprima en elle la garce puérile qui voulait que les choses se passent à sa façon *immédiatement*, exhala et parla de sa voix d'adulte.

— Une heure, d'accord, puis nous pourrons rentrer ?

— Moins. Je vais boucler ça en moins d'une heure.

— Merci.

La garce puérile surveillait vraiment ses manières.

— Et je devrais manger quelque chose de sain pour le bébé, n'est-ce pas ? ajouta-t-elle.

— Je t'en serais très reconnaissant.

— À quel point ?

Il éclata de rire.

— Reconnaissant jusqu'à ce que tu n'en puisses plus.

— Est-ce que je suis trop exigeante ? demanda-t-elle sur un ton espiègle, une lueur séductrice dans les yeux. Je demande comme ça parce que je pourrais essayer de m'améliorer.

Il sourit.

— Jusqu'ici, j'ai réussi à rester à la hauteur.

— Tu es si incroyablement adorable, ronronna-t-elle, et je sais que je suis la seule femme à t'avoir jamais dit ça.

— Absolument, chérie. La toute première.

La première qui ait eu de l'importance.

— OK, alors. Je promets de bien me comporter.

— Seulement pour un temps limité, chérie. Après ça, nous allons jouer aussi longtemps que tu le voudras.

Alors, Kate mangea obligeamment la salade, puis Dominic lui apporta la petite boîte de truffes et dit « Tu es la meilleure maman du monde », la déposa sur ses genoux, l'embrassa sur le front, retourna à son bureau et commença à allumer la rangée d'écrans devant lui.

— Au cas où tu déciderais de te joindre à l'entreprise, chérie, tu aimerais peut-être écouter cet appel. Nous mettons sur pied un nouveau projet près de Thunder Bay.

Elle leva les yeux de la boîte et le fixa.

— Au Canada ? Ce Thunder Bay ?

— Ouais. Nous avons loué une concession sur un gisement de palladium de 10 kilomètres. La mine devrait être en activité dans trois ou quatre ans.

— Tu sais à quel point c'est proche de chez Nana.

Il continua d'appuyer sur les boutons d'une console.

— Oui.

— Est-ce que ça a joué dans ta décision ?

Il leva les yeux et sourit.

— C'est ce qui a joué, chérie. Les autres concessions étaient en Russie. Il reste moins de trois minutes. Maintenant, deux des investisseurs sont des gars honnêtes et directs qui savent qu'il faut du temps pour faire de l'argent dans le cadre d'un projet comme celui-là. Un autre, le Hobbs qu'Helen a mentionné, est un imbécile qui n'arrête pas de faire la morale et je pourrais décider de le rayer de la liste. Le dernier investisseur est un ingénieur qui possède deux autres mines de palladium.

— Pourquoi est-il intéressé s'il en possède déjà deux ?

— Pour la même raison que moi. C'est un bon marché. Puis, Anton et moi nous nous entendons bien. Nous nous connaissons depuis un bon moment.

— Alors, il ne fait pas partie de la catégorie des imbéciles qui font sans cesse la morale.

— Non.

Il y avait quelque chose d'étrange dans la voix de Dominic.

— C'est un partenaire de tes vices.

— Était. Ne lui en veux pas pour ça. Il est brillant et imperturbable. Deux qualités utiles à certains endroits où nous faisons des affaires. N'hésite pas à parler si tu le souhaites. Voudrais-tu que je te présente ?

— Mon Dieu, non, dit-elle en levant une main. Je vais seulement regarder.

Dominic était ravi qu'elle soit intéressée. Il pensait qu'elle le serait tout en sachant qu'elle pouvait être imprévisible.

— Juste un mot d'avertissement. Si Hobbs me les casse, je vais me débarrasser de lui. Je pourrais devenir tranchant, alors ne sois pas scandalisée.

— On ne me scandalise pas facilement.

Il sourit.

— Une de tes nombreuses et charmantes qualités, fit-il en regardant sa montre. Encore une minute. Et j'aimerais vraiment que tu apprennes à conclure des marchés, chérie, dit-il doucement.

— Je sais. Je vais être attentive.

Bon Dieu, il se sentait comme si le génie d'Aladin lui avait accordé ses trois souhaits, puis qu'il y avait ajouté la lampe et la grotte remplie de joyaux en prime.

— Merci, Katherine, dit-il en soutenant son regard. Je suis sincère.

Puis, il pressa quelques boutons et quatre écrans s'illuminèrent.

— Bon après-midi, messieurs.

Et Dominic se métamorphosa en PDG équilibré, gentiment officiel, calme, perspicace.

— Tout le monde est prêt à parler argent ?

Kate regarda, fascinée, alors que Dominic exposait le projet, ses objectifs à court et à long terme, la difficulté de faire des affaires avec certains pays, ceux-ci classés selon leur degré de complexité bureaucratique.

De toute évidence, les deux hommes plus âgés avaient travaillé avec Dominic. Ils lui faisaient confiance concernant leur investissement, trouvaient réaliste le calendrier de rentabilité, et donnèrent leur approbation après qu'il eut répondu à leurs questions. Anton parlait avec un accent sud-africain, était blond et large d'épaules, beau d'une certaine manière rude ; un ingénieur minier d'expérience, il se demandait seulement s'il pourrait soutenir la rigueur des hivers canadiens.

— Tout ce que je veux, c'est ton argent, Anton, lui dit doucement Dominic. Autrement, garde ton cul à Paris.

— Parlant de cul, j'ai vu Danielle…

— Ma fiancée est ici, l'avertit rapidement Dominic.

— Désolé, mon vieux.

Puis, Anton siffla avant d'ajouter :

— Merde ! Est-ce que j'ai bien entendu ? Une fiancée ?

— Tu as bien entendu, répondit Dominic d'un ton sec. Maintenant, parlons des permis d'exploitation.

— Nom de Dieu ! Je n'y crois pas. Tu me fais marcher !

— Je lève les yeux au ciel, en ce moment, Anton, au cas où tu ne regarderais pas, dit Dominic. Tu as des questions à propos d'exploitation minière ?

Anton éclata de rire.

— Merde, ne me sers pas une pareille phrase que je peux interpréter dans un autre sens. C'est beaucoup trop tentant.

— Devons-nous supporter toute cette vulgarité ? s'écria M. Hobbs.

— Ce ne sont que quelques jurons, Hobbs. Profite de la vie, lui répondit Anton d'une voix traînante.

— Ma vie est tout à fait bien, rétorqua Hobbs, de mauvaise humeur.

— Non. Tu as une vie incroyablement ennuyeuse. C'était quand la dernière fois où tu as vraiment eu une bonne baise ? demanda Anton avec un sourire arrogant, bien que tu ne puisses peut-être plus en avoir. Tu sais ce qu'on dit à propos des hommes qui portent des nœuds papillon.

Dominic soupira.

— Seigneur, Anton, tu en as avalé combien ?

— Est-ce que je dois être ivre pour savoir que Hobbs pourrait tout aussi bien se suicider maintenant parce que sa vie ne va jamais s'améliorer ?

Les deux hommes plus âgés rirent tandis que le visage de Hobbs s'empourprait de rage.

— Je ne vais pas investir un sou s'*il* est partenaire, affirma Hobbs avec énergie, les yeux brillants de colère.

— Détends-toi, Hobbs, dit Dominic. Anton a bu. Quand il s'agit de mines, il sait ce qu'il fait.

— Il y a d'autres ingénieurs miniers. Sobres et qui ne ressentent pas le besoin d'être constamment vulgaires.

— Tout le monde jure, Hobbs, répondit Dominic d'une voix calmement contenue. N'en fais pas tout un plat.

— Désolé, protesta vivement Hobbs, mais il m'a *insulté*! C'est ta décision, Knight. Il part ou c'est moi qui pars!

— Je suis désolé que tu voies les choses comme ça, Hobbs. À une autre fois, peut-être.

Dominic éteignit son écran.

— Tu es content, Anton? On peut revenir aux affaires?

— Absolument, mon vieux. Alors, c'est quand, le mariage?

— Ferme-la. Je veux rentrer à la maison. Finissons-en.

La discussion s'orienta vers l'achat d'équipement minier, la construction de la route et de la voie ferrée dans la zone sauvage, le processus d'obtention des permis. Ils s'entendirent pour se rencontrer sur place une fois les permis obtenus. Ensuite, ils fixèrent un moment pour la prochaine conférence téléphonique, puis tous fermèrent leur écran.

— Tu es actionnaire majoritaire, dit Kate dans la quiétude du bureau après que les écrans de télé se soient éteints. C'est toujours comme ça?

— C'est nécessaire, dit Dominic en souriant. Je ne veux pas avoir de surprises; j'ai besoin de maîtriser la situation. Je ne prends des partenaires que sur de grands projets comme celui-ci. Il faut des années pour mettre une mine sur pied. Normalement, je suis le seul propriétaire des entreprises que j'achète. De cette manière, je n'ai pas à composer avec des gens comme Hobbs.

— Tu n'allais jamais le garder, n'est-ce pas ? demanda Kate.

Dominic secoua les épaules.

— Probablement pas. Je ne l'aime pas. Max tolère mieux que moi les enfoirés.

— Il m'a donné l'impression d'être…

— Un enfoiré ?

— J'allais dire une vieille mégère.

— Non, ça, c'est sa femme, répliqua Dominic en éteignant son ordinateur.

— C'est une blague. Il a une femme ?

— Chérie, tu ne comprends toujours pas. Il a de l'argent. Il pourrait avoir plusieurs femmes, s'il le voulait.

— Vraiment ? Plusieurs femmes ? dit-elle sur un ton quelque peu menaçant.

— Détends-toi, chérie. C'était une remarque générale. Tu représentes à peu près tout ce que je peux gérer.

Il sourit.

— Parlant de gestion…

Il s'interrompit brusquement, les yeux tournés vers la porte.

— Sors d'ici, dit Dominic, les yeux plissés, la voix glaciale. Je n'ai rien à te dire.

— C'est une jolie poupée, dit l'homme bien vêtu dans l'embrasure de la porte, une résonnance familière dans sa voix tandis qu'il fixait Kate. Petite. Tu ne les aimes pas petites, mais je suppose que cette beauté virginale de même que ses gros nichons t'ont fait changer d'avis. J'ai entendu dire que tu vivais avec elle.

Avant que le visiteur ait fini de parler, Dominic était déjà debout et à mi-chemin de la porte.

— Ignore-le, Katherine, dit-il très doucement en passant devant le canapé. Je reviens dans une minute.

Tandis que Dominic poussait l'homme hors de la pièce, Katherine entendit ce dernier dire :

— Elle doit vraiment bien baiser. Tu n'en as jamais gardé une chez toi avant.

Elle savait parfaitement qui avait mis Dominic dans un tel état. Même s'ils ne se ressemblaient pas beaucoup : une couleur de cheveux différente, une taille différente, des traits vaguement semblables alors que l'air légèrement négligé du vieil homme, son surpoids et son visage épaissi par l'âge et l'alcool ne faisaient que souligner la différence entre le père et le fils.

Wally, le cousin de son grand-père, était un alcoolique qui avait cette même allure de propre à rien. Mais son grand-père disait toujours :

— Wally n'est pas un ivrogne méchant.

Elle soupçonnait que le père de Dominic l'était.

Dominic poussa le vieil homme à travers l'antichambre jusque dans le corridor, sa poigne ferme sur le bras de son père.

— Espèce d'idiot ! marmonna Dominic, tellement fâché de ses commentaires à propos de Katherine qu'il songeait sérieusement à tabasser son père. Je pensais que tu étais à Los Angeles.

— Tu me surveilles ?

Charles Knight était trop arrogant pour connaître la peur. Ou bien voyait-il encore son fils comme l'enfant de sept ans qu'il avait abandonné. Ou peut-être que l'alcool lui donnait du courage.

— J'essaie.

Son père avait dû venir par avion la nuit dernière et la raison en était claire.

Justement, le souffle court tandis que Dominic l'entraînait le long du corridor, Charles haleta :

— Je veux me joindre au marché du palladium.

— C'est foutrement dommage, répondit Dominic, les dents serrées.

Soit qu'il n'avait pas entendu Dominic ou qu'il se fichait de ce qu'il avait dit, Charles éleva légèrement la voix.

— Je connais des gens… au gouvernement canadien. Les bonnes personnes. Des hommes cupides.

— Bon Dieu, as-tu perdu l'esprit ? Tu crois que j'ai oublié ce que tu as essayé de me faire avec la NASA ?

— Ça n'avait rien de personnel. Ce n'était que des affaires.

— C'était foutrement personnel pour moi. Tu as essayé de me pousser à la faillite.

— C'était il y a des années, répondit son père en respirant difficilement. Oublie ça. Je suis ton père.

— Non, tu ne l'es pas, répondit Dominic alors qu'ils atteignaient le haut de l'escalier. Je devrais te balancer par-dessus la rampe. Tout le monde s'en foutrait, gronda-t-il en dévalant les marches, tirant Charles derrière lui comme une poupée de chiffon. Y compris ta dernière femme.

— Qu'est-ce que tu peux bien connaître à propos du mariage, répliqua son père à bout de souffle. Tu n'as jamais été marié.

— Écoute-moi bien, enfoiré, dit Dominic en atteignant le bas des marches et en se dirigeant à grands pas vers les portes extérieures, ses doigts serrés comme des pinces sur le bras de son père. Si tu oses communiquer avec n'importe lequel de mes investisseurs, je vais parler à ta nouvelle femme de la petite amie dans la vingtaine que tu as installée dans cet appartement à Malibu. Peut-être que Nikki aimerait avoir cette Mercedes décapotable que tu as donnée à — comment elle s'appelle — Tanya. Et si ça ne te suffit pas à te convaincre, je vais te faire casser les jambes. Ne va pas croire que je ne le ferai pas.

Il ouvrit brusquement la porte et la franchit. Traînant son père haletant jusqu'au bas des marches extérieures, Dominic le poussa vers sa voiture qui attendait.

— Ne reviens pas ! Et ne te mêle plus de mes affaires !

Charles Knight heurta la portière que tenait ouverte son chauffeur au visage impassible.

— Écoute, Franco, si tu es assez stupide pour le conduire encore près d'où je me trouve, dit Dominic avec une précision mortelle, chaque syllabe sèche et claire pour que le chauffeur ne rate pas un mot pendant qu'il s'empressait de contourner l'auto pour s'asseoir au volant, je vais faire tirer dans tes pneus. Peut-être que les balles les rateront et frapperont le pare-brise. Des balles perforantes. C'est compris ? Je suis plus dangereux que mon père.

« Il devient… gâteux avec l'âge », se dit Dominic tandis que le chauffeur refermait la porte et appuyait brutalement sur l'accélérateur.

Pendant que la voiture s'éloignait, il tourna la tête vers la gauche, puis vers la droite, pour assouplir les muscles tendus de son cou. En vain. Il pouvait sentir la tension comme une barre de fer. Il prit une profonde inspiration, puis tourna les talons. Maintenant, il devait aller s'excuser auprès de Katherine.

Toutefois, il resta au même endroit et attendit quand il vit Max descendre les marches à toute vitesse.

— Je venais du garage quand je vous ai vu toi et ton père, fit Max en s'arrêtant devant Dominic. Comment vas-tu ?

— Bien. Il est parti, répondit Dominic en haussant les sourcils. Le salaud essayait d'obtenir un siège à la table du consortium sur la mine de palladium. Peut-on être idiot à ce point ? Il pensait que je le laisserais faire parce qu'il est mon père.

— Bon Dieu, grommela Max. Il n'a vraiment honte de rien.

— Sans blague. Et il s'est montré brutal avec Katherine. J'ai failli le mettre en pièces seulement pour ça.

— Tu as bien fait de te retenir, répondit Max sans ménagement. Ç'aurait constitué un problème dont tu n'avais pas besoin.

— Ou Katherine. Elle était plus dissuasive. Elle n'aurait probablement pas compris, si j'avais envoyé mon vieux à l'hôpital.

Dominic secoua les épaules, puis grimaça de douleur.

— Le salaud était ivre comme d'habitude, soupira-t-il. Qui diable a bien pu le laisser rentrer, de toute façon ?

— Le nouveau gars à la porte. Il n'est ici que depuis une semaine.

— Il aurait dû savoir que personne n'entre sans mon approbation. Merde, est-ce qu'il a raté les directives ? Tu ferais mieux de mettre une photo de mon père dans la salle de repos des gardes de sécurité. Je ne veux pas que ça se reproduise.

Il hocha la tête en direction de l'entrée.

— C'est ce gars ?

Max se tourna pour regarder.

— Ouais.

— Je vais avoir une petite conversation avec lui.

Dominic monta les marches en courant, s'arrêta devant le jeune homme près de la porte et le regarda droit dans les yeux parce que Max exigeait des membres de son personnel de sécurité qu'ils aient une certaine taille et un certain poids.

— Tu as vu ça, alors tu sais que tu t'es planté, n'est-ce pas ? lui dit Dominic d'une voix dure.

Le jeune homme baissa la tête et le soleil se réfléchit sur la coupe militaire de son crâne.

— Oui, Monsieur, marmonna-t-il.

— Je devrais te foutre à la porte, mais Max dit que tu es nouveau. Regarde-moi. Voici ce qui va se passer. C'était ta seule bêtise.

Tu n'auras pas d'autre chance. C'est mon père que je viens de pousser dans cette voiture. Il ne remettra jamais plus les pieds dans cet immeuble. C'est compris ?

— Oui, Monsieur.

— Aucune excuse.

— Il a dit qu'il était votre père, Monsieur.

Bon Dieu, le jeune avait les larmes aux yeux et la voix tremblante. Dominic soupira.

— Détends-toi. Mon père est un sombre crétin. Mais je suppose que tu n'as pas encore lu cette note de service. Tu as probablement une famille normale ou à tout le moins ce qui passe pour normal.

— Je le pense, fit le gardien de sécurité en se demandant si c'était une question piège.

L'expression de Dominic s'adoucit, puis le gardien ajouta d'un ton plus ferme :

— Oui, Monsieur, c'est un fait. J'ai une femme et aussi un bébé.

— Tant mieux pour toi. Assure-toi de bien prendre soin d'eux, dit Dominic d'une voix modérée.

Se disant qu'il valait toujours mieux répondre par l'affirmative, le gardien dit :

— J'en ai l'intention, Monsieur.

— Bien. OK.

Dominic se frotta la nuque en silence pendant un moment alors que le jeune homme essayait de ne pas respirer trop fort.

— Si tu as des questions… comment t'appelles-tu ?

— Forbes, Monsieur.

— OK, Forbes, si tu as des questions, informe-toi toujours auprès de Max, ou bien de Leo si Max est ailleurs. Ou à qui que ce soit qui en sait plus que toi, ce qui signifie à peu près tout le monde en ce moment, dit Dominic avec un petit sourire. Et ne gâche plus ma journée. Le fait de laisser entrer mon père se situe au haut de ma liste de mauvaises journées. Max va afficher une photo de mon père dans la salle de repos. Mémorise-la. Nous nous comprenons bien, maintenant ?

— Oui, Monsieur.

Dominic soupira, laissa retomber sa main de son cou.

— Quel âge a ton bébé ?

— Trois mois, Monsieur.

Dominic sourit.

— Tu réussis à dormir ?

— Suffisamment, Monsieur.

— Un garçon ou une fille ?

— Un garçon.

— Mes félicitations.

— Merci, Monsieur.

— Maintenant, ne fais plus de bêtises, dit brusquement Dominic.

Puis, il tourna les talons, ouvrit la porte et entra.

Grimpant rapidement l'escalier incurvé jusqu'au deuxième étage, il prit quelques lentes inspirations en traversant à grands pas le corridor, fit quelques flexions des doigts, repassa dans sa tête ses directives routinières pour tenir la folie à distance et éprouva soudain un élan de bonheur en sachant que Katherine l'attendait.

Quelques instants plus tard, il se tenait sur le seuil de son bureau et souriait à la femme qui lui avait procuré une vie, un avenir — un avenir vraiment grandiose.

— C'était mon père, dit-il. Je m'excuse pour sa brutalité. Il était vulgaire et agressif. Je suis désolé que tu aies dû entendre tout ça. Profondément désolé.

— Ce n'est pas ta faute, Dominic. Ne t'en fais pas pour ça.

Il sourit.

— Merci, chérie. Avec de la chance, nous ne le reverrons plus. Le gardien de sécurité qui l'a laissé entrer est conscient de sa bourde. Tu es prête à partir ?

— Bien sûr, répondit-elle en se levant du canapé. Tu vas bien ?

— Oui, répondit-il.

— Tu ne lui ressembles pas.

— Merci.

— Tu ressembles à ton oncle qui a ce magasin de yachts.

— Je n'arrête pas de me dire ça. Est-ce que ça suffit maintenant ou dois-je te donner une explication ?

— N'importe quand ou jamais, comme quelqu'un m'a déjà dit, dit-elle en souriant. Nous pourrions parler de noms d'enfants en retournant à la maison.

Le sourire de Dominic était débordant de tendresse.

— Dieu du ciel, Katherine, comment ai-je pu être assez chanceux pour te trouver ?

— C'est Max qui m'a trouvée, dit-elle en souriant.

— Mais je t'ai convaincue de rester, dit-il avec l'ombre d'un sourire.

Elle pencha la tête, puis la releva, le vert de ses yeux transparaissant à travers ses épais cils, la chaude lueur de l'amour évidente dans son regard.

— Alors, nous sommes tous deux chanceux.

Comme si leurs coups de chance s'accumulaient tout à coup, le médecin de Rome appela Dominic pendant le trajet.

— Quand ? demanda Dominic d'une voix grave. Pourquoi ce délai ?

Puis, il ajouta « Merci », coupa la communication et glissa son téléphone cellulaire dans sa poche de veston.

— C'était court. Des problèmes ? demanda Kate en essayant de déchiffrer son expression.

— Non, répondit-il en secouant la tête. En fait, la question est réglée. Le bébé est né.

Dix jours auparavant, mais il évita d'expliquer que le médecin avait dû garder le silence jusqu'à l'arrivée de Gora. Et il n'allait certainement pas entrer dans les détails alors que lui et Katherine avaient rompu à cause de son mariage forcé. Prenant son visage entre ses mains, il sourit soudain.

— Nous sommes libérés. Tu veux que nous nous marrions demain, chérie ? Nous sommes enfin libres.

— Vraiment ?

Jake entendit son petit cri de joie même à travers la vitre opaque.

Dominic éclata de rire, l'enlaça et dit très, très doucement :

— C'est fini. Toute cette merde des trois derniers mois se trouve enfin derrière nous.

— Maintenant, tu es tout à moi, dit-elle.

— Je l'ai toujours été, mais maintenant c'est foutrement officiel.

— Un garçon ou une fille ?

— Je ne l'ai pas demandé parce que je m'en fiche. Ça te va ? Et je suis sérieux. Marions-nous demain.

— Au risque de te mettre en colère, pourrions-nous attendre jusqu'en fin de semaine ? Je dois travailler demain, dit-elle d'une voix hésitante.

Il savait ce qu'elle ressentait à propos de son travail ; il l'avait toujours su. Sauf quand il se montrait égoïste.

— Bien sûr, chérie. Cette fin de semaine, ça me va. Mme Hastings préférerait probablement ne pas devoir organiser un mariage à seulement quelques heures de préavis. Ça nous laisse quatre jours.

— Alors, es-tu heureux ? demanda-t-elle en se tournant dans ses bras pour voir son visage.

— Juste un peu, dit-il avec un petit sourire. Et toi ?

— Je ne trouve pas les mots pour le dire.

— Sans blague. C'est indescriptible. Alors, que dirais-tu de célébrer ce soir ?

— Qu'est-ce que ça signifie, exactement ?

— Aimerais-tu sortir dîner ?

— Pas vraiment.

— Voir une pièce de théâtre ?

— Non.

— Rendre visite à Justin et Amanda ?

— Continue comme ça et je pourrais refuser ce mariage.

— Je parierais que tu aimerais jouir quelques fois ?

— Combien ?

— C'est toi qui décides, chérie…

CHAPITRE 12

— Je m'excuse, mais je pense que je vais prendre rapidement un verre ou deux.

Dominic se détourna de la table à boissons et adressa un sourire à Kate.

— Quelque chose pour calmer l'animal sauvage en moi après avoir vu mon père.

Il se tut pendant un moment, l'épuisement apparut soudain sur son visage, puis il leva les yeux, la vit et son expression s'adoucit.

— Je suis heureux que tu sois là, dit-il d'une voix calme.

— Je ne voudrais pas me trouver ailleurs.

— Comme je suis chanceux.

Il eut un sourire de travers, éliminant la pointe de tristesse dans ses yeux.

— Je ne sais pas ce qu'il y a à propos de mes parents, murmura-t-il les muscles de sa mâchoire se tendant pendant une seconde. J'ignore s'ils sont simplement concentrés sur leur propre personne ou malicieux, délirants ou… merde. Je n'ai aucune idée de la raison pour laquelle ils pensent pouvoir continuer à intervenir dans ma vie.

Elle aurait voulu dire « Ils sont tout ça et psychotiques aussi », mais elle dit plutôt, sur un ton hyper-poli :

— Au moins, ton père est parti. C'est bien.

Il émit un petit sourire.

— Tu as tenu ta langue, chérie ?

— En quelque sorte, ouais. OK, oui, mais je ne connais pas tes parents, ajouta-t-elle sur ce même ton bien élevé qu'on réserve aux mensonges.

— Mieux vaut que les choses en restent là, répondit-il catégoriquement avant de brandir la bouteille dans sa main. Circonstances spéciales. Je promets de ne pas en faire une habitude.

Elle lui adressa un sourire de sur le canapé.

— Prends-en une gorgée pour moi.

Il hocha la tête.

— C'est bien d'avoir une femme compréhensive.

— Et tu vas être mon *mari*.

Le mot lui sembla soudain incroyablement intime et merveilleux.

— Wow, ajouta-t-elle.

— N'en doute pas un instant, dit-il en lui adressant un clin d'œil. Encore quatre jours, chérie, et nous serons menottés pour la vie.

— Tu es doué avec les menottes, murmura-t-elle, ça réchauffe le cœur d'une femme ; sans oublier toutes les autres parties.

— Une femme, fit-il en lui lançant un bref regard sous ses cils tandis qu'il remplissait son verre. Une seule.

— N'en doute pas un instant, l'imita-t-elle. Sinon je vais faire de ta vie un enfer sur terre. Oh, mon cher, ajouta-t-elle avec de grands yeux innocents, aurais-je dû attendre après le mariage pour mentionner ça ?

Il éclata de rire.

— Comme si je ne le savais pas déjà, chérie. Mais ton idée de l'enfer et ma version tordue sont deux univers différents. Alors, fais de ton mieux et tu ne te débarrasseras jamais de moi. Une fois mariés, nous restons mariés. Ce qui me rappelle que tu devrais appeler Nana. Dis-lui ce qui arrive — le mariage, le bébé et tout ce que tu crois qu'elle voudrait savoir.

Il déposa la bouteille.

— Connaissant Nana, elle voudra *tout* savoir, de tes fiches dentaires jusqu'à tes résultats au test de Myers-Briggs[8]. Alors, je vais l'appeler demain. Je n'ai pas l'esprit tout à fait clair à cette heure du soir.

— Elle m'a demandé peu de choses quand je l'ai vue, dit-il avec un petit haussement d'épaules.

Kate sourit.

— Je suppose qu'elle se disait que tu ne resterais pas assez longtemps pour se donner la peine de te faire passer un interrogatoire.

— Alors, je devrais m'y préparer. C'est ce que tu dis.

— Ou bien décider quel niveau d'omission te convient le mieux.

— Compris.

Il ne dit pas que c'était là sa spécialité.

— Mais Nana *aura* besoin de temps pour se préparer, insista-t-il gentiment.

— Je sais. Je promets de l'appeler demain.

— Bonne idée.

Il n'allait pas argumenter. Il avait un avion qui l'attendait à Duluth et un chauffeur qui poireautait dans un motel à quelques pâtés de maisons de chez Nana. Il pourrait la faire venir à Londres en 10 heures.

8. N.d.T.: Test de personnalité créé par Isabel Briggs Myers et Katherine Cook Briggs.

— À la tienne !

Il pencha son verre en direction de Kate, puis, le portant à sa bouche, il avala le whisky en une longue gorgée. Il se versa un autre verre, puis dit « C'est le dernier » et il se retourna pour déposer de nouveau la bouteille sur la table.

Ils étaient dans une petite pièce confortable à l'arrière de la maison. On avait dressé la table près de la fenêtre pour le dîner, un bol d'œillets dessus qui embaumait l'air, un candélabre dont les lumières vacillaient dans un léger courant d'air. Kate s'était lovée dans le coin d'un canapé pourpre hyper-doux recouvert d'un chintz cachemire, ses pieds relevés, sa tête reposant contre l'accoudoir, ses yeux fixés sur l'homme qu'elle aimait. Son regard adorateur, admit-elle silencieusement, les principes sur l'indépendance des femmes perdant leur importance quand la vie était si douce.

Ils avaient enfilé des vêtements confortables : t-shirts et pantalons de jogging, ceux de Kate, conçus par un designer, le haut vert pâle orné du mot *Maman*, en lettres colorées. Dominic portait un pantalon gris Armani et il était beau à croquer comme toujours, se dit-elle. Il avait ce corps athlétique, mince et musclé comme s'il vivait dans un gym et qu'il faisait des exercices pendant des heures quand il était ailleurs. Même s'il nageait chaque matin dans la grande piscine à l'étage inférieur.

— Tu sais que tu ne dois jamais regarder une autre femme, murmura Kate, et je vais devenir encore plus irrationnelle en grossissant.

Il se détourna de la table à boissons, son verre à la main.

— Pas d'inquiétudes, chérie. Je me fous des autres femmes, dit-il en penchant légèrement la tête. Tu n'as qu'à accepter mon offre de partenariat et tout sera parfait. Je serai toujours à tes côtés.

— Ça résoudrait *sûrement* mon problème de jalousie.

— Et plus important encore, le mien, dit-il avec un petit sourire en marchant jusqu'à elle. Même si ce que je ressens c'est plutôt de la possession.

— Dominic, le prévint-elle doucement, ne commence pas.

Avalant rapidement le reste de son verre, il le déposa, puis se glissa derrière Kate pour qu'elle se retrouve entre ses jambes et il l'attira contre sa poitrine.

— OK, c'est terminé pour moi, dit-il mollement en penchant la tête pour embrasser Kate sur la joue. J'établis tout simplement mon droit. Tu peux toujours refuser. Si tu veux, ajouta-t-il en murmurant, puis il glissa une main le long du ventre de Kate, la posa sur son entrejambe et massa doucement son sexe.

— Je comprends quand on me dit non.

— Ce n'est pas vrai; oh, mon Dieu…

En soupirant lentement, elle posa sa main sur celle de Dominic.

— Tu rends les choses vraiment difficiles.

— Est-ce que je suis censé répondre à ça poliment? fit-il tandis que sa bouche frôlait l'oreille de Kate. Expose-moi les règles.

Un coup sec à la porte se répercuta dans le silence de la pièce.

— Merde…, grogna Kate, les doigts experts de Dominic la caressant à tous les bons endroits, provocateurs, excitants, éveillant tous ses désirs libidineux.

Il enleva sa main et posa son bras sur le dossier du canapé.

— Aussitôt que tu auras mangé, chérie, ce sera la récréation, murmura-t-il. En ce moment, il y a des gens qui attendent. Tu vas bien?

Elle prit une inspiration, exhala, puis acquiesça de la tête.

Dominic cria :

— Entrez.

Il avait ses priorités : il voulait que Katherine prenne un repas nourrissant. Ensuite, ils auraient toute la nuit pour jouer bien qu'en réalité ils ne disposaient que d'une heure après le dîner avant qu'elle tombe endormie.

— Dès que nous en aurons terminé ici, murmura-t-il, je vais te porter à l'étage.

Quand Quinn entra, suivi de trois serviteurs portant des cabarets, Dominic sourit.

— Ça sent bon. Je suis affamé.

Il se leva du canapé, avec Kate dans ses bras, puis la mis sur pied.

Quand ils furent assis, Quinn leur récita le menu, indiqua du doigt la carafe de lait au chocolat, mentionna qu'il y avait du vin pour Dominic s'il le souhaitait. Quand celui-ci secoua la tête, Quinn fit signe à un serviteur de reprendre les bouteilles de vin, puis sourit en regardant Kate.

— J'aurai quelqu'un à la cuisine cette nuit au cas où vous auriez envie de manger des restes.

Kate jeta un coup d'œil à Dominic, sentit son visage s'empourprer en regardant ensuite le chef qui était presque aussi baraqué que Sese, le chef tongan de Dominic.

— Ce n'est pas nécessaire. Je peux aller chercher mes propres restes.

— Nous devrions peut-être en rester là, Quinn, dit Dominic d'une voix plaisante en regardant son chef d'un air entendu pour que le message soit clair : « Je veux quelqu'un à la cuisine cette nuit. »

Quinn inclina la tête.

— Très bien, Monsieur.

Au moment où Quinn et les serviteurs refermaient la porte derrière eux, Kate murmura les yeux brillants :

— Ohmondieu, de la tarte aux myrtilles.

Dominic sourit.

— La tarte aux myrtilles de Nana.

— Je vois ça, répondit-elle en regardant la croûte en treillis saupoudrée de sucre. Où as-tu déniché des myrtilles à cette époque de l'année ?

— Sais pas. Tu veux que je le demande ?

— Non, mais tu peux pousser la tarte vers moi.

Dominic émit un sourd grognement.

Kate sourit.

— Je vais faire comme si je n'avais rien entendu.

Se levant à demi de sa chaise, elle tendit la main vers la tarte.

— Tu devrais d'abord absorber des protéines.

— Ça s'appelle de la viande, Dominic. Tu n'es pas encore mon diététiste.

— Mais je le suis, chérie.

Il attira la tarte vers lui et dit très doucement :

— Maintenant, sois une bonne fille et rassieds-toi. Je te promets que tu pourras avoir de la tarte pour dessert.

Une poussée de chaleur familière lui traversa les sens quand Dominic lui donna des ordres de cette voix profonde et rauque. Quand il la regardait comme ça, avec une autorité tranquille et une calme retenue.

— Où ce serait, exactement ? murmura-t-elle en changeant légèrement de position sur son fauteuil.

Il soutint son regard en remettant la tarte sur la table.

— Où tu voudras, dit-il tout aussi doucement. Il y a de la crème fouettée aussi.

— Seigneur…

Elle inspira profondément, ferma brièvement les yeux tandis qu'un élan de désir l'envahissait, puis elle exhala et dit d'une voix instable :

— Cette constante envie de baiser est énervante. J'ai l'impression d'être… sans défense.

— Détends-toi, chérie, dit Dominic en souriant. Selon mon point de vue, c'est un don merveilleux.

— Tu es sûr que ça ne te dérangera pas si je deviens trop…

— Non, jamais. Puis, aussitôt que tu auras mangé, nous irons à la chambre et tu décideras de tout. Considère que ma queue est à ton service. Mais en ce moment, fais-moi plaisir. Mange quelque chose de bien pour toi : des côtelettes de porc, des patates duchesse, des pois et des carottes…

Il haussa les sourcils.

— Tu aimes ça, en fait ?

— Ce sont mes légumes préférés, dit-elle, ses pensées lubriques s'évanouissant grâce au changement de sujet de Dominic. Peut-être que je vais te faire manger des pois et des carottes, dit-elle en souriant. Un compromis pour le père du bébé. Qu'en penses-tu ?

Il éclata de rire.

— Je pense que ça sera une foutue de première.

Elle rit.

Et le programme de Dominic en ce qui concernait le dîner était revenu sur les rails.

Ce fut finalement une soirée où Dominic vécut plusieurs premières — commençant par des pois et des carottes et se terminant étendu sur le canapé avec Kate à regarder deux émissions d'artistes amateurs de suite — ou à ne les regarder en fait qu'à demi. Il éprouvait plus de plaisir à observer Kate tandis qu'elle poussait de petits cris ou disait « Pas question ! » ou si un participant était vraiment bon, à la voir lui lancer un regard et s'exclamer « N'est-il pas tout simplement extraordinaire ? »

Il lui fut facile de répondre « Oui » parce que sa *propre* vision des choses était extraordinaire, de même que sa vie depuis le retour de Katherine — avec son bébé. Chaque fois que lui venait à l'esprit l'idée d'avoir un enfant, son cœur ratait un battement ou s'arrêtait pendant ce qui semblait une fraction de seconde, et il devait déglutir tellement le sentiment était renversant.

Ils allaient vraiment avoir un bébé !

Quand la deuxième émission se termina, Dominic éteignit la télé et demanda poliment :

— Demande suivante ?

Kate leva les yeux.

— Une tarte aux myrtilles au lit.

— Je pensais que tu l'avais oubliée.

Kate se retourna dans ses bras et fit reposer son menton sur la poitrine de Dominic.

— Vraiment ? demanda-t-elle avec un sourire et un regard ravis.

— Tout est si nouveau dans mon univers, chérie, que je ne sais pas trop quoi penser. Je marche sur des foutus œufs.

Elle haussa un sourcil.

— Es-tu en train de dire que je suis difficile ?

Dominic grimaça.

— Pourquoi penserais-je une pareille chose ?

— Personnellement, j'aime croire que ça te garde attentif, dit Kate avec un sourire en s'appuyant sur sa poitrine et en se levant du canapé. Tu devrais apporter la tarte et je vais m'occuper de la crème fouettée. Qu'en penses-tu ?

Il éclata de rire.

— Je pense que c'est une phrase vraiment géniale. En fait, c'est une des choses les plus gentilles qu'on m'ait jamais dite.

— Dieu du ciel, je vais te gifler.

Mais elle souriait.

— Correction, chérie, dit-il en se levant. J'aurais dû dire que c'était une des choses les plus gentilles que *tu* m'aies jamais dite.

Le sourire de Kate s'élargit.

— J'apprécie un homme perspicace.

— Et un qui te fait jouir une dizaine de fois.

Elle lui lança un petit coup d'œil séducteur.

— À mes yeux, c'est pareil.

Il l'attira contre lui.

— Tu vas devoir reformuler ça, murmura-t-il d'un ton à demi moqueur ou, en fait, pas moqueur du tout. Personnalise ta phrase sur l'homme perspicace.

— Tu devrais parler, dit-elle en relevant la tête, les yeux tout à coup plissés. Je dis ça comme ça.

— Tu ne m'as pas répondu, dit-il d'une voix calme en ignorant sa réplique.

— Oh, pour l'amour du ciel, fit-elle en plissant le nez et en émettant un petit reniflement grognon. Je t'aime, Dominic. Il n'y a personne d'autre et il n'y a jamais eu que toi. Satisfait ?

Il se sentait toujours secoué de constater à quel point il lui importait que Katherine n'appartienne qu'à lui seul, à quel point il avait besoin de le lui entendre dire ; il avait toujours été l'homme le moins possessif du monde. Le partage n'avait rien d'inhabituel dans son univers de jeux sexuels ; une femme était une femme et il ne connaissait pas la jalousie. Même avec Julia avec qui il avait cessé de mener une vie frivole pendant son mariage, il n'avait jamais songé à être jaloux.

— Je suis tellement désolé, chérie, dit-il en lui frôlant la joue du bout des doigts. J'espère que ça s'améliorera parce que je me fais terriblement peur en constatant que je suis si terriblement possessif.

Elle exhala doucement, passa ses bras autour de sa taille, lui sourit.

— Dis-le-moi si ça se produit, fit-elle avec un soupir. Ou mieux encore, montre-moi comment composer avec ma possessivité d'une quelconque manière à demi saine.

— Alors, nous sommes tous les deux fous.

Elle sourit.

— Espérons que ça ne touchera pas le bébé.

— Navré. Je suis aussi possessif à propos de lui ou d'elle.

— Alors, tu ferais mieux de surmonter ça, répondit-elle avec un petit sourire. Nous devons agir comme des adultes si nous allons être parents.

— Dommage que personne n'ait dit ça aux miens, fit-il d'un ton sarcastique.

— Ouais, eh bien, tu ne veux pas être comme eux, n'est-ce pas ?

— Bon Dieu, l'idée même me terrorise.

Il secoua doucement la tête.

— OK, c'est compris. Agir comme des adultes, dit-il avec un petit sourire pervers. J'espère que ça ne veut pas dire plus de tarte aux myrtilles et de crème fouettée.

— Comme c'est mignon. Je ne crois pas avoir parlé d'être des adultes coincés, doctrinaires, conformistes.

— Wow. Bonne nouvelle.

— Comme si tu ne pouvais pas le faire de toute façon, ronronna-t-elle en faisant courir un doigt sur la poitrine de Dominic.

Il haussa un sourcil.

— Mieux que toi.

— Cette stupide discussion ne m'intéresse tellement pas.

Parce qu'il avait raison. Elle recula d'un pas et changea de sujet.

— Va chercher la tarte.

— Oui, m'dame, répondit-il en souriant. Ou que dirais-tu, ajouta-t-il en la soulevant tout à coup dans ses bras, si nous allions tous les deux chercher la tarte ?

Elle lui servit un sourire séducteur.

— Est-ce que j'ai le choix ?

— Non. Peut-être plus tard…

CHAPITRE 13

— Je saigne.

Le murmure de Kate avait explosé comme une bombe dans le cerveau de Dominic, l'adrénaline se répandant instantanément à travers son corps, et il sortit de son sommeil profond en une fraction de seconde. Se retournant à la vitesse de l'éclair, il alluma la lumière, puis tourna de nouveau sur lui-même en espérant qu'il avait mal entendu.

Mais Kate était pâle, les yeux agrandis par la peur.

— Quelque chose ne va pas, souffla-t-elle en écartant l'édredon.

Dominic regarda et, l'espace d'un instant le monde s'arrêta, il se sentit le souffle coupé et son cœur s'arrêta. La flaque de sang sous les jambes de Kate était foncée et menaçante, s'élargissant devant ses yeux. Il eut l'impression que plusieurs années s'étaient écoulées même si une seule seconde était passée.

— Ne bouge pas, chérie.

Sa voix était délibérément calme et mesurée tandis qu'il saisissait son téléphone sur la table de chevet.

— Reste là, fit-il en composant le numéro de Jake et en se levant du lit. J'appelle une voiture.

Ramassant son pantalon de jogging sur le plancher, il passa une jambe, puis l'autre, le remonta brusquement en jurant à voix basse pendant que le téléphone de Jake sonnait une fois, deux fois, trois, quatre, avant qu'il réponde *finalement*.

— J'ai besoin d'une voiture à l'entrée *maintenant*, dit Dominic d'une voix sourde, intense, d'un ton plein d'autorité même s'il tentait de l'atténuer à portée de voix de Kate.

Il n'attendit pas une réponse, fourrant déjà son téléphone cellulaire dans sa poche de pantalon, puis se penchant pour prendre son t-shirt. L'enfilant en quelques gestes rapides, il glissa les pieds dans ses souliers et se dirigea rapidement vers Kate.

— Jake sera là dans une minute.

Il avait parlé de la voix minutieusement calculée dont on se sert pour rassurer un enfant qui vient d'avoir un cauchemar.

— Alors, ne t'inquiète pas. Jake est un foutu coureur automobile. Nous serons à l'hôpital en un rien de temps.

Il écarta l'édredon de son côté du lit, repoussa ses cheveux de ses yeux d'un geste rapide de la main et commença à envelopper Kate dans une couverture.

— Hé, *des vêtements* !

Elle lui frappa le bras tandis que lui revenaient en tête malgré sa peur, comme quelque attaque de chien freudienne, tous les avertissements à propos des accidents de voiture et des sous-vêtements propres.

— J'ai besoin de vêtements !

« Au diable les vêtements ! Pas le temps », se dit-il.

Mais après avoir jeté un bref coup d'œil à l'expression horrifiée de Kate, il murmura « OK, OK », et courut ramasser son t-shirt et son pantalon sur la moquette. Une seconde plus tard, il la souleva de sur la partie ensanglantée du lit, la déposa plus loin, puis dit « Je vais faire ça » et l'habilla rapidement. Mais le sang apparut presque immédiatement sur son pantalon, la tache s'élargissant à une vitesse inquiétante.

— Je vais prendre quelques serviettes, dit-il l'air apparemment calme, mais la peur lui tordait les entrailles. Je reviens tout de suite.

Kate essayait tout autant de demeurer calme, s'efforçant de se concentrer sur un geste positif — *rends-toi à l'hôpital, rends-toi à l'hôpital* — plutôt que de paniquer complètement. Mais elle avait vu le sang sur le lit et pouvait encore le sentir s'écouler ; Il se passait quelque chose de terriblement grave. Elle aurait dû mieux manger, boire moins de caféine. Elle n'aurait pas dû travailler de si longues heures ces premiers mois. Elle aurait dû faire de meilleurs choix à propos — merde, elle pouvait choisir parmi une longue liste de ses lacunes maternelles. Éperdue de culpabilité, elle pensa à tout ce qu'elle aurait pu faire mieux, *aurait dû* faire mieux ; elle se reprocha de ne pas avoir suivi les règles les plus fondamentales que tous connaissaient à propos de bien se reposer et de bien manger, à propos des vitamines — bon Dieu, elle n'en avait même jamais pris. *Tout ça était sa faute.* Elle promit frénétiquement à tous les esprits qui écoutaient, quels qu'ils soient, d'être une meilleure mère à partir de maintenant. Elle allait suivre toutes les règles — chacune d'entre elles —, promit-elle ; elle écrirait une liste, Dominic pourrait lui donner ses collants comme il l'en avait menacée.

« Faites seulement arrêter le sang. S'il vous plaît, s'il vous plaît, faites-le cesser », supplia-t-elle silencieusement.

Elle était terrifiée.

— Tu dois me dire que tout va bien aller, OK ? fit-elle d'une petite voix triste quand Dominic revint avec une pile de serviettes. Dis-le, s'il te plaît.

— Je l'aurais fait de toute façon, chérie, répondit-il en se penchant et en l'embrassant tendrement. Ne t'inquiète pas. Tout ira bien. Nous allons nous occuper de ça. Je te le promets.

Il savait ce qu'il devait dire; il aurait menti à Dieu et au diable et à tous les démons du purgatoire de Brueghel pour rendre Katherine heureuse. Il ravala le « Oh, merde » qui faillit s'échapper de ses lèvres quand il vit tout le sang qui avait continué de couler et s'efforça plutôt de sourire.

— Je vais t'envelopper comme une momie maintenant, alors ne te plains pas. Je n'ai pas de temps pour ça. Reviens-moi là-dessus demain matin quand le département des plaintes ouvrira.

Elle rit.

Et pendant une fraction de seconde, il se sentit mieux — un terme bien relatif devant une catastrophe. Mais il n'avait pas de temps à perdre en interrogations; il emmaillota rapidement le bas du corps de Kate dans plusieurs serviettes, la recouvrit avec la courtepointe, la prit dans ses bras et, quelques instants plus tard, il courait le long du corridor. Tandis qu'il atteignait le haut de l'escalier et qu'il commençait à dévaler les marches, il éprouva de la reconnaissance pour Martin qui avait insisté sur la présence d'un gardien de nuit. L'homme se leva immédiatement quand il les vit.

— Appelle Max. Dis-lui d'appeler l'hôpital St Mary's et la docteure Fuller, dit Dominic d'une voix suffisamment forte pour qu'il l'entende; s'il n'avait pas craint d'inquiéter Katherine, il aurait hurlé. Les numéros sont tous sur le téléphone de mon bureau. Dis à la docteure de nous rencontrer à l'hôpital. Maintenant, ouvre la porte et *cours*.

Même en ignorant le ton urgent de Dominic, le portier avait reconnu une catastrophe manifeste en voyant son employeur descendre les marches quatre à quatre en portant Mlle Hart. Il se précipita pour ouvrir la porte, puis se tourna et courut vers le bureau de Dominic.

Celui-ci s'engouffra dans la porte ouverte, descendit les quelques marches extérieures et parcourut la rue des yeux en cherchant la voiture. Les quartiers de Jake se trouvaient au-dessus du garage dans la venelle derrière la maison. À quelques minutes seulement. *Où diable était-il ?* Tendu, anxieux, les nerfs à fleur de peau, Dominic fit les cent pas en attendant la voiture, murmura toutes les platitudes inutiles exprimées dans de telles circonstances quand votre univers s'effondrait et que vous deviez feindre que ce n'était pas le cas.

— Jake sera ici bientôt, chérie, ne t'inquiète pas. Tu vas bien. La docteure est en route. As-tu assez chaud ? As-tu trop chaud ? Quand ça sera terminé, nous irons dormir sur une plage quelque part une semaine, qu'en penses-tu ?

Mais il était mort de peur. Il savait avec quelle rapidité une personne pouvait se vider de son sang.

— Une plage, ça semble paradisiaque, murmura Kate.

Ils essayaient tous deux de composer avec la responsabilité de la crise. Ni panique ni désespoir évidents. Mais élevée par un grand-père comme le sien, Kate savait *aussi* à quel point une personne pouvait perdre son sang. Et quand elle demanda « L'hôpital est loin ? » sa voix tremblait malgré ses meilleures intentions.

— Tout près, chérie.

Merde, le visage de Katherine était en sueur, sa voix mal assurée. Était-elle en état de choc ?

— Jake peut nous y amener plus vite qu'une ambulance, dit Dominic aussi calmement qu'il le pouvait. Nous y serons bientôt.

— Oh, mon Dieu, laissa échapper Kate en sentant le sang s'échapper de son corps. J'ai vraiment peur.

Elle ne dit pas qu'elle avait peur de perdre le bébé, comme si ces paroles auraient pu changer le destin.

— Dis-moi que ça peut s'arranger, Dominic.

Elle grimaça alors que son ventre se nouait.

— Dis-moi !

Il s'arrêta soudain en l'entendant crier.

— Tout ira bien.

Il avait parlé avec assurance, en dissimulant sa peur sans vergogne.

— Je vais m'en assurer, OK ?

Il comprenait ce qu'elle voulait entendre parce qu'il souhaitait la même chose : que leur vie revienne à la normale — une normalité heureuse, satisfaisante, foutrement paradisiaque.

— La D[re] Fuller prendra soin de toi. Elle est excellente. Tout le monde dit que c'est la meilleure. Elle saura quoi faire, murmura-t-il en disant tout ce qui était nécessaire pour calmer les craintes de Katherine et en mentant effrontément. Aussitôt que la voiture… bon Dieu, *finalement*… Voici Jake. Nous sommes en route, chérie.

« Dieu merci », se dit-il.

Katherine était pâle comme un drap.

La voiture vint s'arrêter brusquement contre le trottoir. Jake en sortit, attachant rapidement le dernier bouton de son jeans, sa chemise pendante, ses pieds dans des tongs. Se précipitant pour ouvrir la portière, il dit, le souffle court :

— Où allons-nous ?

— À l'hôpital St Mary's. Ne t'arrête pas aux feux de circulation, dit sèchement Dominic tandis qu'il se glissait sur le siège arrière avec Kate.

Quand la porte se referma, Dominic ajusta Kate sur ses genoux, regarda Jake contourner à toute vitesse l'avant de la voiture et prendre place derrière le volant.

— Je dois avoir fait quelque chose de mal, oh, mon Dieu, j'ai fait quelque chose de mal.

La voix de Kate était tremblante, ses efforts pour se raisonner inutiles devant son hystérie croissante, toutes ses pires inquiétudes s'exprimant soudain en un flot de paroles.

— J'aurais dû mieux prendre soin de moi, aller voir un médecin plus tôt, ne pas…

— Ne dis pas ça, chérie, murmura Dominic tandis que Jake s'éloignait en trombe du trottoir. Ne te fais pas de reproche. Tu n'as rien fait de mal.

C'était probablement lui. Ils n'auraient pas dû baiser tant que ça. Il aurait dû être plus intelligent.

— Allons-nous perdre le…

— Nous ne le savons pas, l'interrompit-il parce qu'il ne voulait pas encore envisager cette possibilité, s'accrochant encore à l'espoir. Nous n'en avons aucune idée. Attendons que la docteure nous dise ce qui se passe, OK ?

Mais il luttait de plus en plus contre la peur. Le sang de Katherine avait traversé les serviettes et la couverture ; il pouvait le sentir qui s'accumulait sur son pantalon. Le mot « hémorragie » lui remplissait l'esprit.

— Plus vite, Jake, dit-il sèchement. Passe sur les trottoirs s'il le faut.

Jake enfonça la pédale au plancher et la voiture accéléra brusquement.

— Je suis vraiment désolée, murmura Kate.

— Ce n'est pas ta faute, chérie, lui répondit-il, les yeux remplis d'inquiétude et de compassion. N'y pense même pas. Nous serons là bientôt. La Dre Fuller prendra soin de toi.

Heureusement, la ville était calme à cette heure de la nuit. Jake filait à toute vitesse, ne ralentissant qu'à peine à l'approche des intersections les plus achalandées, puis klaxonnant tandis qu'il traversait les feux rouges et passait près d'emboutir une dizaine de voitures qui ne s'écartaient pas du chemin assez rapidement. Sept éternelles minutes plus tard, il arriva devant l'entrée des urgences sur deux roues, freina et s'arrêta en faisant crisser les pneus.

— Je m'occupe de la portière, s'écria Dominic. Cours leur dire que nous sommes là.

Il tira la poignée, ouvrit la portière d'un coup de pied, puis sortit sur le trottoir en un mouvement puissant.

— Tu es en sécurité, chérie. Regarde, les secours arrivent.

L'appel de Max avait mobilisé l'équipe médicale qui franchit la porte et les escorta jusqu'à une alcôve où Dominic déposa Katherine sur une civière. En se tournant vers le médecin qui avait un corps d'athlète et qui, heureusement, ne semblait pas épuisé comme le paraissaient souvent les médecins au milieu de la nuit, Dominic lui souffla :

— Katherine a perdu *beaucoup* de sang.

Il porta son regard sur son pantalon ensanglanté, puis sur la couverture pour souligner à quel point elle avait perdu du sang.

— Est-ce que la D^re^ Fuller est ici ?

— Elle est en route, répondit le médecin avant de se tourner vers Kate. Nous sommes ici pour prendre soin de vous jusqu'à ce qu'elle arrive. Essayez seulement de vous détendre. Nous allons nous occuper de ça. Connaissez-vous votre groupe sanguin ?

— O négatif.

— Je suis du même groupe si vous avez besoin du mien, dit Dominic avec brusquerie.

Le médecin regarda Dominic.

— Nous verrons, dit-il, puis il hocha la tête en direction d'une infirmière, puis se retourna vers Kate. Nous allons vous installer un soluté. Ce n'est qu'une précaution. Il n'y a pas lieu de s'en inquiéter.

Il jeta un coup d'œil à la pression sanguine de Kate maintenant qu'on lui avait installé le tensiomètre et parla à une autre infirmière.

— Dites à Sarah d'en apporter deux.

Puis, il s'adressa à Kate.

— Quand est-ce que ça a commencé ?

Survolté, Dominic répondit avant elle.

— Katherine m'a réveillé à 22 h, il y a 15 minutes. Nous ne savons pas. Tu as une quelconque idée, chérie, du moment où tu as commencé à saigner ?

Elle secoua la tête.

— Au départ, j'ai pensé que je rêvais.

— À combien de mois en est-elle ?

— Trois mois, dit Dominic qui aurait souhaité tenir la main de Katherine, mais s'inquiétait de nuire au personnel. Nous ne nous en sommes rendu compte que récemment.

Il se plaça plutôt au pied de la civière, dissimulant aux yeux de Katherine ses vêtements ensanglantés, sentant son pouls s'accélérer en voyant la pression sanguine continuer à baisser sur le moniteur cardiaque.

— Vous pouvez arrêter l'hémorragie, n'est-ce pas ? dit-il poliment, ses yeux bleus perçants sur le médecin.

Celui-ci prit un peu trop de temps pour répondre.

— Arrêter le sang ne devrait pas être un problème.

Dominic se trouva complètement terrorisé par cette réponse tardive. Instinctivement, il eut envie de frapper le connard, lui soutirer une meilleure réponse, forcer ce médecin et le monde entier à céder à son autorité. Mais il savait qu'il valait mieux ne pas recourir à la violence alors que la vie de Katherine était menacée. Alors, il maîtrisa son humeur explosive ; seul un léger tic le long de sa mâchoire indiquait à quel point il se retenait.

— Devrions-nous appeler d'autres spécialistes ? J'ai des gens qui peuvent faire ça.

Chaque mot était chargé d'autorité malgré la douceur de son ton.

— Vous devez prendre soin de ma femme convenablement et rapidement. Est-ce que nous nous comprenons bien ?

L'hôpital St Mary's s'occupait de gens richissimes, alors ce n'était pas comme si le médecin composait pour la première fois avec des patients exigeants, mais cet homme dégageait une impitoyable dureté passablement différente de l'arrogance hautaine des ploutocrates. Peut-être était-ce son corps musclé ou son regard glacial. Ou bien le sentiment qu'il pourrait devenir dangereux en l'espace d'une seconde.

— La D^re^ Fuller sera bientôt ici. C'est la meilleure. Entretemps, dit le médecin d'une voix neutre, je suggère que nous démarrions le soluté.

Dominic prit une profonde inspiration, son regard sévère fixé sur le médecin pendant plus longtemps que nécessaire. Puis, il desserra lentement ses mâchoires.

— Excusez-moi, dit-il d'une voix rude.

Ramenant son attention sur Kate, il se sentit perdre pied. *Merde.* Elle était encore plus pâle, sa respiration si faible qu'elle était à peine visible. Tous les bruits cessèrent. Les gens disparurent de la pièce, et un sentiment funeste l'envahit.

— Dominic.

Le faible murmure de Kate le sortit de sa rêverie ; il cligna des yeux sous la lumière forte.

— Je suis là, chérie.

Affichant un sourire sur son visage, il se fraya un chemin à travers les gens jusqu'aux côtés de Katherine.

— Hé, murmura-t-il en lui prenant la main. Comment va ma bien-aimée ?

— J'ai besoin de toi, murmura-t-elle, ses yeux immenses luisants de larmes retenues.

— Tu m'as ; maintenant et pour toujours.

Dominic lui serra la main. *Même avec cette tragédie qui survenait, il avait Katherine à aimer. Et elle l'aimait en retour. Il ne pouvait demander davantage.*

— Maintenant, regarde-moi, chérie. Serre ma main. Ils vont te piquer.

Au moment où la D^re^ Fuller arriva peu après, le soluté était en place et sa pression sanguine était remontée, mais l'hémorragie n'avait pas cessé.

— Il semble que nous ayons un problème ici, dit-elle d'un ton sec en entrant dans la pièce pendant qu'elle enfilait des gants de chirurgie. Comment vous sentez-vous, Katherine ?

— Effrayée. Inquiète. Vraiment effrayée.

— C'est compréhensible. Maintenant, voyons voir ce qui se passe.

Après l'avoir brièvement examinée, la D^re^ Fuller regarda d'abord Dominic d'un air grave, puis elle se tourna vers Kate et lui parla d'une voix basse.

— Je crains que vous soyez en train de faire une fausse couche.

Dominic l'avait soupçonné, mais l'espoir était un sentiment puissant. La déclaration de la docteure était comme un coup de poing au ventre.

Les larmes de Kate commencèrent à glisser sur ses joues.

— Pouvez-vous… sauver le bébé ? murmura-t-elle. Pouvez-vous arrêter ça ?

Elle se tourna vers Dominic.

— Dominic, dis-lui d'arrêter ça.

Elle le suppliait. L'espoir dans ses yeux était douloureux à voir.

— Bien sûr, chérie, répondit-il doucement. Laisse-moi voir s'ils peuvent faire quelque chose.

Il se tourna et croisa le regard de la D[re] Fuller.

— Y a-t-il une quelconque possibilité, même la plus infime, d'arranger les choses ; une nouvelle recherche ? Je sais que vous avez des spécialistes ici, mais s'il y a quelqu'un d'autre, où que ce soit… J'ai des avions partout dans le monde ou je peux en louer un et faire venir ces gens si…

La docteure secoua la tête.

— Je suis désolée, dit-elle. Elle a tellement perdu de sang qu'il n'y a plus aucune chance que le fœtus vive. Je sais que ce n'est pas une consolation, mais une fausse couche à trois mois est assez fréquente.

Elle prit un air plus ferme pendant un moment avant de poursuivre :

— Toutefois, Katherine fait une hémorragie, et ce n'est pas normal. Nous devons l'amener immédiatement en chirurgie.

Dominic se tourna vers Kate.

— Il est trop tard, murmura-t-il, la voix brisée. Tu as entendu.

Les yeux de Kate étaient remplis de désespoir.

— Oh, mon Dieu, Dominic, dit-elle d'une toute petite voix. Non…

Il se pencha et approcha sa bouche de son oreille.

— Je t'aime, Katherine. Plus que tout. Mais en ce moment, ils doivent arrêter l'hémorragie. OK ?

Il ne pouvait parler du bébé ; c'était insupportable ; il aurait eu une famille pour la première fois de sa vie. Mais sans elle, il n'avait rien — pas de vie, pas d'espoir, pas de bonheur. Alors, il essuya les larmes de Katherine avec la manche de sa chemise, se redressa, lui serra légèrement la main et murmura :

— Je vais demander si je peux assister à la chirurgie. Qu'en penses-tu ? De cette manière, je serai avec toi.

— Avons-nous fait quelque chose de mal ? demanda-t-elle avec une douleur insupportable dans le regard. Oui, n'est-ce pas ?

Sa voix était si faible que Dominic sentit se dresser les poils sur sa nuque.

— Non, chérie, tu n'as rien fait de mal.

Si quelqu'un avait fait quoi que ce soit de mal, c'était lui.

— Tu as entendu la docteure, ajouta-t-il d'une voix apaisante en souhaitant pouvoir dire « Il faut que nous t'amenions en chirurgie *MAINTENANT* », mais sachant qu'il l'effraierait, s'il le lui disait, il continua de parler de sa voix faussement calme.

— La docteure a dit que c'était courant. Ça arrive à d'autres aussi ; pas seulement à nous. Fais-moi un petit sourire, maintenant. Je suis ici près de toi. Je ne vais nulle part. Tu ne pourrais pas te débarrasser de moi, même si tu le voulais.

Elle lui adressa un sourire tremblant.

— J'ai besoin que tu m'embrasses.

Avant de rencontrer Katherine, il avait toujours évité les manifestations publiques d'affection ; même dans l'intimité, il y avait des portes qu'il tenait fermées en permanence. Et maintenant, alors qu'une dizaine d'étrangers les observaient, il dit simplement « Voilà, chérie » et déposa sur ses lèvres un long et tendre baiser. Relevant la tête un moment plus tard, il sourit et dit sur ce ton qu'il employait quand il satisfaisait à une de ses demandes :

— Ça va mieux ?

Elle eut un demi-sourire.

— Tu es prête à y aller ?

Elle hocha légèrement la tête.

Il la regarda avec soulagement, puis lui adressa un sourire adorable.

— Je te reconnais là, chérie.

Il se tourna vers les personnes dans la pièce et dit, de sa voix de maître du monde :

— J'ai besoin d'un uniforme. Je vais en chirurgie avec Katherine.

CHAPITRE 14

Katherine dut subir une longue transfusion avant qu'ils puissent arrêter l'hémorragie, le sentiment de panique dans la salle étant l'expérience la plus effrayante que Dominic ait jamais vécue. Les infirmières et le personnel couraient dans tous les sens, les médecins lançaient des ordres, et tout le monde se penchait, la mine sombre sur la table d'opération, le sentiment d'extrême urgence palpable dans l'air.

Les veines de Kate ne cessaient de s'affaisser, obligeant la docteure à en chercher une autre jusqu'à ce que finalement, avec les deux bras de Kate parsemés de petits trous de piqûres, l'intraveineuse commence à fonctionner correctement.

Un hourra se fit entendre autour de la table d'opération, le son remplissant paradoxalement de terreur l'âme de Dominic. Katherine avait failli perdre la vie.

Ce n'était pas comme si Dominic n'avait pas vu sa part de situations risquées dans certaines régions livrées à l'anarchie où il pouvait s'asseoir, immobile, et écouter quelqu'un le menacer de mort sans un battement de paupières.

Mais cette fois, c'était différent.

Différent à en donner des frissons.

Différent jusqu'à susciter l'angoisse.

C'était personnel.

Parce que Katherine représentait le miracle qu'il n'était pas certain de mériter. Elle avait transformé son existence grise, dépourvue d'âme, l'avait illuminée ; elle lui avait apporté le bonheur et l'avait déposé nonchalamment à ses pieds. Et il l'aimait avec une sorte de fanatisme qu'éprouvaient seulement ceux qui n'avaient jamais aimé. Elle était son univers, sa vie, son cœur et son âme.

Ce ne fut que grâce à une immense maîtrise de soi et à la pure force de sa volonté qu'il s'empêcha de menacer physiquement tous les médecins dans la salle d'opération s'ils ne faisaient pas leur foutu boulot et n'arrêtaient pas l'hémorragie.

Ils y parvinrent presque une heure plus tard, et il ressentit un tel sentiment de soulagement qu'il comprit ce qu'éprouvait un condamné à mort en recevant à la dernière minute une commutation de sa peine. Il demeura immobile pendant une seconde, son corps affaissé, sa respiration arrêtée, son cœur sur pause. Seul son cerveau débordait d'une joie intense.

Quand il put respirer de nouveau, il se fraya un chemin à travers les médecins vers Katherine en disant « Puis-je ? » alors qu'il jouait déjà du coude sans attendre une réponse. Il avait besoin de la toucher.

Écartant la dernière personne, il atteignit Katherine au moment où l'anesthésiologiste lui retirait le masque, laissant des marques rouges sur sa peau pâle. De belles marques rouges, songea Dominic en la regardant. Tout était beau la concernant, pensa-t-il dans cet état de bonheur fou nourri d'adrénaline qu'il ne connaissait qu'avec elle.

— Elle ne se réveillera pas avant un bon moment, dit la Dre Fuller.

Il ne leva pas les yeux.

— L'hémorragie ne va pas recommencer ?

— Non.

— Vous en êtes sûre ?

Dominic frôla la joue de Katherine en une légère caresse, puis leva les yeux parce qu'il voulait voir le visage de la docteure quand elle répondrait. Il avait besoin de certitude.

— J'en suis sûre. Nous avons trouvé une brèche dans la veine et l'avons refermée.

Il sentit tous ses muscles se détendre d'un coup.

— Quand peut-elle revenir à la maison ? Je peux embaucher des infirmières, des médecins, n'importe qui d'autre dont elle aurait besoin.

— Peut-être dans deux jours. Elle sera un peu faible au début.

Ignorant sa douleur, il posa la question qui le tenaillait encore malgré tout ce qui était survenu.

— Il n'y avait aucun moyen de sauver le bébé, n'est-ce pas ? Pas même la plus petite possibilité. Pas avec ce genre d'hémorragie.

— Non. Votre…

— Femme.

— Votre femme a été chanceuse d'arriver ici rapidement.

— Même alors…

Il s'interrompit, refusant d'envisager à quel point il était venu près de perdre Katherine.

— Oui, le saignement a été très difficile à arrêter. Nous en voyons rarement de si abondants.

Dominic réprima sa panique croissante.

— Devons-nous nous inquiéter après cet épisode ? Est-ce que ça pourrait se reproduire ?

— Je suis désolée. Nous ne le savons pas. J'aimerais pouvoir vous le dire. Chaque grossesse est unique et les causes des anomalies sont encore inconnues.

— Je comprends. J'apprécie votre expertise, dans ce cas. Merci, dit-il calmement. Nous vous remercions tous les deux.

— De rien. Maintenant, Katherine sera aux soins intensifs pendant quelque temps, dit la D[re] Fuller. Ça fait partie de la routine. Mais elle ne se réveillera pas complètement avant une heure. Avez-vous d'autres questions ?

— Non ; oui, une, en fait. Quand Katherine pourra-t-elle voyager ? J'aimerais la ramener aux États-Unis aussitôt que possible.

— Je viendrai voir demain comment elle va. Pourquoi ne pas attendre jusque-là ? Ce sera tout pour l'instant ?

Comprenant le message, Dominic inclina la tête. La docteure partait.

— Certainement. Merci encore.

Dix minutes plus tard, on avait installé Katherine dans une chambre de l'unité des soins intensifs. Il avait embauché des infirmières privées pour chaque quart de travail en plus de celles qui étaient normalement en devoir et, quand l'infirmière privée arriva, Dominic sortit dans le corridor en laissant la porte entrouverte pour qu'il puisse voir Katherine.

Puis, prenant son téléphone cellulaire, il commença à faire des appels en commençant par Nana.

— Je m'excuse d'appeler si tard, mais je voulais vous informer que Katherine est à l'hôpital. Elle vient de subir une chirurgie, elle va bien, ne vous inquiétez pas.

Il évita de lui dire à quel point Katherine allait mal quelques heures plus tôt.

— Elle est aux soins intensifs et des infirmières s'occupent d'elle. Je me trouve dans le corridor d'où je peux la voir. Elle dort paisiblement.

— Il semble que Katie ait perdu le bébé. Je suis tellement désolée.

— Katherine vous l'a dit ? fit Dominic, étonné. Elle m'a dit qu'elle ne vous en avait pas parlé.

— Ce n'était pas nécessaire. Vous teniez tellement à ce qu'elle mange la nourriture qu'elle aimait que je n'avais pas besoin d'être un génie pour comprendre ce qui se passait. J'ai déjà fait mes bagages et mon cousin Monty va me conduire à l'aéroport. Je lui ai dit qu'il se pourrait que j'aille à Londres. Avec la naissance du bébé, j'ai pensé que vous feriez la chose respectable comme nous avions l'habitude de le dire à mon époque et que vous épouseriez Katie.

— Je veux que vous sachiez que j'aurais marié Katherine beaucoup plus tôt, si ce n'avait été de problèmes graves.

Il n'en dit pas plus puisque Katherine semblait réticente à donner plus de détails à sa grand-mère. Quant à lui, il considérait que Nana pouvait absorber n'importe quel choc.

— Alors, votre cote vient de monter de quelques crans avec moi. Je me demandais ce qui se passait parce que Katie évitait de répondre à mes questions.

— Elle s'inquiète de ce que vous pensez. Je lui ai dit que vous lui pardonneriez n'importe quoi. Tu n'as qu'à appeler Nana et le lui dire et tout lui raconter, lui ai-je conseillé.

— *Vous* auriez dû appeler. Je m'inquiétais.

— Je ne pouvais pas intervenir à propos d'une chose si importante. Katherine n'aurait pas compris.

— Alors, derrière cette façade de pouvoir, vous êtes un tendre.

— Seulement avec Katherine ; enfin… et quelques autres.

Il pensait à la famille de Melanie et à Nana aussi. Il admirait son charme excentrique, son amour inconditionnel pour Katherine et sa grande capacité à comprendre ce qui était important dans la vie.

— Du moment où vous êtes tendre avec ma Katie, je suis satisfaite.

— Est-ce que j'ai entendu une légère menace dans ce commentaire ? demanda rapidement Dominic, un léger sourire dans la voix.

— Pas une légère menace, mon garçon, une grosse, dit-elle de sa voix sévère de directrice d'école. Je vois dans les magazines comment vivent les gens très riches. Ce n'est pas une formule pour des mariages qui durent. Je m'attends à ce que vous vous rappeliez vos vœux de mariage. Sinon, vous aurez affaire à moi. Maintenant, nous en avons dit suffisamment. Quand allez-vous vous marier ?

Ayant été sermonné pour une des premières fois de sa vie, et par quelqu'un qu'il préférait ne pas contrarier, Dominic parla avec la plus grande politesse.

— Aussitôt que vous serez ici. J'aurais souhaité que ce soit juste pour notre mariage.

Il prit une petite inspiration parce qu'il n'était jamais tout à fait prêt à subir la douleur intense qu'il éprouvait en pensant à la perte de leur bébé.

— Katherine a vraiment besoin de vous maintenant, ajouta-t-il. Elle est profondément malheureuse. Nous le sommes tous les deux.

— Offrir mes condoléances me semble tellement peu à un pareil moment. J'aimerais pouvoir en faire davantage, dit doucement Nana. Katie était enceinte depuis…

— Trois mois.

Nana soupira.

— Ce n'est pas inhabituel. Et si quelque chose doit aller de travers, ça se produit souvent à ce moment.

— C'est ce qu'a dit la docteure. Vous voudriez bien le dire à Katherine ? Elle est bouleversée parce qu'elle pense avoir fait quelque chose de mal. Nous étions tous deux très impatients d'avoir un enfant.

Il s'arrêta de nouveau une seconde, puis sa voix se fit dure quand il parla.

— C'est difficile à encaisser.

— Je sais. Je sais aussi qu'avec le temps vous vous en remettrez, dit Nana sur un ton convaincu parce qu'elle avait elle-même subi d'énormes pertes. Et Katie s'en remettra aussi. Elle est forte.

Dominic eut un demi-sourire.

— Elle l'est. À n'en pas douter.

— J'ai entendu ça. Elle vous cause des ennuis ?

— Constamment.

— C'est bien. C'est un changement par rapport aux béni-oui-oui dans votre vie. Maintenant, je vais appeler Monty, dit-elle brusquement. C'est un pompier volontaire, alors il est habitué de recevoir des appels jour et nuit. Puis, je vais réserver un vol et vous rappeler.

Sa voix s'atténua tandis qu'elle se préparait à raccrocher.

— Attendez ! cria Dominic. Ne raccrochez pas. Vous êtes toujours là ?

— Oui, plus tôt j'appellerai Monty, plus tôt je serai en route.

— N'appelez pas votre cousin. J'ai une voiture et un chauffeur au motel Pines. Tomas ira vous chercher et vous conduira à Duluth. Il y a un avion qui vous attend à l'aéroport.

— Sainte mère de Dieu. Vous êtes presque aussi retors que moi.

« C'est bien ou mal ? » se demanda-t-il.

Mais son ton n'avait pas été grincheux, alors il dit :

— J'ai l'impression que vous pourriez me donner des conseils en la matière.

— J'en suis certaine. J'ai une quarantaine d'années d'expérience de plus. Et croyez-moi, pour convaincre un pyromane de 12 ans ou une quelconque prima donna de la fin du secondaire, ou n'importe quel autre type de jeune qui se conduit mal de changer sa trajectoire antisociale nécessite beaucoup d'imagination, quelques pieux mensonges et une menace ou deux. Mais Katie n'est pas du tout comme ça, au cas où vous ne le sauriez pas.

— Je le sais parfaitement. Je trouve ça rafraîchissant et mignon, sans vouloir vous offenser.

— Pas du tout, répondit Nana sur un ton insouciant. Katie est comme son grand-père ; elle est directe, elle ne prend pas de détour. Au propre et au figuré. Vous auriez aimé Roy. Tout le monde l'aimait.

Il l'entendit prendre une inspiration, puis sa voix se fit tout à coup sèche.

— Revenons à nos affaires. Je vais seulement faire savoir à Monty qu'il doit venir chercher mon chien, Leon, au matin. Dites à votre chauffeur que je serai prête dans 15 minutes.

Dominic l'entendit raccrocher et sourit. La présence de Nana allait faire du bien à Katherine. Et à lui aussi, en fait. Elle pourrait secouer n'importe qui de sa torpeur pessimiste, brasser la cage de n'importe qui, lancer des ordres mieux que quiconque. Elle pouvait constituer à elle seule un parfait groupe de soutien.

S'appuyant contre le mur, son téléphone cellulaire toujours à la main, il ferma les yeux, se sentant tout à coup épuisé.

— Tu vas bien ?

Reconnaissant la voix, Dominic s'écarta du mur, l'œil immédiatement clair et l'esprit alerte.

— Je prends seulement une pause. Nous avons perdu le bébé, dit-il en soupirant. Fait chier.

— Je suis désolé, répondit Max. J'ai parlé aux infirmières pendant que tu étais dans la salle d'opération et j'ai vu ton lit, alors je savais que c'était grave.

Il souleva le petit sac de voyage qu'il transportait.

— Je t'ai apporté des vêtements. Le gardien de nuit est allé à l'étage après votre départ, alors il m'a dit où se trouvait ta chambre. Katherine doit avoir été terrorisée.

— Elle essayait de rester calme et de se battre, mais oui, elle l'était. Nous l'étions tous les deux. Il y avait tellement de sang et il n'arrêtait pas de couler.

Dominic prit encore une profonde inspiration, la vue de tant de sang toujours en mémoire.

— Ils ont eu du mal à arrêter l'hémorragie. Elle déclinait, ils continuaient de lui transfuser du sang. J'étais foutrement terrifié.

Il soupira, puis jeta un rapide coup d'œil par la porte entrebâillée comme pour se rassurer.

— Katherine va s'en sortir, mais elle dort toujours, ajouta-t-il. Pour au moins une autre heure, a dit la docteure.

Il roula des épaules, grogna de douleur, jura à voix basse, puis, sur un ton tendu, il dit :

— C'était pire qu'en Angola. À ce point. Mais écoute, fit-il d'une voix tout à coup brusque parce qu'il s'était entraîné à continuer de se battre, je dois faire quelques appels. J'aimerais que tu t'occupes du vol qui amène Nana et qu'il y ait quelqu'un à Heathrow pour l'accueillir. L'avion devrait quitter Duluth dans environ une heure et demie.

— J'irai l'accueillir moi-même.

— Merci. Je ne sais pas ce que je ferais sans toi, répondit Dominic en se frottant rapidement les yeux. Bon Dieu. Je suis désolé, dit-il en exhalant, puis en prenant encore une profonde inspiration, demeurant immobile pendant une seconde jusqu'à ce que ses mâchoires se desserrent. Merde. Comment les gens composent avec quelque chose comme ça ?

— En faisant n'importe quoi qui fonctionne. Et avec le temps, je suppose.

Ils étaient deux hommes qui n'exprimaient normalement pas leurs sentiments — en raison de leur peine et de leur amitié —, mais essayaient quand même.

— Je n'ai jamais *voulu* d'enfants avant.

Dominic regarda droit devant lui pendant un moment, puis il tourna les yeux vers Max et haussa les épaules.

— Tu savais déjà ça, ajouta-t-il. Mais avec Katherine…

Il s'interrompit et, quand il parla, sa voix était à peine audible.

— Merde, le seul fait de penser qu'elle portait mon enfant était incroyablement merveilleux.

— Ça rend la situation encore pire. Le choc est encore plus brutal.

— Tu parles. Foutrement rude.

Dominic fléchit les épaules, retrouva son équilibre.

— Écoute, dit-il en passant rapidement ses doigts dans ses cheveux, accorde-moi une minute pour me débarrasser de cet uniforme et tu pourras partir. J'ai ces appels à faire et Katherine pourrait se réveiller n'importe quand.

Il prit le sac de voyage des mains de Max.

— Et merci d'être venu, ajouta-t-il doucement. Vraiment.

Quelques minutes plus tard, il sortit de la salle de bain dans le corridor après s'être lavé et avoir enfilé des vêtements propres.

— Qui a pensé aux souliers ? demanda-t-il tandis que Max s'écartait du mur contre lequel il s'était appuyé.

— Martin, évidemment. Il a donné des ordres au portier à partir de son auto en venant à la maison. J'étais parti avant qu'il n'arrive. Mais Martin était ton valet, dit Max en souriant faiblement. Et il a bien fait. Tu parais au moins presque normal. Dans les circonstances, personne ne s'attend à davantage.

Dominic portait des pantalons habillés gris et une chemise blanc cassé avec le col ouvert et les manches roulées. Ceinture noire, chaussures noires sans lacets, ses cheveux mouillés et ramenés vers l'arrière.

— À demi normal avec Katherine, c'est cent fois mieux que le fait d'être normal sans elle. Ou, de manière plus réaliste, je devrais dire un million de fois.

Dominic prit son téléphone cellulaire dans sa poche.

— Ajuste ton horaire de cet après-midi pour notre mariage. Les suites ici ne sont pas très grandes, alors il y aura peu d'invités. Je vais apprendre la bonne nouvelle à Mme Hastings dans quelques minutes.

— Tu vas réveiller le dragon à 5 h du matin et lui dire d'organiser ton mariage dans huit heures ? Tu as des couilles.

— Simple nécessité. La crise de la nuit dernière m'a fait comprendre que je devais être en mesure de prendre soin légalement de Katherine. Alors, plus tôt nous nous marierons, plus tôt son statut sera officialisé. Sans mentionner que je ne peux pas vivre avec elle et subir des tracasseries administratives jusqu'à la fin des temps.

Il ferma brièvement les yeux en essayant d'effacer les images sanglantes de la nuit précédente, secouant inconsciemment la tête pour les écarter.

— Un cauchemar, murmura-t-il.

Puis, il eut un sourire triste.

— Où en étais-je ? Ah ; si tu m'envoies régulièrement des textos à propos du vol de Nana, je saurai quand elle arrivera à Londres. Ça doit être tout pour l'instant.

Ses narines palpitèrent un moment, puis il exhala lentement.

— Alors… tournons la page, dit-il d'une voix rauque. Que pouvons-nous faire d'autre, de toute façon ?

Max acquiesça.

— Ça fonctionne toujours, dit-il d'une voix adoucie. Et avec la vie que j'ai vécue, je devrais le savoir.

— Parfois, on se demande quand même comment diable on peut arriver à tourner la page. Comment ça peut être même possible.

Dominic se tut pendant un moment, puis il grogna et brandit son téléphone cellulaire.

— Je devrais faire ces appels. Tiens-moi au courant. Je te verrai plus tard. Et inutile de te mettre sur ton trente-et-un pour le mariage, ajouta-t-il en pointant un doigt vers ses propres vêtements. Je vais porter ça.

— Leo va vouloir venir. Danny aussi et, poursuivit-il en soupirant, Martin.

— Et Quinn, ajouta Dominic. Écoute, tu t'occupes de la liste des invités. Il n'y a que Nana sur la mienne.

Et Helen ?

— Oui, bien sûr. Nous allons nous arranger pour faire venir tous ceux qui, à ton avis, devraient y être, dit Dominic en souriant. Je ne les remarquerai probablement pas. Mon esprit est passablement concentré. Je sais à quel point je suis foutrement chanceux.

— Est-ce que Katherine sera suffisamment rétablie pour ça ?

Dominic réfléchit rapidement, puis s'ajusta.

— Si Katherine n'est pas assez forte, nous le ferons demain. Je dirai à Mme Hastings que l'horaire est flexible.

— J'aimerais la voir quand tu lui diras ça pour regarder les flammes lui sortir des narines.

Dominic sourit faiblement.

— Pas de flammes, Max. Elle augmentera simplement sa facture. Une femme très intelligente, cette Mme Hastings. Du genre avec qui je peux faire des affaires.

Il commença à dérouler la liste de contacts sur son appareil.

— Katherine pourrait se réveiller d'une minute à l'autre. Je veux me débarrasser de ces appels.

Il appuya sur un nom, salua Max de la main et porta son téléphone cellulaire à son oreille.

CHAPITRE 15

— Dominic à l'appareil. J'ai besoin qu'on fasse certaines choses.

— Certainement, répondit Martin. Nos condoléances, Monsieur, de ma part et de celle du personnel.

— Merci. C'est une triste situation, mais Katherine récupère et je suis très reconnaissant pour ça.

Il prit une rapide inspiration pour se maîtriser et, même alors, sa voix était rauque quand il ajouta :

— J'ai besoin que plusieurs tâches soient accomplies.

Il se racla la gorge et sa voix se raffermit.

— Premièrement, si tu veux bien t'occuper de faire nettoyer la chambre.

— C'est déjà fait, Monsieur.

— Bien. Puis, je veux que quelqu'un se rende à l'appartement de Katherine et prenne tous les trucs de bébé — et aussi quelques-uns de ses t-shirts avec des inscriptions qu'elle ne voudra pas voir. Il faudrait les ranger quelque part avec les vêtements de bébé. Dis-moi seulement où tu mettras ces choses au cas où Katherine demanderait à les voir. Je n'ai aucune idée si elle le voudra, mais si oui, je dois savoir où ils seront. Personnellement, je préférerais donner tout ça, mais je ne peux pas parler pour Katherine.

— C'est comme si c'était fait, Monsieur.

— Oh, et Mme Hastings va communiquer avec toi. Je vais la réveiller bientôt pour qu'elle organise notre mariage. Si la santé de Katherine le permet, j'aimerais que nous nous marrions cet après-midi. Max s'occupe de la liste des invités, alors parle-lui s'il faut y ajouter quelqu'un. Et je vais te rappeler aussitôt que j'aurai parlé à Katherine. Elle dort encore après l'anesthésie. Des questions ?

— Non. Nous allons nous occuper de tout, Monsieur.

— Bien, super. Et je veux le Veuve rescapé du naufrage. La suite de l'hôpital ne peut pas contenir beaucoup d'invités, mais apportes-en suffisamment. Katherine et moi allons porter un toast, mais vous devriez tous fêter convenablement l'événement.

— Oui, Monsieur. C'est un champagne très rare.

— On ne se marie qu'une fois, Martin.

Le majordome de Dominic se trouva momentanément pris par surprise ; son employeur oubliait nonchalamment son mariage précédent. Par ailleurs, la première fois que Martin les avait vus ensemble, il s'était rendu compte que Dominic éprouvait pour Julia de l'affection et de l'amitié, mais non de la passion.

— Je suis tout à fait d'accord, Monsieur. Un événement spécial mérite un champagne spécial.

Et Martin savait exactement à quel point le champagne sortait de l'ordinaire. Lors d'enchères, Dominic avait payé 4,5 millions de dollars pour 46 bouteilles de Veuve Clicquot 1830 qu'avait trouvées un plongeur dans la mer Baltique.

— C'est dommage pourtant…

C'était une erreur même de songer à ce qui aurait pu être. Dominic déglutit péniblement avant d'ajouter :

— Je te rappelle plus tard.

Il remit son téléphone cellulaire dans sa poche, se pencha en appuyant ses mains sur ses genoux et attendit que passe sa poussée de tristesse.

« Inspire, expire, allez… reprends-toi. Merde, reprends-toi », se dit-il.

C'était plus facile à dire qu'à faire, mais quelques moments plus tard, ses fragiles défenses émotionnelles de nouveau en place, il se redressa, se rendit à la chambre de Katherine, poussa lentement la porte et dit d'une voix douce :

— Je pars cinq minutes. Tout va bien ?

L'infirmière au chevet de Katherine sourit.

— Elle dort paisiblement.

— Je reviens tout de suite.

Il referma la porte, se retourna, traversa le corridor, prit l'ascenseur jusqu'à l'étage principal et sortit. S'éloignant de l'entrée, il parcourut le trottoir jusqu'à un angle de l'hôpital. Puis, il tourna le coin et frappa le mur jusqu'à ce que ses jointures soient ensanglantées. Et pendant ces quelques secondes de douleur épouvantable, l'effroyable tristesse qui l'avait envahi se dissipa dans son cerveau.

Entendant un hoquet de surprise, Dominic se tourna.

— Fous le camp, grogna-t-il. Ça ne te regarde pas.

Le jeune homme aux yeux écarquillés, un employé de l'hôpital d'après son insigne d'identification, s'éloigna rapidement.

Posant son front contre le mur de briques, les bras ballants, le sang dégoulinant sur le trottoir, Dominic lutta pour contenir sa rage. Il aurait voulu hurler jusqu'à ce que le monde s'arrête, mettre le mur en pièces, frapper quelqu'un — *n'importe qui.* Mais il savait qu'en ce moment Katherine avait besoin de sympathie et d'amour plutôt que de sa sauvagerie. Et ce rappel tranquille résonna dans sa tête, irrésistible malgré la férocité de sa colère, jusqu'à ce que *finalement*, sa rage disparut. Tout ralentit comme il se produisait toujours par la suite : chaque respiration sembla durer une demi-heure ; le monde émergea de nouveau du brouillard gris-bleu ; il avait l'impression d'avoir reçu un coup de poing qui lui avait coupé le souffle.

Il s'écarta lentement du mur, il grimaça en secouant le sang de ses mains, les regarda, puis grimaça de nouveau. Merde, sa chair était déchiquetée. Heureusement, la vue du sang n'était pas inhabituelle dans un hôpital et les quelques personnes présentes à l'entrée quand il revint ne parurent pas alarmées. Mais il s'engouffra dans la première salle de bain qu'il vit, se lava les mains à l'eau froide, tint des essuie-tout sur ses jointures jusqu'à ce que le saignement s'arrête et grimaça quand il se vit dans le miroir, le devant de sa chemise maculé de sang. Il la retira, puis la rinça à l'eau froide. Patty, sa femme de ménage à San Francisco, lui avait montré comment en disant : « Si vous vous battez, vous nettoyez votre propre gâchis ». Il tordit la chemise, puis l'enfila et réussit à sourire en se voyant complètement mouillé dans le miroir.

« Grandis, mec — sérieusement. »

Même s'il ne se faisait aucun reproche cette fois. Qui diable ne voudrait pas fracasser quelque chose après avoir perdu son enfant ?

Il n'avait pas le courage de rappeler Martin. Ils pourraient lui apporter une autre chemise plus tard. Il revint à la chambre de Katherine, poussa la porte et passa la tête dans l'entrebâillement. Il jeta un coup d'œil à Katherine et dit à voix basse :

— Elle dort encore ?

L'infirmière inclina la tête.

— Je suis juste à l'extérieur dans le corridor à faire quelques appels. Venez me chercher quand Katherine se réveillera. Autrement, je reviendrai aussitôt que j'aurai terminé.

Elle hocha la tête de nouveau.

Il referma lentement la porte, s'éloigna de quelques pas et appela sa sœur.

— Quelle belle surprise! s'exclama Melanie.

— J'aimerais bien, répondit Dominic en prenant une brève inspiration. Katherine a perdu le bébé.

— Oh, mon Dieu, murmura-t-elle. Oh, Nicky, je suis navrée. Comme tu dois te sentir mal. Et Katherine? Comment elle va?

— Bien, maintenant. Pas tellement il y a quelques heures. Elle faisait une hémorragie et les médecins paniquaient en chirurgie. Je les regardais, absolument terrorisé.

Il n'en dit pas plus parce qu'il ne voulait pas que Melanie évoque par inadvertance les événements dangereux auxquels Katherine avait survécu. Il ne voulait pas que Katherine soit davantage traumatisée.

— Mais elle récupère bien, poursuivit-il. Elle dort. Je voulais seulement t'apprendre la mauvaise nouvelle.

— Comment vas-tu?

— Franchement, je suis bouleversé. Mes jointures sont en sang. Voilà.

— Tu n'as fait de mal à personne? demanda Melanie d'une voix légèrement plus aiguë.

— Non, seulement à mes jointures. Elles sont foutrement amochées, mais personne n'a été blessé. Alors, détends-toi.

Il s'essuya le visage du plat de la main, respira entre ses dents.

— Tu sais, la vie était trop belle. J'aurais dû savoir que ça ne durerait pas. Mais bon Dieu, Mel, pourquoi a-t-il fallu que nous perdions notre bébé, termina-t-il d'une voix brisée.

— Mon Dieu, Nicky, j'aimerais pouvoir être là pour t'aider. Veux-tu que je vienne à Londres ? Dis-moi simplement ce que tu veux.

— Ce que je veux ne va pas se produire.

Il demeura silencieux pendant quelques instants.

— Dieu que je me sens horriblement mal, murmura-t-il. Tu sais quoi ?

Mais il s'interrompit et Melanie dit nerveusement :

— Nicky, veux-tu que quelqu'un soit là maintenant pour t'aider ?

— Non… Je pensais seulement à Nicole qui aurait gardé le bébé pour nous. Comme je l'ai fait pour toi. Je me disais à quel point ce serait bien. La deuxième génération… toute cette merde.

Il soupira.

— Je rêvais tout éveillé ; quelle blague, non ?

— Tu peux avoir d'autres enfants, Nicky. Je sais à quel point c'est banal et insultant de te dire une pareille chose en ce moment, mais tu le peux, fit doucement Melanie.

— Nous verrons, répondit-il en ne sachant trop s'il voulait courir ce risque. Tout est trop difficile en ce moment pour même penser à ça. C'est notre enfant que nous venons de perdre. Tu ne sais pas à quel point nous le désirions. Plus que tout au monde, dit-il sa voix se brisant de nouveau. Oh, merde.

Il soupira encore.

— Écoute, nous retournons bientôt à la maison.

Un autre soupir de douleur.

— Soit au Minnesota, soit à San Francisco. Ça dépend de Katherine. Je te tiendrai au courant.

Sa voix était redevenue normale à la fin. Il s'était repris en main comme il l'avait toujours fait, songea Melanie.

— Je suis heureuse que vous reveniez. Où que vous soyez, nous irons vous voir, toi et Katherine.

— Merci. Ce serait bien. Et je ne veux pas que mère le sache.

Il avait prononcé le mot « mère » avec un ton de dégoût si subtil qu'il était indiscernable à moins de connaître l'histoire.

— Je ne le lui aurais jamais dit, Nicky, tu le sais.

— Tu ferais mieux d'avertir les enfants ; les plus âgés, au moins. Ellie est probablement trop jeune pour y prêter attention. Mais je ne veux pas avoir à composer avec mère à ce sujet.

— C'est la dernière chose dont tu aies besoin, en ce moment. Personne ne soufflera mot.

— Bien. Merci.

Il s'interrompit un moment et quand il reprit la parole, sa voix était tendue, sa prononciation lente.

— J'ai toujours été capable de tout gérer, sœurette. Tu sais ça. Je l'ai fait toute ma vie. Améliorer les choses ou faire disparaître les problèmes ou encore les résoudre par la force si rien d'autre ne fonctionnait. Mais j'étais impuissant cette fois.

Il prit une inspiration.

— Absolument impuissant. C'était de loin le sentiment le plus merdique du monde. Alors, dit-il avec une soudaine dureté dans la voix, je vais marier Katherine cet après-midi si elle est suffisamment forte. La vie est trop fragile. Je ne veux pas attendre. Tu peux nous organiser une réception quand nous reviendrons. J'espère que ça ne te dérange pas. En fait, je me fiche si tu le fais ou non, ajouta-t-il sur le ton plus familier de la plaisanterie.

— Je ferais la même chose si j'étais toi, répondit Melanie. Si tu veux mon avis, tu aurais dû la marier avant.

— Je ne le pouvais pas. Tu sais ça. Ou une partie, en tout cas.

— Tes problèmes sont tous résolus ?

— Ouais.

— C'est au moins une chose qui te rend heureux. C'est évident.

— Tu n'as pas idée. Plus besoin d'attendre. Je compte littéralement les heures jusqu'à ce que je sois marié, comme un enfant qui attend Noël.

— Mais ça, c'est mieux que n'importe quel Noël.

— Oui, disons un milliard de fois mieux. Au moins, ce sera un événement heureux même si tout le reste a mal été.

— Katherine est jeune. Tu es jeune. Vous avez tout votre temps.

— Merci, Melanie. Je sais. Ça prendra du temps pour surmonter ça, dit-il, cette foutue tristesse. J'ai parcouru des boutiques de vêtements d'enfant. Je te l'ai dit ? Ils étaient si minuscules. Précieux, vraiment. Merde ; bon Dieu, je pourrais jurer sans arrêt pendant des décennies, mais écoute, je dois appeler l'organisatrice de mariages maintenant et la faire sortir du lit. Voir si elle peut préparer ça en quelques heures.

— Je suis sûre qu'elle le peut. Ce n'est qu'une question d'argent.

— C'est un lieu commun, mais c'est vrai. Je t'appellerai plus tard et tu pourras me féliciter de ma nouvelle situation conjugale.

— Je préférerais parler à Katherine. Toi, je peux te parler n'importe quand, dit-elle sur un ton enjoué.

Il éclata de rire.

— Je verrai ce que je peux faire.

Quand il rompit la communication, il souriait encore. Et il songea au nombre de fois où sa sœur avait amélioré sa vie. Elle avait le don de la compassion ou peut-être seulement des années de pratique. Ce qui n'empêcha pas sa tristesse de revenir en force quelques secondes plus tard, tout aussi effroyable. Mais il se dit qu'il avait encore Katherine. Il devait remercier le ciel de ne pas l'avoir perdue elle aussi. Il se dit qu'il devait être reconnaissant de ce qu'il avait encore.

CHAPITRE 16

La voix de Mme Hastings était ensommeillée, mais elle avait répondu, alors il se fichait éperdument du son de sa voix.

— D'ordinaire, je m'excuserais d'appeler à une heure pareille, mais je suis de très mauvaise humeur, alors si vous voulez bien faire ce que je vous demande sans poser trop de questions, je vous serais reconnaissant. Au cas où je n'aurais pas été assez clair, ça signifie que je vais payer pour avoir interrompu votre sommeil et pour mon humeur massacrante. Voici ce que j'ai besoin que vous fassiez. Vous allez devoir écrire ça. Je vais attendre.

La voix de Mme Hastings n'avait plus rien d'ensommeillé quand elle revint au téléphone.

— Je suis dans mon bureau, dit-elle. Que puis-je pour vous ?

Il aurait presque voulu l'embrasser au téléphone tellement elle était imperturbable et obligeante.

— Mlle Hart se trouve actuellement à l'hôpital St Mary's. Elle récupère, mais je souhaite la marier aujourd'hui. Appelez qui que ce soit que vous devez appeler pour organiser la cérémonie dans sa suite. Versez-leur ce qu'ils veulent ou promettez-leur n'importe quoi si ce n'est pas de l'argent. Je veux ce mariage cet après-midi. Si je dois parler à des gens, donnez-moi leur nom et leur numéro et je vais les appeler. Si nécessaire, servez-vous du nom du Premier ministre. Il me doit une faveur. Deux, en fait, dit-il brusquement. Je l'appellerai moi-même si vous préférez. Je ne veux aucune opposition à ce sujet. C'est clair ?

Elle dut déglutir avec difficulté, mais elle songea que Dominic Knight lui avait donné carte blanche[9] en matière d'argent et parla avec un calme professionnel.

— Oui, c'est parfaitement clair. Quelle sorte de réception envisagiez-vous ? Les suites ne sont pas grandes.

— Aussitôt que nous aurons raccroché, je verrai à ce que Katherine obtienne leur plus grande chambre.

— Des fleurs ?

— Évidemment. Je veux des roses jaune pâle.

Elle faillit s'étouffer parce qu'il avait voulu des roses blanches pour l'église et la réception et elle en avait commandé 3000. Il lui fallut un moment pour se racler la gorge.

— Combien de roses jaunes ?

— Je n'en ai aucune idée. Je veux que Katherine sourie quand elle les verra. Je veux que la suite ait un air gai. Commandez tout ce qui sera nécessaire.

— Très bien.

Elle n'allait pas mentionner ce à quoi elle pensait, à savoir qu'il allait devoir quand même payer les 3000 roses blanches.

Mais peut-être Dominic avait-il remarqué son hésitation parce qu'il dit :

— Pourquoi n'enverriez-vous pas les roses blanches dans des foyers de soins infirmiers et à des centres pour personnes âgées ? Qu'en pensez-vous ?

— Excellente idée.

Elle commençait à comprendre pourquoi il était milliardaire. C'était un homme brillamment perspicace.

9. N.d.T. : En français dans le texte original.

— Je crois que le révérend est parti pour les deux prochains jours. Devrais-je embaucher son assistant ?

— Quiconque pourra présider au mariage fera l'affaire. Si ce n'est pas l'assistant, un magistrat fera l'affaire. L'aspect religieux n'a aucune importance. En ce qui concerne la réception, arrangez-vous avec Martin et Quinn quand vous connaîtrez les directives de l'hôpital. Je me fiche d'à peu près tout sauf de la cérémonie elle-même. Toutefois, j'aimerais que le mariage soit aussi magnifique que possible pour le bien de Katherine. Et voyez si Mlle Strahan peut trouver quelque chose de convenable que puisse porter Katherine au lit. Demandez-lui aussi de m'envoyer sa note pour son travail sur la robe de mariée de même que pour le temps qu'elle a consacré aux vêtements de maternité. Nous n'en aurons pas besoin.

Ignorant le petit hoquet de surprise de Mme Hastings, il poursuivit :

— Si vous avez des questions, n'hésitez pas à m'appeler. Je serai à l'hôpital avec Katherine. Et à moins que je vous rappelle pour un changement de plan, je vous verrai cet après-midi.

Il resta debout pendant un moment dans le corridor tranquille, repoussant sa fatigue, même si ses jointures douloureuses pouvaient contribuer à le garder éveillé. Elles lui faisaient terriblement mal. Il passa les mains sur sa chemise ; pas mal : elle était à demi sèche.

Il se rendit au poste des infirmières et dit poliment :

— À qui dois-je parler pour réserver votre plus grande suite ?

Il était reconnaissant d'être tombé sur une employée serviable et un administrateur qu'elle fit venir rapidement de chez lui et qui l'était encore davantage. En un temps record, l'administrateur fut en mesure de changer la suite d'un quelconque prince du Moyen-Orient pour y tenir la cérémonie. Dominic n'eut pas besoin d'évoquer le nom du Premier ministre, bien qu'il mentionna que l'entrée principale de l'hôpital paraissait vieille et qu'il dit qu'il serait heureux de la faire rénover si on pouvait déménager sa fiancée dans la suite royale de l'hôpital.

Dominic se montrait d'une politesse exquise et parlait doucement. Il était capable d'adopter un comportement des plus raffinés s'il le désirait. En l'occurrence, il voulait un consentement complet, inconditionnel, puisque Mme Hastings allait probablement elle aussi exiger d'autres ajustements à la politique de l'hôpital. Une fois l'entente conclue, Dominic sourit, se leva de son fauteuil et tendit poliment sa main par-dessus le bureau de M. Pitt-Ralston. Se levant rapidement, l'administrateur fit mine de ne pas remarquer les jointures sanglantes de Dominic, détourna le regard de la chair meurtrie et lui secoua la main.

— Quelqu'un de chez moi communiquera avec vous, fit Dominic. Dites-lui ce dont vous avez besoin pour rénover l'entrée et il vous enverra un chèque. Vous avez été très obligeant.

— Heureux de vous rendre service, M. Knight. Nos meilleurs vœux pour votre mariage.

Le sourire de Dominic fut instantané et éblouissant.

— Merci. J'ai très hâte.

Tandis que Dominic quittait son bureau, Giles Pitt-Ralston regarda le jeune homme qui était renommé à Londres pour son sens des affaires et ses vices. Le fait que son deuxième mariage survive à son style de vie dissolu était discutable, mais l'hôpital obtenait un hall d'entrée complètement rénové, alors Giles se fichait que le mariage dure ou non du moment où Dominic Knight payait.

Ignorant les spéculations et les opinions de Pitt-Ralston le concernant, Dominic retourna à la chambre de Kate, bavarda poliment avec l'infirmière, puis tira un fauteuil jusqu'au lit. Il choisit le côté droit de Katherine puisque l'intraveineuse était dans son bras gauche, de même que le brassard de tension artérielle et la pince de saturation en oxygène à son doigt. Le fauteuil était large, rembourré, confortable, et Dominic s'assoupit presque immédiatement.

— Hé.

Entendant le murmure de Kate, il se réveilla en un éclair, s'assit et sourit.

— Salut, chérie, fit-il doucement en se penchant et en prenant la main de Kate dans les siennes.

— Comment te sens-tu ?

— Triste.

— Moi aussi.

Il jeta un coup d'œil à l'infirmière.

— Accordez-nous une minute.

Quand la porte se referma sur l'infirmière, Kate regarda les jointures de Dominic et haussa les sourcils.

— J'ai frappé sur un mur de brique.

— Elles paraissent douloureuses.

— Pas autant que l'est tout le reste. C'était un magnifique rêve. Toi et moi et…

Il s'interrompit et prit une petite inspiration.

— Toi et moi, c'est bien.

Les yeux de Kate s'embuèrent de larmes.

— Tu n'es pas obligé de m'épouser maintenant que… tout ça s'est produit, dit-elle en évitant aussi les mots douloureux. Nous pouvons simplement retourner à…

Il posa son index sur la bouche de Kate pour l'interrompre.

— Tu ne t'en tireras pas comme ça. Pas question. Alors, ne commence pas.

Il soutint son regard pendant un moment, puis laissa retomber sa main.

— J'essaie seulement d'être polie et…

— Et rien, fit-il platement. C'est une conversation stupide.

Elle sourit faiblement.

— Alors, si je n'ai pas à être polie, tu *dois* me marier maintenant parce que je suis terriblement triste.

Dominic écarquilla les yeux.

— Immédiatement ?

— Et si je te réponds oui ?

Il se réjouit de voir la minuscule lueur espiègle dans ses yeux.

— Alors, nous le ferions et ferions paniquer Mme Hastings.

— Tu es toujours tellement bon pour moi ; généreux et… attentionné et…

Sa voix se brisa.

— Oh, mon Dieu, poursuivit-elle, je dois arrêter de pleurer.

— Ça prendra simplement du temps, chérie, murmura-t-il en essuyant ses larmes avec le drap. Et tout un ajustement mental. Puisque nous sommes tous les deux un peu fous, ajouta-t-il en agitant les sourcils et en lui adressant un petit sourire, ça pourrait même prendre plus de temps qu'à l'habitude pour faire démarrer les circuits d'ajustement mental.

Elle renifla et lui adressa un sourire tremblant.

— Si tu essaies de me faire me sentir mieux, ça fonctionne plus ou moins, lui dit-elle, puis elle soupira. En quelque sorte…

— J'essaie de nous faire tous deux nous sentir mieux.

Il déglutit, inhala lentement, lutta pour garder sa maîtrise de soi.

— Je me dis une minute, une heure, une journée à la fois.

Il posa son front sur la main de Kate pendant une seconde, puis il se redressa, ses yeux bleus fixés sur elle.

— Toi et moi, chérie, nous pouvons faire n'importe quoi, n'est-ce pas ?

L'univers se rétrécit, et il n'y eut qu'eux deux dans leur petit paradis ravagé, les chaudes mains de Dominic tenant les siennes.

— Toi et moi, dit-elle en inclinant la tête parce qu'elle n'avait pas l'impression de pouvoir faire plus à cet instant.

Mais elle voulait être bonne pour lui comme il l'était pour elle, et il lui demandait quelque chose alors qu'il le faisait rarement.

— Toutefois, j'ai une requête plutôt exigeante, si tu le permets.

Il la regarda d'un air interrogateur.

— À titre d'information, je te permets tout. Tu peux avoir n'importe quoi. Je te l'ai déjà dit et mon offre tient toujours.

La petite ride d'inquiétude entre ses sourcils disparut.

— Oh, bien. Alors, j'aimerais que Nana assiste à notre mariage.

Dominic sourit de toutes ses dents.

— Elle devrait atterrir bientôt. Ou bien elle pourrait déjà avoir quitté l'aéroport.

— Non ! Vraiment ? s'exclama Kate tandis que son visage s'illuminait. Dominic, tu es incroyable !

— Est-ce que je peux avoir un baiser pour ça ? demanda-t-il en riant.

— Tu auras tous les baisers que tu veux !

La voix de Kate s'adoucit soudain et sa lèvre inférieure se mit à trembler.

— Comment savais-tu que j'avais *besoin* de Nana ?

— Je me suis simplement dit ça, fit-il doucement. Et en ce qui concerne ma propre requête exigeante, j'aimerais que nous rentrions à la maison après le mariage. Ou quand la D^re^ Fuller jugera que tu peux prendre l'avion.

Il la vit tressaillir légèrement.

— Penses-y, c'est tout.

Kate prit une inspiration.

— Mon travail… Joanna.

— Ils comprendront. Je vais leur parler.

— Et à propos de mon contrat ? Et Joanna ne peut s'occuper seule de tout.

— Je vais m'arranger avec le contrat et Joanna. Laisse-moi le faire, chérie. S'il te plaît ?

— L'idée de rentrer aux États-Unis me semble… merveilleuse, murmura-t-elle.

— Parle à Nana. Vois ce qu'elle dit. Nous pouvons retourner au Minnesota ou à San Francisco. Et Joanna comprendra. Quant à CX Capital, c'est une immense organisation. Ils auront oublié ton nom dans une semaine. Nous le savons tous les deux.

— Alors, tu dis que je peux partir.

— Je dis que je peux m'occuper de ça.

Elle demeura silencieuse pendant un instant.

— Vraiment ?

— Tu n'as qu'à le dire.

Elle ferma les yeux une seconde, puis les ouvrit et inclina la tête.

— OK.

Il ne se rendit pas compte qu'il avait retenu son souffle.

— Laisse-moi vérifier auprès de Max l'heure d'arrivée prévue de Nana, répondit-il en exhalant lentement, puis il changea volontairement de sujet maintenant qu'il avait reçu la permission de mettre ses projets à exécution.

Il expédia un texto à Max, attendit sa réponse, puis montra son téléphone cellulaire à Kate et sourit.

— Ils sont en route pour Londres. Tu veux parler à Nana ?

Kate se mordit la lèvre et secoua la tête en essayant de ne pas éclater en sanglots. Nana avait toujours été son réconfort quand la vie prenait une mauvaise tournure ; elle pouvait rendre tout meilleur ou au moins viable. Quand elle était jeune, Nana pouvait faire disparaître la douleur seulement en disant : « Laisse-moi te faire des biscuits aux brisures de chocolat. Ton grand-père les adorera aussi ». Et au moment où ils mangeaient les biscuits encore chauds, les malheurs d'enfant qui l'avaient fait pleurer avaient disparu.

— Je suis tellement heureuse qu'elle arrive, murmura Kate, puis elle déglutit difficilement. Oh, mon Dieu…

Ses paroles se transformèrent en sanglots à lui déchirer les entrailles et les larmes qui brillaient dans ses yeux se déversèrent en un flot de tristesse.

Bondissant de son fauteuil, Dominic jeta un rapide coup d'œil sur l'espace disponible dans le lit étroit, rabaissa la rampe de sécurité, se glissa près de Kate et, évitant le tube d'intraveineuse, la prit dans ses bras. La tenant comme si elle était faite de verre, il pencha la tête et posa légèrement ses lèvres sur les siennes, puis il essuya ses joues et dit tout doucement :

— Aussitôt que Nana sera là, je veux que nous nous mariions. Plus question d'attendre.

Il lui adressa un magnifique sourire empreint de patience.

— Tu dois dire oui.

Elle inclina la tête, renifla et essaya de lui rendre son sourire.

— Ce n'est pas un sourire de première qualité ; il est drôlement humide, mais je vais le prendre. Il n'y a pas que toi qui aies envie de pleurer, dit-il en lui embrassant la joue. Mais les choses vont s'améliorer, chérie, elles ne peuvent pas s'aggraver.

— J'espère que non… et j'espère que ça ne te dérangera pas d'avoir une épouse qui pleure, dit-elle en hoquetant.

— Pleure tout ton soûl. Je m'en fous complètement du moment où tu deviens ma femme.

Il lui essuya de nouveau le visage avec sa manche de chemise.

— Nous pourrions avoir besoin d'une essuyeuse de larmes en attente avec une pile de mouchoirs, la taquina-t-il.

Il glissa doucement ses doigts entre les siens.

— Mais, sérieusement, laisse-moi appeler Mme Hastings pour la presser un peu.

Kate leva les yeux, étonnée.

Dominic sourit.

— Je l'ai réveillée à 5 h ce matin. Elle y travaille depuis des heures déjà.

Cette fois, Dominic vit apparaître un vrai sourire sur son visage.

— Voilà toute une image, murmura Kate.

— Hé, ne dis pas ça. Elle était gentille. Obligeante.

— Et elle ajoutait des zéros à sa facture pendant que tu lui parlais.

— Peu importe. Elle le fait. Maintenant, j'ai besoin d'un vrai baiser pour m'aider à passer au travers des quelques heures *interminables* jusqu'à notre mariage.

À ce moment, la D[re] Fuller entra dans la chambre et s'éclaircit bruyamment la gorge.

Dominic se tourna vers elle.

— Bonjour, dit-il sans bouger.

Kate rougit.

— Descends du lit, lui dit-elle dans un souffle.

Détachant lentement ses bras d'autour de Kate, il glissa du lit et sourit à la docteure.

— Katherine se sent mieux.

— Je suis heureuse de l'entendre. Nous allons l'examiner et si tout va bien, nous pourrons la déménager dans une chambre.

Elle regarda l'infirmière qui l'avait suivie en portant un dossier, puis jeta un coup d'œil au moniteur près du lit.

— La pression sanguine est normale, dit-elle. Le rythme cardiaque est bon, l'oxygène, excellent. Vérifions le saignement.

Son examen fut bref et sans douleur.

— C'est en voie de guérison, dit-elle ensuite. Nous pouvons enlever les pansements et la pince, puis le brassard. Tous vos signes vitaux sont revenus à la normale.

Elle sourit.

— La résilience de la jeunesse est renversante. Avez-vous faim ?

— Je suis affamée.

— Vous pouvez commander ce que vous voulez sur le menu. La cuisine ici est très bonne.

— J'ai déjà commandé de la nourriture, dit Dominic.

— Je vois. Bien. Et si vous ne vous sentez pas étourdie, Katherine, vous pouvez marcher un peu avec de l'aide. Nous allons laisser l'intraveineuse jusqu'à ce que le sac de soluté soit vide. Il se peut que vous ayez un peu de douleur pendant quelques temps, alors je vais laisser une ordonnance pour des antidouleurs. Avez-vous des questions ?

— Quand allons-nous pouvoir essayer d'avoir un autre enfant ? demanda Kate avec précipitation.

— Ça ne presse pas, intervint Dominic d'une voix brusque, sa peur de perdre Katherine trop vivace encore.

— Dominic, j'aimerais simplement savoir, murmura Kate en ravalant ses pleurs.

— Oh, mon Dieu, chérie, excuse-moi.

Il se rassit rapidement sur le lit et l'enlaça.

— Tout ce que tu veux, OK ?

Pour un homme qui avait pendant toute sa vie pris des décisions unilatérales, sa volonté de céder à Kate sur une question aussi importante illustrait de manière remarquable la mesure de son amour.

— Tu décides, murmura-t-il en essuyant les larmes qui coulaient sur les joues de Kate.

— La plupart des femmes se sentent comme vous, Katherine, dit la Dre Fuller qui avait souvent assisté à cette scène. C'est pratiquement un désir universel. Alors, aussitôt que vous aurez des menstruations normales, ça voudra dire que vous vous êtes remise.

— Voilà, dit doucement Dominic. Ce ne sera pas si long.

Kate réussit à afficher un sourire tremblant.

— Nous pouvons décider ensemble.

— Merci, chérie. Je m'inquiète seulement un peu, c'est tout, dit-il avant de se tourner vers la docteure. Est-ce qu'il y a une façon de savoir si Katherine pourrait faire une autre hémorragie ?

— Je doute fort que ça arrive, répondit-elle. Mais je ne peux pas vous l'affirmer avec certitude.

— Est-ce que ça aiderait, si Katherine était moins active en retombant enceinte ? fit Dominic en se demandant si le manque de sommeil de Kate aurait pu constituer un facteur de risque.

— Nous ne recommandons pas les exercices vigoureux, mais autrement, un mode de vie normal convient tout à fait. Les femmes enceintes ont besoin d'un peu d'activité. Mais je ne vous conseillerais pas de faire des épreuves de sélection olympiques, ajouta la Dre Fuller avec un petit sourire.

Si Katherine tombait enceinte, il allait embaucher un obstétricien-gynécologue qui vivrait sur place. Il n'allait courir aucun risque. Mais cette conversation pouvait attendre. Il sourit à la docteure.

— Est-ce qu'on peut déménager Katherine dans une autre chambre maintenant ?

— Absolument.

— Pouvons-nous prendre l'avion pour retourner chez nous dans les prochains jours ?

— Ça ne devrait pas représenter un problème.

— J'ai un médecin qui voyage parfois avec moi. Je vais lui demander de nous accompagner.

La Dre Fuller inclina la tête.

— Alors, je suis certaine que vous n'avez pas à vous inquiéter. Je vous verrai demain.

Une fois la docteure partie, Dominic se rendit à la réception et demanda si Katherine pouvait être amenée dans une chambre transitoire pour éviter le va-et-vient dans la suite royale. Maintenant, il s'attendait à ce que Mme Hastings ait rassemblé une petite armée pour apporter tout le nécessaire sur place.

Peu après que Kate ait été installée dans sa chambre, Martin arriva avec la nourriture que Quinn avait préparée. Le majordome ne mentionna pas la fausse couche. Dominic avait averti tout le monde de ne pas l'évoquer ou de présenter leurs condoléances. Et un peu plus tard, au moment où Kate terminait son repas copieux constitué de tous ses aliments préférés, Nana entra, vêtue de son plus beau tailleur marine.

— On m'a dit que tu te mariais aujourd'hui, fit-elle en adressant un clin d'œil à Kate. Je n'allais pas rater ça. Est-ce que Dominic t'a dit que j'avais fait mes bagages depuis des semaines ?

Kate se sentit rassérénée comme par magie. Elle sourit.

— Merci d'être venue, Nana.

— Comme si tu avais pu me garder éloignée, répondit-elle avec un petit reniflement. Et Dominic avait reçu l'ordre de me tenir au courant de ta vie quand tu n'étais pas d'humeur à répondre à mes questions.

Elle tendit son sac à main à Dominic pendant qu'elle s'approchait du lit.

— Alors, je te préviens honnêtement, mon ange. Je vais *tout savoir* à partir de maintenant.

Elle ouvrit les bras et se pencha sur le lit.

— Maintenant, embrasse-moi.

Dominic fit une légère grimace en cherchant où déposer le lourd sac à main de Nana. Normalement, on ne le traitait pas comme un valet. Il marcha jusqu'aux fenêtres, déposa le sac de cuir noir sur le large rebord de marbre, puis se tourna pour voir Nana tirer une chaise jusqu'au lit.

— Allez dormir un peu, dit-elle par-dessus son épaule. Vous paraissez épuisé. Je vais rester ici avec Katie.

— Tu *devrais* rentrer et te reposer quelques heures, dit doucement Kate. Tu n'as pas dormi de la nuit.

— Je ne rentre pas. Je vais bien, répondit Dominic en s'approchant du lit. Mais si Nana est ici, je vais aller passer quelques coups de fil.

Il se pencha et embrassa Kate.

— Je reviens très bientôt, chérie.

— Bien, murmura-t-elle. Parce que je te disais ça surtout par politesse.

Il sourit près de son visage.

— Tu es encore faible. Ça affecte ton gène autoritaire.

— Alors, profite de ton court congé de mon autorité, murmura-t-elle.

— J'en ai bien l'intention, répondit-il avec un clin d'œil. Je vais te manquer ?

— À la folie.

— Super. C'est ce dont j'ai besoin. Ton genre de folie.

Tandis que la porte se refermait sur Dominic, Nana demanda :

— Qui a remporté ce combat ? Ces jointures sont terriblement amochées.

— C'est un mur de brique qui a gagné. Quand tout va de travers, je pleure et Dominic frappe les objets. Les objets, Nana, pas moi, ajouta-t-elle rapidement en voyant Nana plisser les yeux. Il est tellement bon pour moi que je me sens coupable la plupart du temps parce que je ne peux pas lui rendre la pareille.

Elle prit une profonde inspiration.

— Dominic désirait vraiment ce bébé. Nous le voulions tous les deux. Ç'aurait été une chose que j'aurais pu faire pour lui. Il n'a jamais eu de vraie famille.

— Je suis tellement désolée, mon ange. Mais la vie ne se déroule pas toujours selon nos désirs. Ne serait-ce pas merveilleux, si c'était le cas ? Mais même les meilleurs projets tournent mal. Nous ne pouvons pas tout prévoir.

— Dis ça à Dominic.

— Si on peut se fier à ses jointures, je pense qu'il le sait maintenant. En ce qui concerne les coups durs de la vie, j'ai eu ma part de malheur, tu le sais. D'abord, j'ai perdu ta mère, puis ton grand-père. Mais je ne suis pas ici pour te faire un sermon sur le fait de te braquer quand ton cœur est brisé. Toutefois, je peux t'offrir un petit rayon de soleil si tu veux.

— S'il te plaît. Je ne fais que pleurer. Je me satisferai même d'un minuscule rayon.

Nana tapota la main de Kate.

— C'est permis de pleurer, mon ange. Tu le feras probablement pendant un bon moment. J'ai subi une fausse couche avant de tomber enceinte de ta mère, alors j'ai une petite idée de ce que tu ressens. Mais en ce qui me concerne, ton grand-père a interprété ça comme un signe — un mauvais, parce que tant de ses amis avec qui il avait combattu au Vietnam avaient des enfants difformes. Ils savaient que c'était à cause de l'agent orange. Le gouvernement le savait, mais il ne voulait tout simplement pas l'admettre. En fait, il s'est opposé aux revendications des anciens combattants pendant des années alors que tous ces enfants infirmes n'arrivaient pas à terme ou naissaient avec de graves problèmes de santé. Même quand le gouvernement a finalement perdu devant les tribunaux, il n'a versé qu'environ 3000 dollars à chaque ancien combattant touché.

— Seigneur, Nana, souffla Kate. Comme c'est terrible.

— Tu parles que ça l'était, pour plein de familles. Ton grand-père se fichait de l'argent versé. Son entreprise a toujours été prospère. Mais il ne voulait pas qu'un de ses enfants souffre parce qu'il avait passé une année dans un pays qu'on aspergeait régulièrement avec l'agent orange. Alors, après ma fausse couche, il tenait encore plus à ne pas avoir d'enfant. « Plus de bébés, Lori Lee », avait-il dit. Quand il employait mes deux prénoms comme ça, je savais toujours qu'il était vraiment convaincu de ce qu'il pensait.

Kate écarquilla les yeux.

— Tu as raison, dit Nana sans ménagement. Je n'ai pas écouté. Je trouvais que j'avais aussi mon mot à dire. Alors, quand je suis tombée enceinte de ta mère, je ne l'ai dit à ton grand-père qu'environ cinq mois plus tard. J'ai toujours été plutôt mince et Roy travaillait de longues heures, alors j'ai pensé pouvoir bien m'en tirer.

— Wow, Nana. Qu'est-ce que grand-père a dit quand il l'a appris ?

— Il n'a pas dit un mot. Il a simplement tourné les talons, est sorti de la maison, et je ne l'ai pas vu pendant deux semaines. Il dormait au magasin. Il est revenu tôt un dimanche matin, je m'en souviendrai toujours. C'était l'été, la période la plus occupée pour lui, mais il est apparu à la porte de notre chambre et m'a regardée de l'air le plus triste que j'ai jamais vu. « Vinnie me remplace », a-t-il dit, comme si je l'avais demandé.

» Puis, il a poursuivi à sa propre manière douce ; tu sais que ton grand-père n'a jamais élevé la voix. Il a dit : « Je t'aime, Lori. Je ne serais pas revenu du Vietnam, si je ne t'avais pas aimée au point de refuser de mourir. Alors, si tu veux cet enfant, je le veux aussi. Si quelque chose ne va pas chez lui, nous allons simplement en prendre soin. C'est tout. Nous n'avons pas besoin de reparler de ça ». Et il n'a plus jamais abordé ce sujet. Ta mère était magnifique et en bonne santé. Roy était tellement heureux qu'il a distribué des cigares pendant près d'une année. La raison pour laquelle je te raconte tout ça, c'est parce que je ne veux pas que tu croies que ce qui est arrivé se reproduira nécessairement. Et je pense que si tu parles à d'autres femmes qui ont subi des fausses couches, la plupart te diront qu'elles ont maintenant des familles en pleine santé. Je ne te dis pas que tu ne devrais pas pleurer cette perte. Ce n'est que normal. Mais ce n'est pas la fin de tout.

Elle sourit tout à coup.

— Et je suis pratiquement certaine que Dominic ne va pas dire, comme l'a fait ton grand-père, qu'il ne veut plus d'enfants. Alors, c'est un fardeau de moins, mon ange.

— Avec toi et grand-père, ce n'est pas étonnant que je sois si entêtée.

Nana lui lança un clin d'œil.

— J'aime penser à l'entêtement d'une manière positive; comme la détermination et la force.

— Et le fait que les choses se passent à ta façon, murmura Kate.

Nana éclata de rire.

— Peut-être parfois; ou peut-être plus que parfois. Tu ne te souviens pas beaucoup de ta mère, mais elle aussi savait ce qu'elle voulait. Ton grand-père et moi nous sommes toujours reprochés mutuellement son impétuosité de taureau. Alors, je suppose que tu es génétiquement prédisposée.

— Merci, Nana. Maintenant, j'ai une excuse.

Kate sourit, une nouvelle chaleur dans les yeux.

— Et le fait de t'entendre parler de ta fausse couche me donne de l'espoir. J'en ai besoin.

— C'est pourquoi je te l'ai racontée. Considère que je suis ici pour te donner tout l'espoir dont tu as besoin. Quand on a vécu aussi longtemps que moi, on a tout plein d'histoires réconfortantes. Parlant de se sentir réconfortée — as-tu hâte à ton mariage? Moi, oui. Je commençais à m'inquiéter.

— Désolée de ne pas te l'avoir dit plus tôt, mais tout allait mal pendant un moment.

— Je ne cherche pas à avoir un récit détaillé. Peu importe ce qui s'est passé, je suis heureuse que ce soit terminé. L'amour peut aller de travers. La vie aussi. C'est difficile d'exiger la perfection chaque jour de chaque semaine. Crois-moi, je le sais.

CHAPITRE 17

La suite royale fut prête à 17 h, accordant à Mme Hastings le droit de fanfaronner pendant au moins la décennie suivante. Elle avait réalisé l'impossible en 12 heures.

Max conduisit Nana au salon pour la présenter aux invités et Dominic escorta Kate jusqu'à la suite pour qu'elle puisse se mettre à son aise avant que les festivités commencent. S'arrêtant sur le seuil avec Kate qui lui tenait fermement le bras, il regarda la suite décorée en fronçant quelque peu les sourcils. Elle ressemblait à une version exagérée du film *Songe d'une nuit d'été.*

Mais Kate souriait en parcourant la salle des yeux, puis dit : « Wow... » d'un air comblé. Le froncement de Dominic disparut instantanément.

— Des roses jaunes comme ce matin-là à Hong Kong, murmura-t-elle en levant les yeux vers Dominic. Tu es *vraiment* un romantique.

— Seulement pour toi, chérie. Je voulais te voir sourire.

Elle lui adressa un clin d'œil.

— Bon boulot, M. Knight.

Il lui embrassa la joue.

— Ça a été un plaisir pour moi, Mlle Hart.

— Plus pour longtemps, ce « Mademoiselle ».

— Non, répondit-il en lui servant un de ces sourires qui lui coupait le souffle. Les rêves peuvent vraiment se réaliser.

Puis, Mme Hastings s'approcha avec grâce, élégante dans un tailleur haute couture bleu pâle et ses perles, les cheveux bien en place malgré le fait qu'elle avait passé les 12 dernières heures à lancer des ordres à des dizaines de gens pour porter ce mariage au niveau de perfection auquel s'attendait un client de l'importance de M. Knight. Ce qui expliquait également une certaine inquiétude dans son regard quand elle demanda :

— Est-ce que ça ira, M. Knight ?

— Demandez à Katherine, dit-il plaisamment. C'est pour elle.

La suite était remplie de roses jaune pâle, leur odeur embaumant l'air, des dizaines de grands paniers et de vases débordant de somptueux bouquets, des kilomètres de guirlandes et de décorations disposées avec art. Une longue table placée contre un mur était drapée d'un magnifique brocart bordé de perles malgré la résistance initiale de Mme Hastings devant une telle extravagance. Bien que, quand son décorateur au tempérament colérique était parti d'un air vexé, elle avait dû le convaincre de revenir en s'excusant de manière abjecte — un geste qui ne lui ressemblait pas du tout, mais était nécessaire aujourd'hui puisqu'elle se trouvait le dos au mur. Nigel Bell comprit aussi que le temps manquait et il lui arracha la promesse de lui laisser exercer toute sa créativité.

Alors, la table était d'une splendeur digne de la Renaissance, avec de grands candélabres d'argent ornés de fleurs flanqués de rangées de flûtes de cristal étincelantes, décorée de plateaux d'argent attendant de recevoir la nourriture de Quinn. Plusieurs superbes torchères d'argent disposées ici et là contribuaient à embellir la suite. Et une fois son œuvre fantasque terminée, l'important décorateur, qui avait été tiré du lit ce matin pour faire du mariage de Dominic un magnifique événement, l'avait présentée à Mme Hastings avec une petite révérence théâtrale et un air triomphant.

— C'est renversant, Mme Hastings, murmura Kate tout à fait enchantée comme l'avait souhaité Nigel. Vraiment éblouissant.

Mme Hastings se détendit visiblement ; les gens qui connaissaient bien son air autoritaire auraient été surpris.

— Je suis ravie que vous aimiez ça. M. Knight a exigé les roses jaune pâle.

— Il sait que je les aime, répondit Kate en regardant Dominic avec une lueur de joie dans les yeux. N'est-ce pas ?

— J'ai une très bonne mémoire, Katherine, dit-il très doucement. Je pense que tu le sais.

Mme Hastings se racla la gorge, et dit en indiquant un vieil homme en noir debout près des fenêtres :

— J'aimerais vous présenter le pasteur.

— Bien sûr, fit Dominic. Laissez-moi une minute pour mettre Katherine au lit. Elle est encore assez faible. Est-ce que Mlle Strahan a envoyé quelque chose qu'elle pourrait porter ?

— C'est dans la penderie.

Quelques minutes plus tard, Katherine était installée dans le lit et Mme Hastings fit signe au pasteur de s'approcher. On fit les présentations, puis Dominic remercia le pasteur d'être venu dans un si court délai. Il expliqua que Max faisait attendre les invités dans le salon adjacent, puis demanda poliment s'ils pouvaient sortir brièvement pour que Katherine s'habille.

Quelques instants plus tard, il apporta la robe, et ils découvrirent que la jeune styliste avait simplement allongé le modèle que Kate avait choisi et ajouté une bordure de joyaux à l'ourlet.

Avec les boutons à l'avant, il était facile de s'y glisser même au lit. Elle lissa de ses mains la soie couleur crème, puis frôla du bout des doigts les bijoux étincelants.

— Ils sont magnifiques. Je me sens comme une princesse. Tu aimes ?

Comme Dominic ne répondait pas, elle leva les yeux sur lui.

Se rappelant à quel point ils avaient été heureux quand Katherine avait choisi la robe adaptée à sa grossesse, il était tout à coup submergé par la tristesse. Mais, saisissant les paroles de Kate, il sourit rapidement.

— C'est parfait. Tu es parfaite. Je ne pourrais être plus heureux.

— Menteur.

Il abaissa légèrement les cils, dissimulant son regard.

— Je suis heureux que nous nous mariions, dit-il d'une voix douce. Je suis heureux à propos de toi et moi et de notre avenir.

Il hésita un bref instant, puis ses yeux s'ouvrirent soudain et il les fixa sur elle.

— C'est une torture que de penser à tout le reste.

— Il le faut quand même.

— Peut-être que tu y parviens. Je réagis habituellement à la détresse par un type quelconque de violence.

Il s'interrompit, prit une profonde inspiration, réprima avec effort le tumulte frénétique et la sombre animosité dans son cerveau.

— Mais si tu veux en parler, ajouta-t-il, je t'écouterai.

— Tu ne peux pas en parler ?

Il lui fallut un long moment pour répondre.

— Non.

— J'ai *besoin* de parler du bébé.

— Je sais, dit-il en la fixant des yeux pendant un autre long moment, puis il dit finalement : Vas-y. Parle.

Elle lui parla du sentiment de vide dont elle n'arrivait pas à se débarrasser, de sa profonde culpabilité ; elle lui dit comment elle avait regardé des noms d'enfants et qu'elle aurait vraiment aimé James pour un garçon, si ça ne l'avait pas dérangé. À ce moment, il ferma les yeux pendant une seconde. Vers la fin, elle lui parla de la fausse couche de Nana avant la naissance de sa mère.

— Alors, c'est peut-être génétique et la deuxième fois sera la bonne. Mais ça ne veut pas dire que ce n'est pas horriblement douloureux, murmura-t-elle. Parfois, j'ai envie de frapper quelque chose aussi. Tu n'es pas le seul.

Il était assis au bord du lit pendant qu'elle parlait, et maintenant il se pencha vers elle.

— Fais-le, je t'en prie.

Elle eut un faible sourire.

— Au moins, je ne peux pas froisser cette chemise davantage qu'elle l'est.

— Martin m'en a apporté une autre. Elle est ici quelque part, dit-il avant d'ouvrir largement les bras. Allez, juste quelques coups. Nous allons tous deux nous sentir mieux.

Elle le frappa durement à la poitrine, deux fois avec chaque poing.

Il haussa les sourcils.

— Vraiment, c'est tout ce que tu peux faire ?

Elle le frappa au visage, il tomba sur le lit en gémissant et elle rit.

— Bon Dieu, quel adolescent tu fais.

Il se rassit et lui donna un rapide baiser.

— Alors, tu vas devoir m'apprendre à devenir adulte. Et je vais t'apprendre à devenir une femme d'affaires impitoyable. Nous allons mettre en commun nos compétences.

Elle lui jeta un petit regard oblique.

— Tu ne veux plus parler de ça, n'est-ce pas ?

Le bleu de ses yeux était insondable.

— Non.

— OK, je vais garder le reste pour plus tard, mais encore une chose. La fausse couche pourrait avoir un lien avec l'injection pour la contraception. Possiblement. Tu peux au moins reconnaître ça, n'est-ce pas ?

Il laissa échapper un petit soupir, regarda ses mains pendant un moment, leva les yeux.

— Ouais, dit-il. J'y ai pensé. Donc, ce serait ma faute.

— Ce n'est la faute de personne, Dominic. C'est seulement une cause possible.

— Écoute, dit-il, je vais aller m'habiller maintenant, si ça te va.

Elle sourit.

— Merci de m'avoir écoutée.

Il inclina la tête, descendit du lit et s'éloigna.

Elle le regarda retirer sa chemise, la lancer dans la penderie, enfiler une chemise rayée, la boutonner rapidement et la rentrer dans son pantalon, ses mouvements rapides et sûrs, son efficacité tout en douceur toujours fascinante à observer. Il n'y avait pas un geste inutile, comme s'il était habitué de s'habiller rapidement, mais ce n'était pas une pensée sur laquelle elle désirait s'attarder.

Il enfila un veston Prince de Galles gris que Martin lui avait apporté, laissa la cravate sur le cintre, puis ajusta ses boutons de manchettes, boutonna le veston, ferma la porte de la penderie, puis se retourna vers Kate.

— Tu es plus beau que moi, dit Kate en souriant.

Ses cheveux noirs mi-longs étaient ébouriffés comme s'il se tenait constamment dans le vent. Il affichait sa beauté sans ostentation. Son grand corps aux épaules larges était puissant et musclé, sa perfection physique, improbable, miraculeuse.

— Je ne te viens pas à la cheville, Katherine, dit-il doucement. Tu es tellement belle que j'en ai le souffle coupé. Tu es le meilleur cadeau que la vie m'ait fait.

Pendant une seconde, ses yeux se plissèrent.

— J'aimerais t'enfermer, ajouta-t-il, ses narines palpitant brièvement, mais je sais que je ne le peux pas.

Sa bouche se tordit en un petit sourire.

— Toutefois, je ne te garantis rien, termina-t-il.

— Nana pourrait être armée, le taquina Kate. Alors, fais attention.

— D'après Max, c'est le cas.

— Seigneur, gémit Kate. Pourquoi je ne suis pas surprise ?

— Parce qu'elle a 75 ans, dicte ses propres règles et qu'elle savait qu'elle voyagerait dans un avion privé. Voilà pourquoi.

— Tu aurais pu lui faire enlever ça.

Dominic éclata d'un si long rire que la bouche de Kate se plissa fermement avant qu'il s'arrête finalement.

— Ce n'était pas si drôle, dit-elle avec un petit reniflement.

— Oui, ça l'était. Elle a dit à Max qu'il ne devait même pas penser à lui enlever son pistolet. Il lui a répondu qu'il n'était pas stupide à ce point, et ils ont atteint un degré de détente cordiale. Ce qui signifie faire les choses à la manière de Nana et qui contribue aussi à expliquer la difficulté que j'ai eue à te faire marcher droit.

— Je suis désolée, dit-elle d'une voix mielleuse. As-tu dit « me faire marcher droit ? ».

— Nous pourrons en reparler plus tard, une fois mariés.

Elle haussa les sourcils.

— Ou bien nous pourrions en parler maintenant.

— Pourquoi n'irais-je pas chercher nos invités ? dit-il en se dirigeant vers la porte.

— Lâche.

Il sourit.

— Je préfère penser qu'il s'agit de diplomatie, rétorqua-t-il en saisissant la poignée de porte. Tu ne devrais pas t'énerver. Tu es en convalescence.

Mais Kate souriait quand la porte se referma sur Dominic.

CHAPITRE 18

Pendant la cérémonie, Nana se tint debout d'un côté du lit, et Dominic, de l'autre, la main de Kate dans la sienne tandis que le pasteur lisait les vœux. Les invités étaient les gens de chez Dominic et le personnel du bureau qu'il ne pouvait ignorer, de même que Nigel Bell et Mme Hastings qu'on avait invités par reconnaissance pour leurs réalisations magistrales. La pièce était remplie.

Max fronça les sourcils en direction de Nigel quand celui-ci sortit son téléphone cellulaire et s'apprêta à prendre une photo du couple, et même un homme bravache comme lui comprit le danger. Il rangea vite son téléphone et Max tourna de nouveau son attention vers la cérémonie.

On en était au moment de l'échange des alliances. Le pasteur attendit pendant que Dominic prenait deux anneaux dans sa poche de veston, en tendait un à Kate, puis se penchait légèrement vers l'avant.

— Regarde à l'intérieur, dit-il doucement, comme s'ils étaient seuls dans la pièce, seuls au monde, son attention concentrée exclusivement sur Kate.

Elle tourna le large anneau d'or dans ses doigts et lut l'inscription : *Katherine aime Dominic* suivie d'un visage souriant en émail coloré.

— J'espère que ça ne te dérange pas, ajouta-t-il. Je l'ai supposé.

Le sourire de Kate était rempli d'amour.

— C'est parfait.

— Tu vois, sur le tien c'est écrit *Dominic aime Katherine*, avec un visage souriant aussi.

Il lui tendit son alliance ornée de diamants à taille carrée.

— Pas « propriété de » ? murmura-t-elle sur un ton taquin.

— Je me suis dit que c'était ce que signifiaient les anneaux. Propriété mutuelle de.

Cette fois, elle lui adressa un sourire espiègle.

— Bonne idée.

Se penchant encore plus près, Dominic dit d'un ton brusque :

— Je suis sérieux, Katherine.

— Tu fais mieux, répondit-elle en haussant les sourcils en signe d'avertissement, parce que je suis *super* sérieuse à ce propos.

Parmi toutes les qualités audacieuses dans leur relation, la plus puissante était peut-être la nature obsessive de leur amour. Il était mystérieux et renversant, exubérant et chaste, un authentique miracle que reconnaissait en particulier Dominic après avoir été seul pendant si longtemps.

Nana se racla la gorge et Dominic leva les yeux.

— Je suis une vieille dame et je n'aime pas rester debout très longtemps. Pourriez-vous tenir cette discussion plus tard ?

Kate, mal à l'aise, rougit.

La bouche de Dominic se tordit, mais il réprima son éclat de rire, pensant que le pasteur s'en offusquerait probablement.

— Excusez-moi, Nana. C'était malpoli de ma part de vous faire attendre.

Puis, il fit signe au pasteur de poursuivre la cérémonie.

Cette fois, ce fut la bouche de Nana qui se tordit et elle souhaita que Roy soit encore vivant. Il aurait aimé Dominic. Il était tout aussi imperturbable. Et elle leva les yeux au ciel pendant une seconde pour envoyer un message à son mari parce qu'elle lui parlait beaucoup et qu'elle voulait qu'il le sache : « Notre petite-fille chérie épouse un homme bon, Roy. Est-ce que tu souris ? ».

Quand la cérémonie se termina et que le pasteur prononça la phrase traditionnelle « Vous pouvez embrasser la mariée », Nana attendit poliment que Dominic ait embrassé Kate avant de dire :

— Grand-père voulait t'embrasser aussi.

Elle déposa un baiser sur la joue de Kate.

— Et un autre de ma part, ma chérie, murmura-t-elle en l'embrassant encore.

— Ne pleure pas, Nana, sinon je vais pleurer aussi, murmura Kate en voyant les larmes monter aux yeux de sa grand-mère. Et remercie grand-père.

— Il sait, répondit Nana en clignant des yeux et en souriant. Maintenant, je ne sais pas en ce qui te concerne, dit-elle en changeant de sujet, mais ce champagne qui vient du fond de la mer Baltique m'intrigue.

Elle regarda Dominic.

— Ça s'en vient, Nana.

Il venait à peine de parler quand un des serveurs de Quinn apparut, portant quatre verres sur un cabaret.

Le pasteur ne resta pas longtemps et, que ça ait été en raison de son départ ou parce que la moitié des bouteilles de champagne avaient déjà été consommées, la réception devint plus joyeuse. Le champagne rebouché était excellent même après avoir reposé sous 250 mètres d'eau pendant presque 2 siècles.

Nana s'amusait fort en divertissant Nigel et d'autres invités avec des histoires de pêche dans les Boundary Waters, comparant ses expériences avec celles du décorateur à propos des appâts; il fabriquait lui-même les siens pour la pêche à la truite. On aperçut même Mme Hastings afficher un véritable sourire quand Nana la complimenta non seulement sur l'organisation du mariage, mais sur ses perles.

— C'est un héritage de famille? demanda-t-elle poliment.

Mme Hastings lui raconta en long et en large l'histoire de son collier tandis que Nana inclinait la tête et souriait avec intérêt. Des décennies de conversations polies avec des parents qui pensaient que leurs enfants étaient des génies avaient affiné ses aptitudes en matière de diplomatie. Elle n'avait pas toujours recours à son franc-parler.

Après avoir trinqué et goûté le délicieux buffet scandinave de Quinn, accepté les félicitations de tous leurs invités et bavardé avec chacun d'eux, Dominic et Kate se détendirent sur le lit, se réjouissant du niveau croissant de conversation et de convivialité. Ayant retiré son veston et ses chaussures, Dominic enlaça Kate, heureux, profondément satisfait, soulagé que leur relation soit maintenant officialisée, qu'ils soient enfin mariés. Il n'avait jamais été un homme disposé à attendre pour obtenir ce qu'il voulait.

Il n'était que normal que son plaisir soit en partie assombri par la perte de leur enfant.

« Katherine est mienne, songea-t-il, à la fois obsessif et rempli d'adoration, maintenant et pour toujours ».

Ce qui contribuait certainement à amoindrir sa douleur.

Se rendant compte que Dominic était tout à coup silencieux, Kate se tourna pour le regarder.

— Comment te sens-tu?

En voyant son air impassible, elle ajouta :

— Désolée. Mauvaise question avec toi. Es-tu bien ?

— Oui. Et ne te fâche pas, mais j'étais en train de penser que tu m'appartenais pour toujours, dit-il en souriant faiblement. Il se trouve que j'aime bien l'idée.

— Ce n'est pas un problème. Je sais ce que tu veux dire à propos du fait d'avoir quelqu'un.

Elle passa un pouce sur un de ses boutons de chemise, puis le regarda et baissa la voix.

— Tu avais ta sœur et j'avais grand-père et Nana…

Elle s'interrompit un moment.

— Mais tu as toujours eu l'impression…

— D'être un peu seul, termina Kate d'une voix douce.

— Ouais, répondit-il d'un air grave. Parfois plus qu'un peu.

— Et maintenant, nous ne sommes plus seuls, fit-elle en souriant.

Il glissa son index sous le menton de Kate, releva son visage. Leurs regards se croisèrent.

— Et maintenant, nous ne sommes plus seuls, murmura-t-il avant de l'embrasser lentement, tendrement.

Et, débordants de bien-être, ils gravèrent dans leur mémoire la beauté et la magie pures du moment.

Après leur baiser, Dominic observa Kate d'un air légèrement étonné.

— Quoi ? J'ai fait quelque chose ?

Il commençait à déchiffrer les humeurs de Kate. Ou peut-être qu'il l'aimait suffisamment pour y prêter attention.

Elle secoua la tête.

— Ce n'est que moi. Je me sens vraiment heureuse et coupable de l'être à ce point. Comme si c'était mal ou que je ne devrais pas être si…

— Non, l'interrompit-il doucement. C'est un nouveau jour, OK ? Il le faut, sinon nous n'allons pas pouvoir traverser ça.

— Je sais, répondit-elle en soupirant. Tu as raison.

Voulant anéantir ce soupir ou en porter lui-même le poids, il dit d'un air sérieux :

— Bon Dieu, laisse-moi saisir ce moment pour la postérité.

Il fit semblant de cocher quelque chose dans l'air avec son doigt, puis sourit légèrement.

— Tu dis que j'ai *raison* ?

— Peut-être seulement cette fois, dit-elle en riant.

— Non-non, pas seulement cette fois. Maintenant que tu m'appartiens et que tu ne peux pas te sauver, je vais commencer à t'entraîner. T'enseigner à recevoir des ordres. Te faire comprendre que j'ai *toujours* raison.

Elle se redressa.

— Ça n'arrivera jamais.

— Ça pourrait bien arriver, dit-il d'une voix traînante.

— Pas question.

Mais elle souriait.

— Un deux de trois aux échecs ? proposa-t-il. Je fixe les règles.

— Ne te gêne pas, mais tu n'as quand même aucune chance.

Son visage s'empourpra.

— Nous verrons ça.

— Quand tout le monde sera parti, dit-il, heureux d'avoir évité au moins pour l'instant un autre déversement de larmes.

Même s'il savait que ni l'un ni l'autre ne pourraient jamais oublier leur perte irrécupérable.

Mais ils ne jouèrent pas aux échecs ce soir-là parce que, quand tous les invités furent partis, Kate était trop fatiguée. Nana l'embrassa en lui souhaitant bonne nuit et partit avec Max qui la ramena à la maison. Avant de quitter les lieux, Mme Hastings et Martin s'occupèrent de faire rapidement nettoyer la suite. Puis, Dominic aida Kate à se préparer à se mettre au lit et la tint dans ses bras jusqu'à ce qu'elle s'endorme. Il avait encore deux appels à faire avant qu'ils puissent quitter Londres, alors il attendit qu'elle dorme profondément et il se glissa hors du lit, puis se rendit dans le corridor.

Justin répondit dès la première sonnerie.

— J'ai besoin de ton aide à propos du contrat de Katherine avec CX Capital, dit Dominic. Nous quittons Londres dans un jour ou deux. La bonne nouvelle, c'est que je suis marié depuis cinq heures. La mauvaise, c'est que nous avons perdu le bébé. Nous sommes à l'hôpital St Mary's. Le médecin dit que Katherine peut prendre l'avion après-demain.

— Je suis désolé à propos du bébé. Ça doit faire terriblement mal.

— Ouais, ça me tue.

Un silence à couper au couteau s'installa.

De toute évidence nerveux, Justin parla le premier.

— Si ce n'est pas inconvenant dans les circonstances, félicitations pour votre mariage. Je sais que Katherine est…

Il hésita, écartant les mots ayant trait à l'amour, compte tenu des antécédents de Dominic.

— … importante pour toi.

Dans d'autres circonstances, Justin aurait fait une blague ou deux à propos de Dominic et du mariage.

— Merci, je t'en suis reconnaissant, dit Dominic comme s'il ne sentait pas la nervosité de Justin au bout de la ligne. Ça fait un bon moment que je veux épouser Katherine. Maintenant, si tu as besoin de nos avocats pour régler les choses avec CX Capital, parles-en à Roscoe, dit-il d'un ton sec en revenant au sujet de conversation. Si tu as besoin de quelqu'un d'autre que des avocats pour régler ça, si je dois parler à quelqu'un, *dis-le-moi.*

— Je ne prévois pas de problèmes, répondit Justin en s'ajustant rapidement au ton professionnel de Dominic. Bill est un bon gars. Je lui expliquerai la situation. C'est tout à fait compréhensible. Et si je peux faire quoi que ce soit d'autre pour aider…

Il laissa sa phrase en suspens.

— Merci. C'est tout ce dont j'ai besoin pour le moment, répondit Dominic d'une voix soudain fatiguée. Je t'appellerai plus tard pour m'assurer que tout s'est bien passé. Ciao.

Quand il parla à Joanna, sa réaction devant la nouvelle de la fausse couche de Kate fut tout à fait féminine ; elle offrit d'emblée ses condoléances.

— Oh, comme c'est affreux ! Êtes-vous sûr que Kate va bien ? Est-ce qu'elle voudrait quelqu'un auprès d'elle ? Comme c'est horrible pour vous deux ! Je ne peux imaginer quoi que ce soit de plus triste alors que vous étiez tous deux si impatients d'avoir un enfant. Dites-moi seulement ce que je peux faire pour vous aider.

S'il n'avait pas été si épuisé, Dominic aurait pu sourire en songeant à la différence entre les réactions féminines et masculines, mais il dit plutôt sur un ton le plus amical possible compte tenu de la situation :

— Merci, Joanna, mais nous gérons tous deux la douleur dans une certaine mesure. Nous nous sommes mariés il y a quelques heures, alors il y a un certain plaisir dans tout ça.

— Mariés ! C'est merveilleux. Et je ne vais pas vous servir ce cliché à propos d'une future famille, mais vous savez ce que je pense.

— Je le sais. Nous quittons Londres dans un jour ou deux. Je voulais seulement vous en informer. Katherine dort en ce moment.

La journée a été longue pour elle. Je lui dirai que je vous ai parlé. Elle m'a donné la permission de vous dire qu'elle partait. Nous nous comprenons bien ?

— Oui, bien sûr.

— Je dirai à Katherine que vous avez été pleine d'égards à propos de ce qui lui est arrivé. Veuillez accepter mes remerciements pour votre compréhension.

Il s'interrompit brièvement et son épuisement était évident dans sa voix quand il ajouta :

— Vous pouvez vous attendre à de nouveaux clients de temps en temps. Et je ne fais pas ça par générosité. Vous êtes excellente.

— Merci. C'est très gentil de votre part. Mais avant que vous raccrochiez, j'aimerais venir rendre visite à Kate si elle se sent d'attaque.

« Non, ne faites pas ça. Vous pourriez tout gâcher », pensa-t-il.

— Je suis certain qu'elle aimerait vous voir, dit-il plutôt parce que Katherine était maintenant sa femme ; il pouvait composer avec n'importe quoi en se fondant sur la permanence de ces liens. Je dirai à Katherine que vous allez passer.

Après avoir terminé ces deux appels nécessaires, Dominic retourna dans la suite et passa une autre heure à s'occuper de ses courriels. Puis, il trouva un pantalon de pyjama et un t-shirt que Martin avait mis dans ses bagages, les enfila et ouvrit le lit d'appoint qu'il avait fait apporter.

Il demeura immobile pendant un moment, son regard fixé sur Kate, se demandant s'il allait la déranger en la rejoignant dans le lit. Il eut un petit sourire. Et puis, merde — c'était sa *nuit de noces*, après tout.

Un yogi n'aurait pu le faire mieux : il bougea chaque muscle avec une extrême lenteur tandis qu'il grimpait dans le lit, passait ses bras autour de Kate et l'attirait doucement contre sa poitrine. Elle soupira une fois en se blottissant davantage.

Il sourit. Dieu du ciel, c'était un son incroyablement beau.

Une seconde plus tard, il dormait.

CHAPITRE 19

Kate se sentait si bien le lendemain matin qu'elle était prête à partir, mais la D^re^ Fuller insista pour qu'elle reste à l'hôpital une journée de plus.

Alors, Dominic s'installa dans sa chambre, n'étant pas d'humeur à laisser Kate hors de sa vue, n'étant pas certain qu'il serait un jour d'humeur après l'avoir presque perdue. Quinn leur apporta le petit déjeuner, Martin leur apporta des vêtements décontractés, et Nana et Leo arrivèrent après 10 h.

— Je suis venue te dire bonjour et voir comment tu te sentais, dit Nana.

— Je me sens assez bien pour vouloir partir d'ici, mais la docteure a dit non. Demain, toutefois, dit Kate, je serai libre de partir.

Nana jeta un coup d'œil à Dominic.

— Et alors ?

— L'avion est prêt à s'envoler. J'attends seulement que Katherine se sente assez forte.

— Je suis prête, dit celle-ci.

— Nous devrions peut-être voir comment tu te sentiras ce soir. Je me suis suffisamment fait battre pour savoir que les douleurs empirent au fur et à mesure que la journée avance.

— Je peux dormir dans l'avion.

— Tu sembles vraiment prête, fit Dominic en souriant.

— Je le suis.

Nana lança un regard à Dominic, assis près de la table avec les restes de leur petit déjeuner.

— Vous allez rester ici toute la journée ?

Il acquiesça.

— Départ demain ?

— Peut-être. Ça dépend de Katherine.

— Je suppose que ce sera demain alors, fit Nana en souriant à sa petite-fille. Dans ce cas, si ça ne te dérange pas, Katie, Leo va m'emmener faire un rapide tour des musées. Il affirme qu'il peut le faire en quatre heures.

— Prends ton temps, Nana. Dominic va me divertir, n'est-ce pas ?

— Il n'y a rien d'autre que j'aimerais faire, dit-il en souriant.

Cinq minutes plus tard, ils étaient de nouveau seuls et Dominic la regarda en se versant une autre tasse de café.

— Tu en veux ? Non ? dit-il en laissant tomber quatre cuillérées de sucre dans sa tasse avant de se laisser aller contre le dossier de sa chaise. Nana doit aimer les musées si elle a décidé de faire cette tournée en vitesse.

— C'est l'enseignante en elle. Elle voit ça comme une obligation intellectuelle, fit Kate en souriant. Je ne dis pas qu'elle n'aime pas l'art et la culture, mais le devoir passe avant tout. S'il y a 5 musées en ville, ou 10, Nana va tous les visiter. Es-tu sûr que ça ne dérange pas Leo ?

— Ça ne le dérange pas. Il fait de la peinture dans ses temps libres, alors c'est un excellent guide touristique.

— Leo peint ?

— Il est très bon.

— Vraiment ?

— Vraiment. Il a eu sa propre exposition l'an dernier à Sydney et tout s'est vendu.

— Tu as acheté tous ses tableaux ? demanda Kate en souriant.

— Non-non. J'ai dû me battre contre deux personnes seulement pour en acheter un. Il peint des paysages d'une manière méticuleuse avec un réalisme qui s'approche de la photographie. Vraiment impressionnant. La peinture que j'ai achetée se trouve dans la salle à manger à Hong Kong.

— Je ne l'ai pas vue.

— Dans la petite salle à manger, dit Dominic avant de hausser les sourcils. Mère exige celle qui est officielle.

— Ah, je vois.

Il sourit.

— Tu es si polie, chérie.

— Nous ne sommes mariés que depuis une journée. Je reste encore gentille.

— Alors, je devrais rester attentif, fit-il en éclatant de rire.

— Pas toi, ta mère. Tu as besoin de quelqu'un pour te protéger.

— Et tu endosses le rôle de la lionne.

— Tu parles.

Pliant les doigts en imitant des griffes, elle rugit joyeusement.

Dominic sourit.

— Maintenant, je vais certainement inscrire *cette* petite scène sur ma liste de souhaits. Devrions-nous inviter mère à notre réception de mariage au retour ?

En voyant la grimace de Kate, l'expression de Dominic s'assombrit.

— Ne t'inquiète pas, chérie. Je ne la laisserai pas s'approcher de toi. Tu as eu une vie trop bien protégée pour faire face à la méchante sorcière. Laisse-moi m'occuper d'elle.

— Peut-être si j'avais Nana de mes côtés, fit Kate en lui adressant un sourire hésitant.

— Tu n'as pas besoin de Nana, chérie, tu m'as. Personne, y compris ma mère, ne te fera de mal.

Il ne dit pas « Je tuerais pour toi » parce qu'il ne voulait pas la faire paniquer, mais c'était une certitude dans son esprit.

— Alors, qu'est-ce que tu veux faire ?

Il prit la télécommande sur la table et haussa un sourcil interrogateur.

— Emmène-moi marcher dans le corridor. Je suis fatiguée d'être couchée ici.

Elle tint le bras de Dominic et ils marchèrent jusqu'à la boutique de cadeaux où Kate acheta quelques magazines et des friandises.

Tandis qu'ils revenaient à la suite, Dominic secoua légèrement le sac.

— Tu dois te sentir mieux. Tu as suffisamment de friandises pour…

— Moi ? dit-elle en lui lançant un bref regard. C'est ce que tu allais dire ?

Il rit.

— Pour toi et Mlle Autorité, répondit-il en lui décochant un clin d'œil. Je suis heureux que tu aies retrouvé la forme, chérie. Mais si tu te sens généreuse, je vais prendre un de ces trucs aux pacanes.

— Trucs ? dit-elle. Comme si tu ne mangeais jamais de friandises ?

— Pas beaucoup. C'est un problème ? dit-il en souriant. Souviens-toi de qui est le vrai patron avant de répondre.

Elle étira le bras, puis le frappa violemment du poing.

— Ouch, ouch ! cria-t-il.

Jetant un coup d'œil oblique à un couple qui s'était arrêté en l'entendant crier, il se tourna vers Kate avec un petit sourire.

— Temps de la récréation, chérie ?

Puis, il la souleva dans ses bras et roula des yeux en direction du couple qui était resté là, bouche bée.

— Désolé. Ce sont encore ses médicaments qui lui font ça, dit-il en passant à grands pas devant eux. Ça arrive chaque fois.

— Quel exhibitionniste ! lui souffla-t-elle en le serrant et en riant contre son cou.

— Toujours, chérie, murmura-t-il en penchant la tête et en frottant son nez dans la chaleur de ses cheveux. Alors, ne te fous pas de ma gueule en public.

— Peut-être que je m'en fiche, répondit-elle en le regardant d'un air arrogant. Que penses-tu de ça ?

Cette lueur espiègle dans ses yeux lui faisait toujours songer à quel point il était chanceux. Comment cette étrange et magique soirée à Hong Kong avait changé sa vie.

— Je pense que nous formons un couple parfait, dit-il doucement.

Les yeux de Kate se remplirent de larmes.

— Embrasse-moi, murmura-t-elle. *Tout de suite.*

— Parce que nous nous sommes trouvés l'un l'autre dans ce monde terriblement mal foutu, n'est-ce pas ?

Retenant ses larmes, elle inclina la tête.

Il s'arrêta et l'embrassa devant les ascenseurs où se tenaient une dizaine de personnes.

Mais il ne les remarqua pas.

Elle non plus.

Parce que Katherine était son univers, et lui, le sien.

Leur baiser se termina sur une salve d'applaudissements.

Dominic regarda autour de lui.

— Nous venons de nous marier, dit-il avec un sourire.

— Il veut dire que je l'ai finalement pris dans mes filets, dit Kate en riant. Et ça n'a pas été facile.

— Elle aime blaguer. J'ai dû battre son petit copain et l'emmener de force, fit Dominic en s'éloignant.

— De jeunes Américains, fit remarquer quelqu'un sur un ton neutre.

Un vieillard souriait tandis qu'il regardait Dominic partir.

— J'envie ce jeune homme. Un Californien, je dirais, d'après son accent.

— Ça explique les mauvaises manières, fit observer une femme aux lèvres pincées. Et les sandales.

— Tu as de gros ennuis, le taquina Kate. Me mettre mal à l'aise comme ça. Est-il trop tard pour annuler le mariage ?

— Il était trop tard il y a six mois, chérie. Étonnée ? Je l'étais aussi. Mais que puis-je dire… La flèche de Cupidon m'a frappé et c'en était fait de moi.

Il sourit.

— Tu veux que je compose une chanson ?

— Pas si Cupidon en fait partie.

— Je pourrais payer quelqu'un pour en écrire une.

— Ou tu pourrais te contenter de continuer à me sourire comme ça et je vais oublier que tu m'as mise mal à l'aise.

C'est à ce moment qu'il *aurait pu* discuter de qui avait démarré quoi.

— Merci, chérie, pour ta compréhension.

— OK, maintenant, tu m'inquiètes. Qu'est-ce que tu veux ?

— Que tu sois constamment près de moi, répondit-il en la déplaçant légèrement dans ses bras. Ce n'est pas grand-chose. Une seule exigence simple. Tout le reste est négociable.

— OK, oui.

Aucune hésitation, un grand sourire.

Les yeux de Dominic se plissèrent de plaisir.

— Tu es une fille intelligente, fit-il.

Parce qu'en réalité, rien de tout cela n'était négociable.

Après être revenus dans la suite, ils se rendirent compte que Kate n'était pas aussi forte qu'elle l'avait pensé, ou peut-être qu'elle s'était trop fatiguée la veille ; elle avait passé une bonne partie de la journée à dormir. Dominic travailla à son ordinateur, levant la tête toutes les cinq minutes pour vérifier sa respiration parce qu'il n'avait pas encore surmonté les événements angoissants dans la salle d'opération. Il n'était pas sûr d'y arriver un jour.

Nana et Leo revinrent en après-midi avec des commentaires élogieux sur les diverses expositions qu'ils avaient vues, Max arriva peu après avec quelques rapports pour Dominic, et Joanna arrêta après le travail. Quand Quinn apporta le dîner, Joanna resta et mangea avec eux. Ce fut une soirée festive ; la nourriture était exquise, le vin du cellier de Dominic était excellent, et le retour aux États-Unis fut le principal sujet de conversation. Joanna demeura parfaitement discrète à propos des détails de son entente avec Dominic. Et quand elle remit à Kate un chèque équivalant à la moitié de l'entreprise, Kate y jeta un coup d'œil et s'exclama :

— Dieu du ciel, non. C'est trop. Dis-le-lui, Dominic, ajouta-t-elle en lui montrant la somme. Je ne pourrais pas accepter autant.

Il y jeta un coup d'œil.

— Tu en es sûre ?

— Évidemment que j'en suis sûre. Je sais ce que nous avions en banque.

Le regard de Dominic était neutre quand il parla à Joanna.

— Pourquoi n'enverriez-vous pas un autre chèque plus tard.

Puis, il se tourna vers Kate.

— Est-ce qu'il y a une somme que tu jugerais convenable.

— Le tiers de ça.

Dominic sourit à Joanna.

— C'est assez simple. Et je sais fort bien que je ne dois pas argumenter avec Katherine à propos d'argent, dit-il en haussant les sourcils d'un air entendu. C'est elle qui décide en ces matières.

Il regarda les deux femmes.

— Tout le monde est heureux, maintenant ?

Comme Max était allé porter le chèque de Dominic à Joanna, il était parfaitement conscient de ce qui se jouait. Nana ne participait pas à ce jeu, mais elle n'était pas née de la dernière pluie et elle savait d'une manière ou d'une autre que Dominic était derrière ça. Toutefois, comme de toute évidence il faisait en sorte que Kate ne soit pas obligée de rester à Londres, elle était d'accord. S'agissant du fait que Katie revienne à la maison, elle et Dominic étaient tous deux égoïstes.

Si Katie avait voulu demeurer à Londres, Nana ne s'y serait pas opposée.

Heureusement, ce n'était pas un problème.

CHAPITRE 20

Le lendemain, la D^{re} Fuller fut retardée en faisant sa tournée. Après avoir attendu quelque temps, Dominic alla s'informer et on lui dit que les médecins s'occupaient de deux urgences.

— Elle viendra aussitôt qu'elle le pourra, expliqua-t-il à Kate en revenant. Une quelconque crise est survenue.

Il fronça les sourcils et indiqua une chaise.

— Tu n'es pas autorisée à faire les cent pas.

Kate fit une moue.

— Je me sens bien.

— Merde, assieds-toi. Je ne veux pas de problèmes.

— Tu n'es pas mon patron, dit Kate avec un sourire. Ou en tout cas, pas encore.

— Bon Dieu, Katherine, tu ne vas pas si bien, fit-il en la regardant d'un air étonné. N'est-ce pas ?

— Tu te souviens quand la D^{re} Fuller a mentionné la résilience de la jeunesse. Je me sens en super forme. Mais je vais m'asseoir si tu vas garder cette mine renfrognée. Dans l'intérêt de…

— Me plaire ? acheva-t-il doucement.

— J'allais dire de ne pas te mettre en colère alors que je veux quitter Londres.

Dominic éclata de rire.

— À quoi pensais-je ? Toutefois, il semble que j'aie une certaine influence pendant un moment.

— Pour un temps limité, dit-elle, puis elle s'assit, joignit ses mains sur ses genoux et lui sourit. Profites-en pendant que tu le peux.

Il leva les mains, plaça ses doigts en forme de cadre comme pour prendre une photo et sourit.

— Laisse-moi savourer ce moment. De grands yeux innocents, une pose soumise, même Martin y a contribué par hasard en t'apportant cette petite blouse blanche et cette jupe fleurie.

Son sourire s'élargit et il laissa retomber ses mains.

— Es-tu certaine de bien te sentir ? Pas de fièvre ou autre chose ?

— Très drôle. Est-ce que je ne peux pas avoir l'esprit pratique ou être raisonnable ?

— Vraiment ?

— Est-ce que c'est si difficile à imaginer ?

— De la part de mon amoureuse à l'humeur volatile ?

Puis, il la vit déglutir et ajouta :

— Je peux très bien imaginer ça, chérie. Vraiment.

— Je veux rentrer à la maison, Dominic, murmura-t-elle.

La tristesse dans ses yeux lui déchira le cœur.

— Oh, mon Dieu, je suis désolé.

S'approchant rapidement d'elle, il s'agenouilla et prit ses mains dans les siennes.

— Je ne devrais pas te taquiner. Aussitôt que nous aurons l'accord de la docteure, nous allons faire nos bagages et partir.

Il se pencha et l'embrassa sur la joue.

— Maintenant, trouvons quelque chose à faire jusqu'à ce que la D[re] Fuller arrive. Pour te changer les idées.

Elle ne répondit pas pendant si longtemps qu'il se reprocha d'avoir été si foutrement insensible.

— Bien sûr, dit-elle finalement, et le cœur de Dominic redémarra.

— Tu veux regarder des magazines ?

Sa voix était extrêmement douce parce qu'il craignait de la faire sursauter s'il parlait trop fort tandis qu'elle regardait fixement un point par-dessus son épaule.

— Ou peut-être regarder la télé, ou bien aimerais-tu voir quelques-uns de mes rapports ? Max m'en a apporté…

— Montre-moi les rapports.

Elle le regardait droit dans les yeux, sa tristesse évidente, mais elle était de toute évidence revenue en ce monde et il sentit cette étincelle impétueuse et cet optimisme joyeux qu'il éprouvait toujours avec elle.

— Tu en es certaine ? demanda-t-il doucement parce qu'il s'était déjà fourvoyé une fois et qu'il n'allait pas le refaire une deuxième fois en deux minutes.

— Tu as dit que tu allais m'enseigner à devenir une femme d'affaires impitoyable, dit-elle tandis qu'un courant de tristesse résonnait encore dans sa voix. Si tu avais dit « entêtée », je t'aurais dit qu'il était trop tard.

Elle sourit presque pendant une seconde.

— Mais impitoyable ? J'ai besoin que tu me l'apprennes. Si tu as le temps.

Pendant une seconde de rêverie, il eut l'impression de s'être fait offrir les clés du paradis et chaque image qu'il avait imaginée de Katherine travaillant à ses côtés lui remplit l'esprit en un brillant éclair.

— J'en ai le temps, dit-il en gardant sa voix neutre. Je vais aller chercher les documents.

Au cours de la demi-heure qui suivit, Dominic expliqua à Kate les détails de deux accords sur lesquels il travaillait, l'un concernant une compagnie d'informatique en démarrage, l'autre, un réseau de communications en Inde qui exigeait une importante courbe d'apprentissage sur la souplesse des politiques gouvernementales. Il était un bon enseignant ; méticuleux, patient, connaissant sa matière. Et Kate n'avait pas acquis sa réputation de bidouilleuse informatique géniale pour rien. Elle était rapide ; il n'avait pas besoin de se répéter. Et quand Dominic tourna la dernière page du contrat, elle dit :

— Ce n'est pas si mal. Tu ne m'as pas perdue. Mais si j'étais toi, je songerais à négocier moi-même l'entente et économiser ces frais.

— Je travaille avec Naren depuis des années.

— Ça explique ses tarifs exorbitants. Ça dépasse de loin la norme. Si tu ne veux pas faire fâcher un collègue d'affaires, quelqu'un d'autre devrait lui faire remarquer cet écart.

— Tu veux le faire ?

— Bien sûr. Je peux être le mauvais flic, et toi, le bon.

Il fit la grimace.

— Naren et moi faisons de la voile ensemble. De temps en temps, nous faisons des courses dans la même équipe.

— Je comprends. Pas de problème. Tu peux te le permettre.

Il sourit.

— Toutefois, je devine que tu vas m'aider à améliorer mes marges de profit dans l'avenir.

Se laissant aller contre le dossier de son fauteuil, elle écarta les bras, la tristesse disparue de ses yeux.

— Je suppose que tu as raison.

Le sourire de Dominic était radieux ; il n'y avait pas d'autre mot qui puisse le qualifier.

— Bienvenue à bord des Entreprises Knight, Mme Knight.

Il se pencha et l'embrassa.

— Tu ne sais pas quel point ça me rend heureux. Je n'aime pas être éloigné de toi.

— Tu pourrais te fatiguer de m'avoir chaque jour à tes côtés. Sérieusement, Dominic.

— Je suis sérieux. S'il existe vraiment une vallée de l'ombre, j'y suis allé, et maintenant que je l'ai traversée, je ne vais pas te laisser hors de ma vue.

— Bien, répondit-elle en le regardant d'un air réjoui, parce que c'était moi qui faisais preuve de délicatesse avant.

— Au diable ça, dit-il en riant. C'est peut-être une obsession dangereuse, mais j'aime ça, alors oublie la délicatesse.

— Et ce n'est pas comme si nous n'étions pas tous les deux un peu fous. Je me dis que l'obsession fait simplement partie de la situation.

Le sourire de Kate était magnifique.

— Exactement, fit-il. Une explication parfaitement rationnelle pour toi et moi; nous.

Le sourire de Kate disparut soudain en entendant ce « nous » et le désespoir qui n'était jamais loin lui tomba dessus comme une tonne de briques.

— Tu dois me faire un autre bébé, Dominic, murmura-t-elle. Bientôt. Pour que ce ne soit plus que toi et moi.

Il sentit un frisson envahir sa nuque, puis descendre le long de sa colonne, paralysant ses nerfs. *Bientôt.* Il n'avait pas prévu ça; il avait besoin de temps.

— Tu dois dire oui, dit-elle, sa respiration rapide, sa voix se faisant plus aiguë. Il le *faut.*

« Bon Dieu, non. Je ne peux pas courir ce risque », pensa-t-il.

— Oui, bien sûr, dit-il en sachant qu'il lui donnerait absolument n'importe quoi pour la faire sourire de nouveau.

Il la souleva de sa chaise et l'assit sur ses genoux.

— Tu n'auras qu'à me dire quand tu seras prête.

Il allait embaucher les plus grands spécialistes au monde, les installer tout près, acheter toute une foutue rue si nécessaire pour les loger et garder Katherine en sécurité.

Elle inclina la tête.

— Je vais… t'envoyer une invitation, dit-elle avec un soupir tremblant.

Il parcourut de son index la courbe de sa lèvre inférieure et il sourit.

— J'attendrai.

Elle prit une inspiration.

— Je ne vais pas pleurer sans arrêt, dit-elle, les lèvres tremblantes. Vraiment. C'est promis.

— Foutons le camp d'ici, dit Dominic brusquement. Nous n'avons pas besoin d'attendre la docteure. Je vais lui laisser un message.

— Pouvons-nous faire ça ?

Elle paraissait si remplie d'espoir qu'il aurait construit les pyramides de ses propres mains pour la satisfaire.

— Bien sûr que nous le pouvons. Et Yash est ici si nous avons besoin d'un médecin.

Il se mit sur pied avec Kate dans ses bras.

— Tu n'avais pas de sac à main, n'est-ce pas ?

Elle le fixa soudain d'un air stoïque.

— Je ne porte pas de sac à main. Pensais-tu à une autre femme ?

Dominic éclata de rire.

— Désolé. Ça ne se reproduira plus. Je le jure. Et je n'en ai marié aucune, OK ? ajouta-t-il, parce qu'à ce moment, l'humeur de Katherine importait davantage que ses pleurs.

Elle plissa les yeux.

— Julia *me* l'a demandé, dit-il en haussant légèrement les épaules. J'ai déjà expliqué tout ça. Tu es l'amour de ma vie, Katherine. Tu le seras toujours. Alors, tu n'as pas besoin de grimper dans les rideaux à propos de ce qui est de l'histoire ancienne.

— Ça vaut mieux.

Puis, elle sourit un peu.

— N'oublie pas que l'obsession *peut* être dangereuse.

— J'en suis foutrement conscient, merci beaucoup. Et *toi*, Mme Knight, n'oublie pas, ajouta-t-il en haussant les sourcils, que la jalousie est une rue à double sens, que je suis affreusement impitoyable et que si tu n'es pas sage je vais fouetter ton joli cul.

Cette fois, elle lui adressa un vrai sourire.

— Alors, pourquoi n'essaierais-je pas d'être sage ?

— Essayer ?

Il n'avait pas élevé la voix, mais ce n'était pas nécessaire.

Elle le regarda sans sourciller.

— Je vais essayer aussi fort que toi. Que penses-tu de ça ?

Il desserra les mâchoires.

— Je peux vivre avec ça. Alors, dit-il d'une voix tout à coup mielleuse, si tu as fini de me provoquer, foutons le camp d'ici. Je vais te déposer une minute pendant que j'appelerai Jake. Il est quelque part près d'ici.

Après l'avoir remise sur pied, il prit son téléphone cellulaire, cliqua sur sa liste de contacts, puis leva les yeux et sourit à la femme qui faisait lever son soleil le matin et briller ses étoiles la nuit.

— Tu as besoin de ta veste, chérie. Il ne fait pas vraiment chaud à l'extérieur. Salut Jake. Nous descendons. Entrée principale dans cinq minutes.

CHAPITRE 21

Pendant que Jake les conduisait loin de l'hôpital, Dominic se tourna vers Kate.

— Si ça ne te dérange pas, nous allons passer rapidement par le bureau. Ça ne me prendra que cinq minutes pour aller chercher quelques documents que je dois signer.

— Bien sûr.

— Au bureau, Jake, dit Dominic. Nous avons reçu quelques concessions de palladium.

Il sourit à Kate.

— Tu as envie de passer l'été prochain chez Nana ?

— Sans blague. Il n'y a rien de mieux qu'un été dans le nord.

— Trouve quelque chose que tu aimes près d'un lac et nous allons l'acheter, dit-il en souriant. Je n'ai rien contre le fait de rester avec Nana, mais pas pendant longtemps. J'aime t'avoir pour moi tout seul. Personne d'autre autour.

— Moi aussi, avec toi. Il n'y a rien de mieux.

— Malgré toutes les possibilités dans le monde entier, chérie… nous avons eu la chance de nous rencontrer.

Glissant son bras autour de l'épaule de Kate, il l'attira contre lui.

— Sur une échelle de 1 à 10 ? murmura-t-il.

— Mille.

— C'est peu, chérie. Je pensais plutôt à un milliard de milliards.

— C'est parce que tu es milliardaire et que tu ne penses jamais en nombres ordinaires. Mille par rapport à dix, c'est vraiment bien.

Il eut un large sourire.

— Alors, je suis super bon ?

Elle leva les yeux.

— Vraiment ? Tu as besoin qu'on te flatte ?

Il laissa échapper un minuscule sourire, un éclair de mélancolie dans son regard.

— Non. J'ai seulement besoin de savoir que tu seras toujours là.

— Je peux te l'assurer.

Elle sourit pour effacer la détresse dans ses yeux.

— Considère-moi comme étant impossible à déplacer, comme le rocher de Gibraltar.

— C'est rassurant, dit-il avec un grand sourire. Il est inébranlable. Mais sérieusement, chérie, ajouta-t-il sur un ton à la fois grave et tranquille, le monde entier pourrait disparaître et je serais heureux du moment où je t'ai.

— Tes maisons autour du monde et tes avions privés, ta flotte de voitures et tes centaines de serviteurs pourraient te manquer.

— Demande-moi si j'étais heureux, dit-il doucement.

Elle s'étira, passa ses bras autour de son cou.

— C'est mon boulot, murmura-t-elle tandis que ses mots résonnaient sur ses lèvres avant qu'elle l'embrasse brièvement, de te rendre heureux.

Il l'examina pendant une seconde, comme s'il pouvait s'agir d'un mirage qui disparaîtrait parce que tant de choses dans sa vie avaient fini par se briser. Puis, elle sourit, il se dit que peut-être cette fois… et il lui rendit son sourire.

— Tu es incroyablement douée pour me rendre heureux, chérie. Et je sais très bien que ce n'est pas facile.

— Je ne suis pas facile à vivre non plus, au cas où tu ne l'aurais pas remarqué, dit-elle avec un petit haussement de sourcils.

Il rit doucement.

— D'où je viens, tu es pratiquement une sainte. Tu ne te bats pas lâchement, tu ne portes pas de coups bas, tu ne conserves pas de rancunes. Et tu mens vraiment mal, ce que je trouve bizarrement réconfortant.

— Alors, tu m'entraînes dans le monde des gens riches et célèbres et je te fais faire une tournée de celui de Mère Teresa.

— Pas exactement, répondit-il d'un air pince-sans-rire. Mère Teresa, c'est vraiment exagéré. Bien que tu représentes certainement mon Nirvana personnel, mon ciel, mon paradis, et ainsi de suite.

Une satisfaction tranquille se fit entendre finalement dans sa voix, définissant un homme qui n'avait jamais connu la paix.

Elle le regarda d'un air amusé.

— Alors, je ne suis qu'à demi sainte, mais tout à fait adorable de toute façon.

— Exactement, chérie, dit-il avec un sourire soudain qui effaça les petites rides entre ses sourcils. À n'en pas douter.

Quand ils arrivèrent aux bureaux des Entreprises Knight, Kate regarda Dominic remonter l'allée de gravier en ayant davantage l'air d'un surfeur que d'un PDG milliardaire dans ses shorts cargo, son t-shirt noir et ses sandales. L'air magnifique — d'une masculinité brute avec une force tranquille, grand, les épaules larges, et elle se sentit outrageusement heureuse. Quand il atteignit les marches, il les monta quatre à quatre, puis s'arrêta à la porte pour bavarder avec le gardien de sécurité. Le jeune homme sourit aux paroles de Dominic, parla à son tour, puis le visage de Dominic devint tout à coup sérieux. Un moment plus tard, il le saluait de la tête et franchissait la porte qu'on avait rapidement ouverte pour lui.

Se renfonçant confortablement dans son siège, Kate tendait la main vers la télécommande du téléviseur quand une Jaguar verte traversa le portail et s'arrêta près de l'escalier. Le conducteur en sortit, contourna la voiture, ouvrit la portière arrière et une femme à la longue chevelure noire émergea. Comme elle était de dos, son visage n'était pas visible, mais elle avait cette minceur de la jeunesse et, tandis qu'elle grimpait les marches, il était clair qu'elle avait également l'allure raffinée des gens riches. Sa courte robe rouge estivale avait été dessinée par un couturier — une chose que Kate en était venue à reconnaître après avoir reçu une superbe garde-robe de designer. Les chaussures à talons hauts et courroies s'agençaient au petit sac à bandoulière Chanel — leur coût combiné suffisant à nourrir une famille pendant six mois ; Kate ne connaissait peut-être pas la mode, mais elle connaissait les chiffres. Et les longs cheveux noirs de la jeune femme avaient l'élégance nonchalante qu'on ne voyait que chez les modèles dans les magazines de luxe.

Kate se pencha légèrement vers l'avant.

— Tu as une idée de qui c'est ?

Jake en avait une bonne idée, mais puisqu'il n'avait jamais vu Bianca, la jeune femme que Dominic avait dû épouser, il pouvait répondre avec une honnêteté relative, « Non, je ne l'ai jamais vue auparavant ». Si la vitre opaque avait été levée, il aurait appelé

Dominic et l'aurait averti. Étant donné la situation, il ne fit rien; il savait que Dominic ne voudrait pas que Katherine y soit mêlé.

Il y avait aussi une possibilité que Bianca soit refoulée à la porte.

Elle *fut* arrêtée. Après ce qui parut un échange vif, du moins de la part de Bianca, Forbes l'escorta à l'intérieur.

— Est-ce qu'on n'arrête pas tout le monde à la porte? demanda Kate.

Jake inclina la tête.

— À moins qu'on leur ait donné la permission d'entrer.

— Est-ce que Dominic a toujours eu autant de gardiens de sécurité?

— Oui. Depuis un bon moment.

— Pourquoi?

— Dominic pourrait mieux vous répondre que moi à ce propos.

La réponse de Jake était prudente. Si elle n'était pas au courant, alors Dominic ne voulait pas qu'elle sache que sa vie très publique était par définition vulnérable aux menaces. Comme les demandes de rançons étaient un modèle d'affaires dans certains pays, une personne aussi riche que lui représentait une cible naturelle. Ajoutez à cela les ennemis personnels, et la sécurité constituait une nécessité.

Kate comprit que Jake se montrait évasif, alors elle n'insista pas. Elle jeta plutôt un coup d'œil à l'horloge numérique sur la petite télé — peut-être une réaction inconsciente au fait que la jeune femme n'était pas encore ressortie de l'immeuble.

Vêtue comme elle l'était, Kate doutait que la femme soit venue pour affaires ou tout au moins pour de vraies affaires. De plus, elle affichait une ressemblance inquiétante avec Julia — grande, mince, les cheveux noirs. On pouvait appeler cela de l'intuition féminine, mais Kate aurait parié gros que la femme était là pour voir Dominic.

Alors, elle se trouva devant un dilemme : demeurer poliment dans la voiture ou intervenir impoliment.

Pendant que Kate s'interrogeait sur les mérites de la politesse conjugale, Forbes — par précaution — s'était planté entre la femme et l'escalier menant à l'étage des bureaux et attendait pendant que la réceptionniste appelait Helen parce que cette jeune femme qui venait de l'injurier en italien *et* en anglais, n'allait pas monter voir Dominic sans que quelqu'un donne son accord.

Helen avisa immédiatement Dominic.

Il était sur le point de quitter son bureau, le dossier à la main, quand la voix d'Helen se fit entendre dans l'interphone. Pendant qu'il écoutait, il grimaça et quand elle eut terminé, sa voix était glaciale.

— Faites-la monter et envoyez-la-moi. Je vais m'occuper de ça. Je ne veux en aucun cas être interrompu. Katherine attend dans la voiture, alors j'ai besoin d'une réponse affirmative de votre part à ce sujet.

— Aucune interruption, fit rapidement Helen. Je comprends.

— Bien.

Il laissa tomber le dossier sur le bureau, exhala lentement, puis songea à ses options. Katherine avait sûrement vu entrer Bianca. C'était un très gros problème. Il n'y avait aucun doute dans son esprit. Helen allait faire de son mieux, mais compte tenu du tempérament de Katherine, il n'y avait aucune garantie qu'elle n'allait pas tambouriner à la porte de son bureau d'un instant à l'autre. Alors, puisque la salope était ici, il s'agissait de faire entrer Bianca et de la faire ressortir rapidement en espérant que

Katherine comprendrait. Ou, de façon plus réaliste, qu'elle ne soit pas trop fâchée. Il ne critiquait pas la jalousie de Katherine ; il comprenait viscéralement le concept.

Il espérait seulement éviter les retombées radioactives.

Il s'assit derrière son bureau, pressa l'interrupteur sous le tiroir du centre, s'appuya contre le dossier de son fauteuil de cuir vert et attendit que la porte de son bureau s'ouvre.

« Bon Dieu. Tout le monde joue la comédie », pensa-t-il tandis que la porte s'ouvrait lentement et que Bianca s'arrêtait sur le seuil en prenant une pose digne d'une vedette de feuilleton à l'eau de rose.

Il eut envie de dire qu'il avait vu de vraies actrices faire mieux, mais il dit plutôt d'une voix aussi glaciale que son regard :

— Entre, ferme la porte et dis-moi ce que tu veux. Tu as cinq minutes. J'étais sur le point de partir.

Pendant que Bianca fermait la porte, il actionna un second interrupteur sous le tiroir de son bureau et quand elle se tourna pour lui faire face, il grimaça en voyant son sourire lustré.

Elle marcha lentement vers lui en agitant les hanches.

— Êtes-vous heureux de me voir ?

— Non. Tu ne devrais pas être à la maison à prendre soin de ton bébé ?

— Gora l'a pris, dit-elle sur un ton plaisant en faisant référence à son amant mafieux. Ça faisait partie de notre entente. Il voulait un garçon et je voulais son argent.

Après avoir dû céder la maîtrise de sa vie pendant trois mois parce que Gora essayait de plaire à sa petite amie enceinte qui avait besoin d'un mari, Dominic était à peu près certain que Gora voulait tout autant la mère de l'enfant, mais ses motivations n'étaient pas pertinentes en ce moment.

— Je ne vais pas te donner d'argent si c'est pourquoi tu es là.

Ses paroles dures s'agençaient à son expression.

Le sourire de Bianca était nonchalant, les paroles ou l'expression de Dominic loin de la dissuader.

— Je ne peux pas vous rendre une petite visite amicale en passant ?

— Absolument pas, dit-il, et la température dans la pièce chuta d'une vingtaine de degrés.

— Oh là là, quelle grimace ! Si vous allez vous fâcher sans aucune raison, pourquoi ne dirions-nous pas que je suis venue vous inviter à ma fête d'anniversaire le mois prochain. Papa a loué la Villa Borghese pour la soirée. Le Tout-Rome sera présent, répondit-elle avec un autre sourire expérimenté, Ève dans le jardin d'Éden, inconsciente du fait qu'elle bouleversait la vie de Dominic.

Elle contourna lentement le bureau de Dominic comme si elle avait tout son temps, et lui aussi, puis s'arrêta à quelques centimètres de son fauteuil, sortit une enveloppe dorée de son sac à main et la lui tendit.

— Je me suis dit que ce serait bien d'inviter mon mari à ma fête d'anniversaire.

— Ex-mari, répondit Dominic en prenant l'enveloppe et en la laissant tomber dans sa poubelle.

Elle ne cligna même pas des yeux. Elle s'assit sur le bureau poli de Dominic, croisa lentement les jambes et remonta sa jupe courte un peu plus haut sur ses cuisses bronzées.

— Vous êtes encore mon mari en Italie, répondit-elle d'une voix mielleuse. Ils ne reconnaissent pas votre divorce.

— C'est là où tu as tort, fit-il en s'empêchant de l'étrangler parce que le prix à payer serait trop élevé. Les documents de divorce ont été estampillés et classés.

Son regard bleu prit un air méchant.

— Il s'agit simplement de verser une somme convenable en France ou en Italie ou ailleurs, et ils font le travail en vitesse. Le pasteur qui a pris mon argent est presque aussi heureux que je le suis.

— C'est une honte, ronronna Bianca en tendant le bras pour caresser sa main sur l'accoudoir de son fauteuil, lissant les poils sombres sur ses doigts bronzés. J'espérais que nous pourrions devenir de meilleurs amis.

— Ça ne m'intéresse pas.

Plutôt que de lui écarter brusquement la main, il prit une petite inspiration et laissa la scène se dérouler, bien que si elle s'agenouillait, le rideau de scène allait descendre rapidement.

— Je peux vous faire changer d'avis, murmura-t-elle en traçant de petits cercles avec son majeur. Vous aimez les fouets, j'aime les fouets. Vous aimez le sexe violent. Je pense que je pourrais être la femme que vous attendez.

Elle leva la main, puis la fit glisser le long du bras de Dominic.

— Gora est trop vieux pour jouer, ajouta-t-elle.

— En es-tu certaine ? demanda Dominic en réprimant son envie de s'écarter. Personne ne manie la violence mieux que Gora. J'en sais quelque chose.

Elle plissa les lèvres.

— S'il vous plaît. Il aime me faire jouer le rôle de la jeune vierge innocente.

Dominic croisa son regard sensuel.

— Et tu préférerais jouer avec des fouets.

— Avec vous, oui.

Elle se pencha encore un peu en exposant ses seins généreux, tendit son autre main et fit courir un doigt sur la lèvre inférieure de Dominic.

— On m'a dit que vous pouviez durer toute la nuit et que vous avez une queue de classe mondiale.

— Ça suffit, grogna-t-il sans ambiguïté en écartant les mains de Bianca, puis il recula sur sa chaise et se mit sur pied. Dis à ta famille de chercher ailleurs pour augmenter sa fortune. Les putes aristocrates ne m'intéressent pas.

Elle bondit de sur le bureau, ses yeux noirs brillants de colère.

— Comment osez-vous ? Espèce de connard bourgeois ! s'écria-t-elle en le regardant d'un air furieux. La noblesse de ma famille remonte à huit siècles !

Elle frappa le sol du pied.

— Du sang royal coule dans nos veines !

Oh, merde. Est-ce qu'elle venait de frapper du pied ? Se trouvait-il encore dans le feuilleton à l'eau de rose ? Il ferma brièvement les yeux, se dit que cette comédie était presque terminée et il maîtrisa sa colère.

— Écoute, arrête tes imbécillités. Je me fous complètement de ta noblesse. Reste en dehors de ma vie. Et si j'étais toi, je ne dirais pas à Gora que je suis venue ici. Ne te donne pas l'illusion que tu peux le manipuler. Tu ne le peux pas. Alors, dit à ta famille que je n'achète pas ce que tu as à vendre et si tu te montres à nouveau ici, tu es finie.

Sa voix prit un ton méchant.

— Maintenant, fous le camp de mon bureau.

Il recula de quelques pas parce que ses ongles étaient pointus, que ses doigts s'agitaient, et que certaines Italiennes qu'il avait connues se mettaient vite en colère et attaquaient. Mais surtout, il voulait s'assurer de ne pas toucher un cheveu de sa tête. Elle pourrait hurler qu'il l'assaillait et alors, il devrait composer avec des avocats, une poursuite criminelle et d'autres imbécillités de la part des Danelli.

Comme elle ne bougeait pas, il sourit d'un air dur.

— Transmets mes salutations à Gora.

Elle bougea enfin.

Elle pivota soudain sur ses talons hauts en faisant une pirouette dont il ne put s'empêcher d'admirer l'élégance. Puis, elle s'éloigna d'un pas impatient comme cette vedette de feuilleton qu'il avait d'abord aperçue sur le seuil de sa porte.

Tendant une main sous son tiroir de bureau, il actionna l'interrupteur pour déverrouiller la porte avant qu'elle ne l'atteigne, puis en actionna un autre. Il se dirigeait vers une série d'étagères quand la porte se referma brutalement derrière elle.

Jetant un coup d'œil par-dessus son épaule en entendant des pas, il vit Max sortir du bureau adjacent.

— Tu as entendu ?

Les deux bureaux, de même que le poste de travail d'Helen étaient organisés pour des situations de ce genre.

— Oui. Helen m'a prévenu.

Dominic tira un disque d'une boîte de bois décorée sur l'étagère et le tendit à Max.

— Dis à la famille de Bianca que si jamais j'entends de nouveau parler d'elle ou de ses avocats, cette vidéo sera envoyée à Gora.

Max prit le disque.

— Vraiment ? À Gora ?

Devant l'hésitation évidente de Max, Dominic laissa échapper un soupir réticent.

— Non, je suppose que non. Bianca est un peu jeune pour mourir. Mais bon Dieu, sa famille n'a aucune retenue. *Elle* pense que parce qu'elle peut faire tourner la tête d'un homme de 50 ans, elle peut conquérir le monde.

Il revint à son bureau.

— Je peux comprendre cette naïveté[10] chez une fille de 16 ans, mais ses parents devraient faire preuve de plus d'intelligence. Dis-leur qu'ils jouent avec le feu et assure-toi qu'ils comprennent.

Il prit le dossier qu'il était venu chercher, puis ajouta :

— Les Danelli se prennent peut-être pour des Borgia modernes, mais dis-leur que je ne vais pas les ménager s'ils me font obstacle. Et Gora est mon arme. Écoute, Katherine m'attend, alors je pars, fit-il en se dirigeant à grands pas vers la porte. Tu ferais mieux d'envoyer deux hommes avec le disque ; davantage si tu crois que c'est nécessaire. Je ne fais pas confiance aux Danelli et je ne veux pas qu'un de nos hommes se fasse blesser. Tu vas en faire quelques copies ?

— Bien sûr. Nous allons nous arranger pour que ça leur parvienne demain.

— Merci.

Dominic s'arrêta, la main sur la poignée de la porte.

— Pourquoi n'irais-tu pas chez toi pendant quelques semaines. Nous allons probablement quitter Londres demain et nous avons une équipe de sécurité à San Francisco. Nous pouvons nous occuper des affaires au téléphone ou par courriel. OK ?

Max inclina la tête, puis Dominic tourna la poignée et ouvrit la porte.

— Mes salutations à Liv et à Conall. Je te revois dans quelques semaines. Je dois partir. Je ne veux pas inquiéter Katherine.

Quittant son bureau, Dominic sourit à Helen.

— Vous pensez que c'est la dernière fois que nous la voyons ?

— Je ne sais pas, répondit-elle, l'air d'en douter. Vous avez beaucoup d'argent.

— Max va leur faire une peur terrible demain.

10. N.d.T.: En français dans le texte original.

— Bonne chance avec ça.

— Merde, Helen, dit Dominic avec un petit sourire. Vous ne me croyez pas capable d'effrayer les gens ?

— Je crois que oui. Vous êtes vraiment doué pour ça.

— Qui ne le serait pas après avoir été élevé dans ma famille ? dit-il d'un ton moqueur. J'ai au moins tiré quelque chose de toute cette douleur. Alors, vous feriez mieux de parier sur moi plutôt que sur les Danelli quand il s'agit d'intentions malveillantes.

Il souleva légèrement le dossier.

— Je prendrai ça demain. Rentrez chez vous. Nous en avons terminé ici. Saluez Mike.

Il était parvenu à mi-chemin dans le corridor quand il entendit les voix criardes de femmes. Il partit au pas de course, atteignit le haut de l'escalier quelques secondes plus tard et vit Katherine et Bianca face à face comme deux lutteurs en cage dans le hall dessous, Bianca surmontant Kate d'une tête.

« Merde, merde, merde. »

Il s'élança sur les marches en criant à Forbes de se bouger.

Le jeune garde de sécurité se tenait debout, paralysé, près de la porte.

La réceptionniste, ne sachant trop non plus comment composer avec les deux femmes, restait derrière son bureau, le visage rouge et indécise.

— Moi *aussi*, je suis sa femme ! hurlait Bianca au visage de Kate. Stupide *puttana*[11] !

— C'est ce que tu souhaiterais, rétorqua Kate en lui brandissant son alliance au visage. Je suis sa *nouvelle* femme. Regarde ça, salope !

— Je te donne un mois ! Il aime la diversité ! Il aime avoir *plein* de femmes en même temps ! Tout le monde sait ça !

11. N.d.T.: Putain, en italien.

— Peut-être que tu auras une autre chance, alors, répliqua Kate en levant vers elle un regard furieux. Peut-être que dans une foule, tu pourrais être chanceuse.

— Et peut-être que je pourrais te faire tuer ! Espèce de petite merdeuse ! cracha Bianca en resserrant sa poigne sur la chaîne de son sac à main.

— Seigneur, j'ai vraiment peur. Oh, attends, j'ai un Beretta dans la voiture, dit Kate d'un air de dégoût. Alors, écarte-toi, sinon c'est *toi* qui va mourir.

Bon Dieu, pensa Dominic, Katherine devait avoir trouvé le compartiment sous le siège. *Il voyait déjà les grands titres de journaux.* Mais il était presque assez près pour atteindre Bianca. *Merde.* Il s'élança pour saisir le bras de Bianca au moment où elle balançait son sac à main en direction de Kate. Attrapant durement son poignet, il ramena son bras vers l'arrière si bien que le sac à main changea de direction et, ignorant ses cris de douleur, il le lui arracha et le projeta à travers le hall.

Puis, il la fit pivoter de sorte que son visage n'était qu'à quelques centimètres du sien. Ignorant ses petits cris de colère, il parla avec une violence à peine contenue.

— Si jamais tu menaces encore ma femme, je te casse le bras, dit-il en saisissant son autre poignet. Peut-être les deux. C'est clair ?

Il resserra sa poigne.

— Merde, réponds-moi.

Elle leva le menton avec arrogance, puis inclina la tête.

Il faillit la frapper pour cette insolence patricienne, mais les mots « poursuite judiciaire » lui traversèrent l'esprit, alors il lui lâcha plutôt les poignets et la poussa rudement vers Forbes qui était sorti de sa paralysie et s'approchait.

— Fous-la dehors, gronda-t-il.

Se retournant vivement vers Kate, il l'examina des pieds à la tête.

— Est-ce qu'elle t'a fait mal ? demanda-t-il d'une voix douce. Tu vas bien ?

— Je vais bien, mais tu ferais mieux de me dire que tu n'as jamais touché cette salope hautaine, grommela Kate, chaque mot chargé de dégoût, ou tu ne me toucheras plus jamais.

— Jamais, bon Dieu… pas même du bout du doigt. Je te le jure.

Kate regarda intensément son visage, puis exhala doucement.

— Quelle foutue grande idiote ; je veux dire vraiment grande, la salope mesure presque deux mètres. Mais sérieusement, Dominic, en fait, je me sens désolée pour toi parce que tu as été obligé de l'épouser. Je veux dire, merde, je pensais pouvoir débiter des jurons. Soit dit en passant, elle n'a pas aimé mon habillement.

Elle fit glisser sa main sur sa jupe fleurie, son chemisier blanc et sa minuscule veste de jeans.

— Trop commun, elle a dit. C'est ta faute, je lui ai répondu.

Puis, les épaules de Kate s'affaissèrent et ses yeux se remplirent de larmes.

— Mais tu sais ce que je déteste chez elle encore plus que le fait qu'elle t'ait marié ? Je la déteste parce qu'elle a eu un bébé alors que je ne l'ai pas pu. Il n'y a pas de foutue justice, murmura-t-elle.

— Hé, fit Dominic en prenant son visage dans ses mains et en se penchant pour la regarder dans les yeux. Tu vas avoir un bébé, dit-il très doucement. Je te le promets.

— Ouais, OK.

— Ça ne me paraît pas une approbation retentissante. Tu ne sembles pas me croire. Allez, chérie, mets-y un peu de conviction. Je te promets que ça arrivera, OK ? Dis-moi que c'est comme ça que ça fonctionnera. Et ne va surtout pas me servir des excuses parce que ce qui nous est arrivé ne va pas se reproduire.

Il le crut même à demi tandis qu'il lui promettait ce qu'elle désirait le plus au monde pour arrêter ses larmes.

Elle lui adressa un tout petit sourire.

— OK, tu m'as convaincue.

— C'est mieux. Maintenant, retournons chez nous, puis faisons préparer nos bagages et demain matin, nous partons pour les États-Unis. Ça te va ?

— Ça me semble paradisiaque.

— Ne me laisse pas tomber, chérie, dit-il avec un sourire en lui prenant la main et en se dirigeant vers la porte. À partir de maintenant, ce sera un paradis permanent.

CHAPITRE 22

Quand ils arrivèrent à la maison, ils apprirent que Nana était en route pour l'hôpital, alors ils échangèrent des appels téléphoniques et, comme leur départ était prévu pour le lendemain, Leo et Nana repartirent passer la journée dans les musées.

— Est-ce que c'était brutal de ma part ? demanda Kate après avoir terminé son appel avec sa grand-mère et déposé le téléphone près de son fauteuil dans le bureau de Dominic. Nous nous demandions toutes les deux quoi faire jusqu'à ce que je dise finalement « Vas-y, Nana. Tu n'auras peut-être plus l'occasion de faire ça pendant un bon moment ».

— Ce n'était pas brutal, chérie. Je pense qu'elle voulait probablement y aller de toute façon. Et je t'ai toute à moi, maintenant.

Kate fit une moue.

— Je pensais la même chose, mais c'est peut-être seulement parce que nous ne sommes pas ensemble depuis très longtemps. Peut-être allons-nous finir par nous ennuyer après un certain temps et…

— Je peux m'assurer que tu ne t'ennuies pas, répondit doucement Dominic.

— Je sais, dit-elle en souriant. C'est ce que j'aime chez toi. Mais je dis seulement que les couples mariés finissent par avoir des passe-temps et des trucs comme ça, n'est-ce pas ?

— Ne me demande pas ça. Quant à toi, chérie, du moment où je peux te voir encore pendant que tu t'adonnes à tes passe-temps, n'hésite pas. Je n'ai aucunement l'intention de te partager.

Il sourit.

— Jamais, ajouta-t-il.

Kate lui rendit son sourire.

— Même chose pour moi. J'essayais seulement de ne pas me cramponner à toi.

— Je n'ai jamais dit que je n'aimais pas ça.

Sauf que c'était exactement ce qu'il avait dit aux milliers d'autres femmes qui étaient entrées dans sa vie au cours des années passées. Même Julia avait été consciente qu'il y avait des limites. Dominic se pencha légèrement et sourit.

— Mais en ce moment, j'ai du travail. Reste avec moi si tu veux ou préférerais-tu faire une sieste ? Tu es encore vraiment pâle, chérie.

— Je vais peut-être aller m'étendre pendant quelques minutes.

Que ce soit parce que son engueulade avec Bianca avait sapé son énergie ou parce que c'était normal compte tenu de sa convalescence, elle était *vraiment* fatiguée.

— Tu veux que je te porte là-haut ?

Elle lui fit signe que non en se levant du fauteuil.

— Je serai ici quand tu te réveilleras, fit Dominic en pointant un doigt vers une pile de dossiers sur son bureau. Je dois tous les parcourir. Nous déjeunerons quand tu descendras. Tu as besoin de quelque chose ?

Elle sourit.

— Mis à part le gâteau au chocolat, tu veux dire ?

— Continue à te foutre de ma gueule, chérie, et tu vas sentir ça, répondit-il en levant une main et lui lançant un clin d'œil.

— Alors, du gâteau au chocolat, c'est sûr.

Il afficha un grand sourire.

— Sors d'ici. J'ai du travail.

Elle revint une heure plus tard, en pleine forme. Ouvrant la porte, elle vit Dominic à son bureau, le téléphone contre son oreille. Il leva trois doigts dans sa direction. Elle murmura « Je vais revenir », puis ferma la porte. Ça ne servait à rien de le déranger pendant qu'il était occupé. Elle n'avait pas besoin de son attention constante ; elle pouvait se montrer mature. Peut-être.

Mais, tout le monde étant occupé, c'était un bon moment pour jeter un dernier coup d'œil à son appartement. Le personnel de Dominic allait préparer leurs bagages, mais s'il y avait des choses qu'elle voudrait apporter aux États-Unis le lendemain, elle pourrait les mettre de côté.

Martin demanda si elle voulait un chauffeur.

— Je vais marcher, répondit-elle. Ce n'est qu'à quelques pâtés de maisons.

Il parut hésiter un moment, mais se ravisa.

— Vous n'aurez qu'à appeler si vous voulez que quelqu'un aille vous chercher, Mme Knight.

Et il fit signe au domestique de lui ouvrir la porte.

C'était la fin de la matinée, le quartier était tranquille alors que les gens se trouvaient au travail ou à l'école, à des cours de yoga, dans les boutiques, ou quoi que ce soit que ces gens riches faisaient de leurs journées. Il n'y avait pratiquement pas de circulation, le soleil était haut dans le ciel, l'air embaumait.

Quand elle entra dans son appartement, elle demeura debout pendant un moment dans le vestibule, le dos contre la porte, se souvenant du soir où Dominic était revenu — la deuxième fois. La fois où ils ne s'étaient pas querellés. Quand il lui avait demandé de l'épouser, quand il lui avait dit à quel point il était heureux qu'elle soit enceinte de lui.

Mais elle réprima les larmes qui s'accumulaient dans ses yeux et sourit plutôt parce que Dominic lui avait promis d'autres enfants. Et quand il disait qu'il allait faire quelque chose, il le faisait. Son entêtement et son sens des responsabilités s'étaient aiguisés dans la marmite bouillonnante de son enfance ; les mots « pas d'excuses » s'étaient gravés en permanence dans son esprit.

Et, en ce moment, encore tremblante d'émotions, elle avait besoin d'une précieuse certitude.

En commençant par la salle de réception, elle parcourut l'appartement, ouvrant les placards et les tiroirs, elle choisit les articles qu'elle voulait apporter. Elle entreprit de les empiler sur le lit dans sa chambre : un t-shirt de chez Keats qu'elle aimait, une paire de souliers à talons hauts turquoises, le collier de perles qu'elle avait porté cette première soirée à Amsterdam, des barrettes en écailles de tortue que Dominic lui avait offertes, le petit vase de cristal qu'il avait apporté avec les roses et une note. Elle ouvrit le tiroir de la table de chevet, puis prit la petite carte sur laquelle Dominic avait écrit qu'il essaierait d'être un bon père. Elle la relut, sourit et la glissa dans sa poche de blouson.

Finalement, elle entra dans la chambre d'amis sans doute seulement pour la troisième ou quatrième fois depuis qu'elle avait emménagé dans l'appartement. Debout sur le seuil, elle parcourut des yeux la pièce décorée d'un bleu tendre et d'un jaune crémeux, la tête de lit agencée à la couverture. La petite chaise recouverte de soie crème, le bureau peint et les magnifiques rideaux de soie jaunes devant les immenses fenêtres qui surplombaient le jardin.

Et si la porte du placard n'avait pas été légèrement entrouverte, elle serait peut-être ressortie. Elle s'y rendit pour la fermer, vit les vêtements à l'intérieur et l'ouvrit toute grande. Dieu du ciel, Dominic lui avait acheté tant de choses superbes qu'elle s'était même à demi habituée à ses largesses. Elle prit sur un cintre un chemisier pourpre sexy qui l'avait toujours fait sourire, un jeans qu'elle pourrait de nouveau porter, l'imperméable à motifs fleuris qu'elle avait porté à San Francisco. Elle les lança sur le lit, puis se déplaça jusqu'à la rangée de tiroirs encastrés près de l'armoire.

Elle ouvrit celui du haut, puis son cœur s'arrêta.

Elle n'arrivait pas à reprendre son souffle. Seul un cri de douleur silencieux lui échappa.

Soigneusement pliés dans le tiroir se trouvaient des rangées de petits vêtements de bébé pour celui qui n'était pas né, pour la petite vie perdue. Elle les caressa un à un, le cœur brisé, des larmes s'écoulant sur ses joues. Puis, elle ouvrit les autres tiroirs, chacun rempli de précieux petits vêtements. Tous ceux qu'elle avait déballés ce soir-là avec Dominic — quand il lui avait dit à quel point il était heureux à propos du bébé, comment ils allaient construire une vie ensemble… tous les trois.

Et tout au fond du tiroir du bas, il y avait les vêtements qu'il lui avait achetés pour sa grossesse : les t-shirts sur lesquels était inscrit *Maman* avec des lettres aux couleurs vives, le joli haut de soie avec un imprimé de *La madone et l'enfant* de Raphaël que Dominic avait vue dans la fenêtre d'une boutique et qu'il savait qu'elle aimerait, les doux pantalons de jogging et le jeans à taille ample de future maman.

Quand elle atteignit le dernier tiroir, elle pleurait à grands sanglots et, saisissant une brassée de vêtements de bébé, elle s'assit par terre, tenant contre son visage les doux tissus et inhalant la douceur de bébé et éprouvant l'amertume d'un espoir brisé.

Puis, quelques moments plus tard, à peine consciente dans le brouillard de sa tristesse, elle vida les tiroirs, transporta les vêtements jusqu'au lit et étala doucement les vestiges de cette petite vie et de son bonheur sur la couverture ironiquement décorée de scènes bucoliques. Elle était tellement submergée par le désespoir qu'elle avait pratiquement du mal à respirer. S'agenouillant sur le lit, elle se laissa lentement tomber vers l'avant et s'enfouit dans la douce pile de vêtements comme un animal blessé cherchant refuge. Elle s'enveloppa dans sa misère et succomba à la désolation du monde.

Une heure plus tard, Dominic la trouva recroquevillée dans une position fœtale, blottie dans les vêtements d'enfant, pâle et dévastée, son visage inondé de larmes, son corps tremblant d'épuisement.

Elle ne l'aperçut pas, alors il s'éloigna discrètement, puis suivit le corridor jusqu'à une salle de bain. Refermant la porte, il appela immédiatement Jake parce qu'il avait, lui aussi, marché jusqu'ici.

— Conduis l'auto jusqu'à l'appartement, dit-il. Vite.

Il n'attendit pas la réponse et composa immédiatement le numéro de Martin.

— Avertis les pilotes d'être prêts à s'envoler dans une heure. Dis à Leo de conduire Nana à Heathrow en vitesse. Jake vient nous chercher. Je t'appellerai de l'avion.

Il appela brièvement Max.

— Toi et Roscoe devrez prendre les rênes pendant quelques jours. Désolé de t'imposer ça sans prévenir, mais je ne peux pas laisser Katherine seule en ce moment.

— Nous allons nous arranger, dit Max sans poser de questions.

Si Dominic laissait tomber ses affaires alors qu'il ne l'avait jamais fait — en tout cas jusqu'à ce qu'il rencontre Katherine —, la situation était grave.

— Je vais t'appeler aussitôt que je le pourrai.

Puis, Dominic retourna à la chambre d'amis, s'étendit près de Kate et la prit dans ses bras.

— Je suis tellement désolé, chérie, dit-il en frôlant sa joue de ses lèvres.

— C'est terminé, murmura-t-elle avec une tristesse infinie.

— Je sais.

Sa respiration était chaude sur la tempe de Katherine, sa voix débordante de compassion.

— Nous allons retourner à la maison et…

— Pas tout de suite ! s'exclama-t-elle d'un air terrifié.

— Ça ne presse pas, chérie, dit-il d'une voix apaisante.

Mais il revint sur le sujet cinq minutes plus tard parce qu'elle sanglotait encore et qu'il s'inquiétait de plus en plus. Le refus de Kate était presque maniaque cette fois, sa respiration irrégulière après avoir tant pleuré. Il essaya encore par deux fois de la convaincre de partir et, chaque fois, il essuya un refus entêté.

Avec une patience dont il ne faisait preuve que rarement sauf avec elle, Dominic essaya encore de la persuader.

— S'il te plaît, chérie. Tu vas te rendre malade.

— Je ne pars pas.

Il reconnut ce mouvement têtu du menton.

— Nous ne pouvons pas rester ici indéfiniment.

— Pourquoi pas ?

— Parce que tu pleures depuis environ deux heures, chérie, et tu trembles.

Il résista à l'idée d'énumérer toutes les autres raisons.

— Non, ce n'est pas vrai.

Mais elle était incapable de réprimer ses tremblements, son corps tendu, ses émotions exacerbées.

— Je ne veux pas que tu rechutes, dit-il doucement et, roulant hors du lit avec Kate dans ses bras, il se releva.

Ignorant son petit cri de surprise, puis ses hurlements d'indignation, il sortit à grands pas de la chambre. Il était hors de question qu'il s'arrête et, traversant rapidement le corridor, il supporta sans mot dire les coups sauvages qu'elle lui administrait et son insistance encore plus sauvage pour qu'il retourne à la chambre.

— Je veux les vêtements de bébé ! hurla-t-elle.

— Nous les ferons envoyer, mentit-il.

— Non ! Va te faire voir ! cria-t-elle en le frappant de ses poings. Je les veux *maintenant* !

— Plus tard. Nous n'avons pas le temps, maintenant. Nous allons à l'aéroport.

— Bon Dieu, Dominic, s'il te plaît, s'il te plaît ! l'implora-t-elle frénétiquement comme un martyr plaidant à la dernière minute pour une intervention divine. Prenons-en seulement quelques-uns ! Je vais faire vite ! Je ne vais pas te retarder. *S'il te plaît*, Dominic ! Ne me fais pas ça !

Il prit une profonde inspiration. Il n'avait jamais entendu Katherine le supplier avec tant de détresse.

— Désolé, chérie, murmura-t-il. Je fais probablement ça tout de travers, mais nous partons d'ici, nous tournons la page et laissons cette souffrance derrière nous.

Il savait comment aller de l'avant quoi qu'il arrive, et elle ne l'avait pas appris dans son cocon familial d'amour inconditionnel.

— Et si le fait de pleurer pouvait t'aider, je te dirais de ne pas hésiter. Mais ce n'est pas le cas. Pas. Du. Tout. Je sais.

— La ferme, dit-elle en sanglotant. Tu ne sais pas de quoi tu parles, alors *la ferme* !

— Je ne vais pas me taire. Nous allons reprendre pied et continuer. Je l'ai fait 10 millions de fois, chérie, alors je sais que ça fonctionne. Nous allons avoir une bonne vie. Ce n'est pas la fin de tout. Tu dois comprendre ça.

— J'ai l'impression que c'est la fin, en ce moment ! s'écria-t-elle, et elle le gifla durement.

Il ne tressaillit même pas ni ne ralentit.

— Tout semblera mieux demain.

— Non, ça ne sera *pas mieux*, espèce de salaud insensible !

Sa voix reprenait de plus en plus un ton hystérique, le vert de ses yeux étincelant de colère.

— Merde ! Je ne *pars pas* ! Remets-moi sur pied !

— Je suis désolé, chérie. Vraiment.

Il se sentait impuissant devant sa douleur. Il pouvait maîtriser la sienne. Pendant des années, il avait réussi à réprimer ses sentiments. Il avait depuis longtemps appris comment les mettre sous clé. Il était doué pour ça.

— Peut-être que Nana pourrait t'aider. Elle et Leo sont en route pour Heathrow, en ce moment.

— Personne ne peut m'aider.

La voix de Kate se fit tout à coup plus douce devant la défaite, son énergie s'épuisant tandis qu'elle se résignait finalement à la futilité de cette lutte.

— Ni Nana ni personne. C'est vraiment terminé, n'est-ce pas ?

— Cette partie l'est, chérie. Je suis désolé, dit-il en l'embrassant tendrement. Nous nous sentirons mieux chez nous, n'est-ce pas ?

Comme elle ne répondait pas, il pencha la tête de nouveau pour croiser son regard.

— Nous allons au moins essayer, OK ?

Elle serra les lèvres pour qu'elles cessent de trembler, renifla, puis hocha la tête.

— Merci, chérie. Je savais que tu ne me laisserais pas tomber.

Tandis qu'ils approchaient de l'entrée, il était heureux que son hystérie soit passée bien qu'il n'aurait eu aucun problème à la transporter jusqu'à l'auto pendant qu'elle crierait au meurtre, si la chose avait été nécessaire. *Que le monde entier aille se faire foutre* avait toujours été sa devise éprouvée.

En sortant de l'appartement, ils trouvèrent Jake debout près de la voiture, tenant ouverte la portière arrière.

Les deux hommes échangèrent un regard de compréhension.

— Heathrow ? demanda Jake comme s'il était télépathe.

Dominic inclina la tête. Un autre échange de regards mâles.

— Vite.

— Compris.

Dominic grimpa dans la voiture avec Kate, l'assit sur ses genoux, la portière se referma et, quelques secondes plus tard, Jake se glissait derrière le volant.

— Je suis désolé d'être si dur avec toi, murmura Dominic. Je suis un peu dépassé, en ce moment. Merde, plus qu'un peu. Mais je me dis que nous devons simplement faire du sur place jusqu'à ce que nous reprenions nos sens ou que nous réussissions à surmonter cette foutue tragédie.

Kate poussa un profond soupir.

— Tout ça est tellement triste. Je ne suis pas certaine que nous allons parvenir à surmonter cette épreuve.

Elle posa sa tête contre son épaule et soupira doucement.

— En ce moment, je n'en ai pas l'impression.

— Peut-être que nous devrions parler à un thérapeute.

Elle leva les yeux.

— Le veux-tu ?

« Non », pensa-t-il.

— Je vais le faire si c'est ce que tu souhaites. Je vais faire tout ce que tu veux, chérie. Tu n'as qu'à le dire.

— Je ne sais pas, marmonna-t-elle. J'ignore comment composer avec cette douleur. Rien ne m'a jamais fait aussi mal ; c'est comme si je n'en voyais pas la fin.

— Je pourrais nous trouver quelques livres sur…

Il s'arrêta parce qu'il ne voulait pas parler de bébé ou de fausse couche.

— … ce que nous traversons, termina-t-il plutôt. D'autres ont aussi éprouvé cette perte. Ça pourrait nous aider de lire à ce propos.

Elle plissa le nez.

— Je suis trop égoïste. Je me fous des autres. Je sais ce que je ressens, et c'est horrible.

— Alors, il semble que tu devras te fier à moi pour ta thérapie, dit-il en la taquinant doucement.

Elle émit un tout petit rire de mieux-être.

— Hé, ne te moque pas, dit-il joyeusement en tirant parti de cette petite ouverture. J'ai des années d'expérience. Je suis si foutrement qualifié que je vais nous remettre en état en un rien de temps.

— J'aime toujours ta façon de régler les choses, dit-elle doucement. Et merci d'essayer de me faire me sentir mieux.

— C'est mon boulot, chérie. Je suis ton mari. Te faire sentir mieux est au sommet de ma liste de priorités, dit-il tendrement.

Mais il allait acheter quelques livres et les lire parce qu'il préférait être renseigné, surtout en ce qui avait trait à un problème grave comme celui-ci.

— Nous allons bien faire les choses la prochaine fois, chérie. Alors, restons positifs et utilisons toute notre énergie zen pour reprendre notre vie en main et surmonter cette épreuve.

Elle sourit faiblement.

— Comment peux-tu être toujours si raisonnable ?

— C'est mieux que la solution contraire, dit-il en lui montrant ses jointures amochées. Tes pleurs et mes poings. Allez, chérie, réglons ce foutu gâchis, dit-il en se penchant et en embrassant sa joue empourprée. Nous allons retourner à la maison, reprendre nos forces et recommencer à partir de là. Maintenant, dis-moi oui et souris. Je sais que tu peux le faire.

Il sourit de toutes ses dents.

— Tu es parfaite. C'est pour ça que je t'ai épousée.

Le sourire de Kate était presque normal, cette fois.

— Ce n'est pas comme si tu avais besoin qu'on te flatte, compte tenu de ton histoire, mais tu es parfait aussi. Je suis très chanceuse.

— Nous le sommes tous les deux, chérie, répondit-il en souriant. Et les choses ne vont que s'améliorer.

CHAPITRE 23

Nana les accompagna à San Francisco et, avec son aisance habituelle, s'installa avec la famille et le personnel de Dominic. Le surlendemain de leur arrivée, elle ramena Nicole avec elle en revenant de chez Melanie. Kate était dans le petit bureau de Dominic à l'étage, devant l'ordinateur — sa zone de confort dans les bons comme dans les mauvais moments.

Nana fit signe à Nicole d'entrer.

— Nicole se demandait comment tu allais, alors je lui ai dit de venir et de constater par elle-même. Je vais chercher un café. Quelqu'un en veut ?

Kate leva une main, Nicole dit « Un coca-cola pour moi » et se laissa tomber dans un fauteuil de cuir brun beaucoup trop grand pour elle. Pendant un moment d'hésitation, elle laissa glisser ses doigts sur l'accoudoir, puis leva sur Kate des yeux du même bleu que Dominic et avec la même inquiétude.

— Nicky a dit que nous n'étions pas censés dire quoi que ce soit parce que ça te rendrait plus triste, mais je veux que tu saches combien je suis désolée à propos du bébé. Maman dit…

— Bon Dieu, qu'est-ce que tu es en train de faire ? l'interrompit une voix dure.

Nicole se retourna et regarda avec défi son oncle qui se tenait sur le seuil de la porte, le regard rempli de colère.

— Tu ne sais pas toujours ce que veulent les femmes, oncle Nicky, même si tu crois le savoir.

— Ne me dis pas ce que je sais, espèce de sale môme, s'écria Dominic.

— Ça va, Dominic, vraiment, dit Kate en observant la même grimace sur le visage de sa nièce et en intervenant pour éviter un combat inégal.

Même avec son assurance d'adolescente, Nicole ne faisait pas le poids devant la fureur de Dominic.

— Elle vient seulement me rendre visite. Je vais bien. Nana nous apporte du café et du coca-cola, dit-elle en souriant à son mari surprotecteur. Tu n'as pas quelque chose à faire ?

Il prit une petite inspiration, puis soutint le regard de Kate.

— Tu en es sûre ? demanda-t-il d'une voix tendue comme une peau de tambour.

Elle sourit.

— Je le suis, merci.

Dominic regarda sa nièce d'un air sinistre.

— Fais attention à tes manières, maintenant, dit-il d'un ton brusque.

Nicole plissa les yeux et elle était sur le point de rétorquer quand Kate dit rapidement :

— Elle fait toujours attention à ses manières, Dominic. Tu n'as pas à t'inquiéter, OK ?

Nana revint exactement au bon moment et Dominic s'écarta pour la laisser entrer dans le bureau.

— Un café, Dominic ? demanda-t-elle en soulevant légèrement le cabaret tandis qu'elle passait devant lui.

— Il était sur le point de partir, Nana.

Kate sourit à son mari qui ne semblait avoir aucunement l'intention de partir. Un silence tendu de quelques secondes.

— Je serai dans la pièce voisine, dit finalement Dominic. Au cas où tu aurais besoin de quoi que ce soit.

Ce matin-là, Kate et Nicole se lièrent d'amitié. La jeune fille était charmante et chaleureuse, comme son oncle, songea Kate. Contrairement à lui, toutefois, elle était tout à fait ouverte à propos de sa vie, de ses copains, de son école, de ses meilleures amies, de ses frères et sœurs. Et au cours des jours et des semaines suivantes, elle devint la meilleure thérapeute de Kate, la ramenant lentement dans le monde avec sa vision adolescente de la vie selon laquelle tout était possible.

Très bientôt, même Dominic comprit à quel point il lui devait beaucoup.

Sa reconnaissance prit la forme d'une toute nouvelle Porsche décapotable argentée.

— Je te l'avais dit, fit Nicole en tête-à-tête tandis qu'elle lui adressait un sourire impertinent.

Il la regarda d'un air moqueur.

— Je suppose que tu sais ce que tu fais de temps en temps. Maintenant, ne va pas te tuer. C'est un ordre.

Elle releva le menton d'un air de défi.

— Je n'accepte pas les ordres.

— Tu le fais avec moi, fillette. Sinon, je reprends les clés.

Mais même à ce moment, il perçut un peu trop de lui-même dans cet air de défi. Et il s'assura qu'on installe sur la voiture un régulateur de vitesse et des arceaux de sécurité.

Nana demeura à San Francisco pendant presque un mois. Elle y était pour la réception de mariage qu'avait organisée Melanie au restaurant Lucia de Dominic. Elle attendit jusqu'à ce que Kate soit prête à retourner au travail et elle admira l'enfilade de bureaux que Dominic avait fait installer près des siens à son siège social à Santa Cruz. Elle demeura surtout jusqu'à ce que Kate puisse parler de la perte de son bébé sans pleurer.

Puis, elle dit :

— Il est maintenant temps que je retourne chez moi, mon cœur. Tu as un mari qui t'adore et un travail que tu aimes. Sans parler d'un monde de privilèges que Cendrillon pourrait envier. Mais n'oublie pas de garder les pieds sur terre. Il n'y a rien de mal à vivre dans un monde de rêve du moment où tu n'oublies pas comment faire la vaisselle.

— Je n'ai jamais fait la vaisselle à la maison, Nana.

— C'est parce que ton grand-père t'a gâtée.

— Tu l'as fait aussi, Nana, répondit Kate en souriant. Mais si tu crois que je devrais apprendre à le faire, je suppose que je le devrais.

— Ce serait un gaspillage de talent, mon cœur. Évite seulement que l'argent te monte à la tête, c'est tout ce que je dis. Dominic veut te donner le monde.

— Il a été malheureux pendant longtemps. Il est reconnaissant, c'est tout.

— Je sais. J'ai parlé à Mme B.

Les deux dames avaient noué des liens comme des jumelles séparées à la naissance. Toutes deux de la même génération, toutes deux d'ardentes militantes anti-guerre, le mari de Mme B ayant traversé l'enfer du Vietnam également. Toutes deux avaient épousé des hommes qui comprenaient que leurs femmes participent à des manifestations pour mettre fin à la guerre pendant qu'ils la faisaient. Roy avait toujours dit : « Nous essayons tous les deux de mettre fin à cette horrible guerre chacun à notre façon. Alors, continue de manifester, Lori. Je pourrais revenir à la maison plus tôt. »

— Et tu sais comment est la maison de Dominic, Nana. Elle est belle et se trouve dans un bon quartier, mais Dominic vit toujours comme s'il avait 16 ans. Il se fiche de posséder des biens pour le simple fait de les avoir. Alors, ne t'inquiète pas, je ne vais pas devenir capricieuse.

— Si ça t'arrive, je serai la première à te dire d'oublier ça.

— Voilà. Ma voix de la raison.

— Alors, ça te va si je retourne chez moi ? Tu ne vas pas sombrer dans la dépression ?

— Non. Je vais passablement bien, maintenant. Je suis réconciliée. Je regarde vers l'avenir. Dominic est d'accord pour avoir d'autres enfants bientôt.

— C'est bien, répondit poliment Nana.

Même si Mme B lui avait dit avoir entendu de la part de la sœur de Dominic qu'il n'approuvait pas l'idée ou qu'à tout le moins, il n'en était pas certain.

— Eh bien, appelle-moi quand tu pourras. De cette façon, je n'aurai pas à déranger Dominic pour avoir des nouvelles.

— D'accord, Nana. Si je n'appelais pas avant, c'était seulement parce que tout était complètement fou. Maintenant, les choses sont revenues à la normale. J'ai hâte de retourner travailler.

Nana promit de revenir lui rendre visite, puis retourna chez elle le lendemain.

Même si Dominic avait continué de travailler tard après que Kate se soit endormie, une fois Nana partie, la vie pour les nouveaux mariés reprit son cours normal avec de longues journées de travail et un dur labeur au sein des Entreprises Knight.

Dominic choisissait encore les vêtements de Kate le matin parce qu'il savait ce qu'il faisait et qu'elle était peu douée pour agencer les tenues. Et de toute façon, elle aimait qu'il l'habille même s'ils n'avaient pas le temps le matin de faire davantage que d'échanger des baisers.

Jake les conduisait au travail pendant que tous deux lisaient des rapports et répondaient aux courriels durant le trajet d'une heure. Dominic se réveillait plus tôt que Kate pour faire ses 50 longueurs de piscine, mais Kate avait recommencé à lever des poids dans le gym privé de Dominic au boulot. Ils mangeaient toujours ensemble, et la porte entre leurs bureaux n'était jamais fermée.

Après être revenu au travail depuis une semaine, Dominic entra dans le bureau de Kate une feuille de calcul à la main.

— Comment diable as-tu pu voir ça ? J'ai dû éplucher six niveaux de gestion. Te rends-tu compte de combien d'argent tu nous as épargné ?

— Douze millions trois cent quarante-six mille sept cent vingt-cinq dollars et cinquante-deux cents.

Il sourit.

— Qu'est-ce que tu es, un génie ?

Elle secoua la tête en indiquant du doigt la feuille dans sa main.

— Il se trouve que j'ai une relation intime avec les chiffres et les lettres.

Il sourit à nouveau.

— Je ne suis pas certain d'aimer le son du mot « intime ».

En lançant la feuille de calcul sur son bureau, il se laissa tomber dans une chaise.

— Éclaire-moi.

— Détends-toi. C'est cérébral, pas sexuel.

Elle hésita brièvement parce qu'elle avait appris qu'il valait mieux éviter ce sujet de conversation.

— Maintenant, ne t'alarme pas, mais je vois les nombres et les lettres en formes, couleurs, textures ; même que je les sens et les entends.

Elle sourit.

— C'est en quelque sorte comme tu peux voir les vêtements et moi non. De toute façon, il y a un nom pour ça ; j'ai lu un article à ce propos une fois, même si je n'en sais pas vraiment davantage. Puisque j'ai toujours été comme ça, ce n'est que normal pour moi. Quand j'étais plus jeune, je pensais que tout le monde voyait ce que je voyais, puis j'ai découvert au secondaire que ce n'était pas le cas. Et j'ai appris à ne pas en parler parce que ça peut faire paniquer les gens quand tu leur dis que tu peux entendre chanter la lettre C ; pas tous les jours, ajouta-t-elle avec un petit sourire. Parfois, une autre lettre fait irruption, mais je peux en faire abstraction si elle nuit à ma concentration, comme tu as appris à le faire avec tes sentiments.

Elle lui jeta un regard espiègle.

— Toutefois, tu t'améliores, n'est-ce pas ?

— Je pense que le mot « essayer » conviendrait mieux.

Elle sourit.

— Quoi que tu fasses, j'aime ça.

— Alors, est-ce que les 12 millions ont déclenché les chœurs ?

N'étant jamais à l'aise de parler de ses sentiments, quels que soient les ajustements qu'il avait faits pour plaire à Kate, il réorienta la conversation.

— Pas exactement, répondit-elle poliment en saisissant le message. Quand je travaille, j'ai l'esprit complètement ouvert et je vois les lacunes, les aberrations, les motifs visuels changeants, même dans le flux des données à haute vitesse. C'est intuitif, indépendant de la raison, amusant. C'est pourquoi j'aime les ordinateurs.

Elle indiqua du doigt la feuille de calcul.

— L'erreur des 12 millions s'est mise à clignoter en noir dans un champ multicolore pastel. C'était impossible à rater.

Il ne parut pas étonné, mais il la fixait des yeux.

— Bon Dieu de merde, chérie, tu es renversante, dit-il en riant doucement. Comme si je ne le savais pas.

Puis, un regard pensif envahit soudainement ses yeux bleus.

— Même si je ne t'aimais pas à la folie, je m'assurerais que tu ne partes jamais. Tu es foutrement précieuse pour les Entreprises Knight.

Elle leva une main et croisa son regard.

— Seulement à titre de renseignement, je pourrais ne pas toujours vouloir travailler.

— Pas de problème, répondit-il rapidement parce qu'il décelait tout de suite l'expression attentive chez une femme. Je me fiche que tu travailles ou non. En fait, tu sais que je préférerais que tu ne le fasses pas.

— Je sais. Et *tu* sais que j'ai des réserves à propos de quitter le monde du travail. Mais j'aimerais être à la maison quand nos enfants seront jeunes.

Il fallut à Dominic une fraction de seconde pour réprimer la panique qui lui saisissait les entrailles maintenant quand elle parlait d'avoir des enfants.

— Ton horaire ne dépend que de toi, chérie. Ce sera toujours comme ça, répondit-il en agitant la main en direction de la feuille de calcul dans l'intention d'éviter le sujet des enfants. Je voulais seulement venir te remercier pour tout cet argent épargné.

— Heureuse de rendre service, M. Knight, dit-elle avant de se laisser aller contre son dossier et de lui adresser un clin d'œil. Y a-t-il autre chose que je puisse faire pour vous ?

Sa voix était pleine de sous-entendus.

— Puisqu'il est presque l'heure du déjeuner.

Elle n'avait fait aucune ouverture d'ordre sexuel depuis Londres et il l'avait poliment laissée décider quand elle serait prête. Il sourit.

— Tu en es sûre ?

— Tu devrais peut-être verrouiller les portes.

Ça semblait assez sûr.

— J'en serais heureux, chérie.

Il déboutonnait déjà son veston tandis qu'il marchait d'abord jusqu'à la porte du bureau de l'assistante de Kate, puis jusqu'à celle entre leurs suites, verrouillant chacune. Retirant son veston, il le lança sur une chaise et commença à enlever ses boutons de manchette.

Assise à son bureau, Kate pouvait sentir la chaleur monter dans son corps, réchauffer sa peau, lui faire frémir les entrailles. La peau sombre de Dominic contrastait avec la blancheur de sa chemise, ses longs doigts habiles sur ses boutons de manchettes, ses poignets robustes se pliant avec souplesse tandis qu'il enroulait ses manches de chemise.

— Qu'est-ce que tu fais ?

C'était une question purement théorique, exprimée doucement, avec le souffle court, vibrante d'une excitation sous-jacente.

Ses longs cils s'abaissèrent légèrement et il sourit.

— Je suis prêt pour le déjeuner. Ne bouge pas. Tu es bien comme ça.

— Tu sais combien de temps ça fait ? murmura-t-elle.

— Oui.

« Si on ne compte pas les branlettes », se dit-il.

Il lui adressa un bref sourire en contournant son bureau.

— Tu mérites un peu de plaisir.

Elle regarda le renflement sur sa braguette.

— Ce que je mérite, c'est toi et ta formidable queue.

Faisant pivoter sa chaise, il s'agenouilla tout en ignorant son commentaire.

— J'ai choisi une jupe aujourd'hui. Ce doit être le karma.

Il fit remonter sa jupe sur ses cuisses, puis poussa d'une main ses fesses vers le haut.

— Soulève-toi.

Quand elle le fit, il repoussa sa jupe jusqu'à sa taille, puis fit glisser sa culotte avec une délicatesse qu'il avait acquise bien avant la fin de l'école secondaire. Écartant doucement ses jambes, il frôla de ses mains l'intérieur des cuisses de Kate, glissa lentement un doigt sur son sexe charnu.

— Magnifique comme toujours, chérie.

Kate ferma brièvement les yeux, gémit, sa mémoire reconnaissant immédiatement la douceur de ses doigts, son désir immédiat et exigeant, comme si elle était en accord avec le moindre de ses touchers, comme si elle était programmée pour réagir.

— J'ai besoin de toi en moi, murmura-t-elle d'une voix tremblante.

Depuis trop longtemps privée de sexe, elle se retrouva tout à coup essoufflée de désir, son cœur battant à tout rompre.

— Le canapé.

Ses paroles n'avaient été qu'à peine un murmure tandis qu'elle posait ses mains sur les accoudoirs et commençait à se lever.

Dominic la repoussa sur le fauteuil et la retint doucement en place, son avant-bras sur sa cage thoracique. Faisant courir son autre main sur son mont de Vénus en une légère caresse, il glissa un doigt en elle et caressa délicatement son clitoris.

Elle retint son souffle, frémit violemment.

Il retira vivement son doigt.

— Oh, mon Dieu, chérie. Désolé.

— Non, non, non, fit-elle.

Et comme il commençait à s'écarter, elle saisit son poignet, puis remit sa main entre ses cuisses.

— Encore.

Si ce n'avait été de ses doigts pressés contre son entrejambe, il aurait pu interpréter ça comme un message ambigu. Il poursuivit tout de même avec prudence après ce spasme, glissant lentement son doigt dans sa chair moite, la caressant comme s'il touchait quelque rare substance qui pourrait se désintégrer à son contact.

Il ajusta la vitesse et la pression avec une méticulosité attentive jusqu'à ce que le petit gémissement familier de Kate le fasse sourire.

— C'est bon ?

— Du gâteau au chocolat, fit-elle en fermant les yeux, puis en souriant. Comme de faire tomber le plus génial pirate informatique du monde…

Elle s'interrompit un instant parce qu'il venait d'effleurer son clitoris et que la vibration se faisait encore sentir à travers son cerveau.

— Et comme toi quand tu me laves les cheveux. C'est bon, murmura-t-elle.

— Tout à fait d'accord, chérie, dit-il d'une voix rauque.

Elle était mouillée — trempée — et commençait à se mouvoir contre son doigt avec impatience, ses minuscules gémissements comme des souffles légers sur sa joue. Dieu qu'elle était douce, s'abandonnant entièrement. Depuis combien de temps ne l'avait-il pas caressée ainsi ? Et pendant un moment impétueux, il oublia presque les limites qu'il s'était fixées.

Presque.

Une fraction de seconde plus tard, il avait de nouveau verrouillé sa libido.

Et juste à temps parce qu'elle avait enfoui ses mains dans ses cheveux et qu'elle essayait de le remettre sur pied.

— Dominic, s'il te plaît, s'il te plaît. Le canapé, fit-elle en émettant de petites respirations saccadées. Je te veux *maintenant* !

Il se tendit. Combien de fois avait-il réagi à ses supplications et l'avait baisée jusqu'à ce que ni l'un ni l'autre ne puissent plus bouger, jusqu'à ce qu'ils aient du mal à respirer, jusqu'à ce qu'il ait l'impression qu'un poids lourd ait roulé sur sa queue. Il serra la mâchoire et, se retenant de toutes ses forces, il murmura :

— Bientôt, chérie. Accorde-moi un instant.

Écartant les mains de Kate, il se pencha légèrement vers l'arrière pour obtenir un meilleur appui et inséra un deuxième doigt, caressa lentement son sexe palpitant — doucement, impeccablement, taquinant chaque fois son point G en passant, attendant de l'entendre retenir son souffle avant de reprendre la cadence, son pouce frôlant son clitoris en de petits cercles lents de la façon qu'elle aimait.

— C'est mieux, maintenant ?

Elle ne répondit pas et pendant un moment, il envisagea de la forcer à répondre, mais il se souvint de bien se comporter. Il le faisait pour elle.

Était-il possible de simplement disparaître dans une frénésie de désir ? se demanda rêveusement Kate. Était-il possible de simplement se dissoudre dans une flaque de désir bouillonnant ? Était-ce ce que signifiait mourir de plaisir, cette voluptueuse douleur entre ses jambes ? Puis, Dominic enfonça de nouveau ses doigts et elle souleva les hanches pour aller à sa rencontre, le souffle coupé devant ce ravissement étourdissant, le plaisir enivrant irradiant du bout de ses doigts.

Quand elle reprit finalement une inspiration, comme s'il attendait un signal, il retira lentement sa main en caressant doucement son point G. Et au dernier moment, quand seulement l'extrémité de ses doigts la touchait, il tourna son poignet et pressa durement son pouce sur le clitoris enflé de Kate.

Une bouffée de plaisir intense traversa ses sens, des étoiles explosèrent devant ses yeux, son corps frémit de joie, et le monde se remplit soudain d'arcs-en-ciel.

— Comme ça ? demanda Dominic.

Sa voix était aguichante, rauque et basse. Sa main avait repris sa cadence, son pouce frôlant légèrement son clitoris de cette manière particulière qu'il avait de le faire après l'extase, et l'univers entier de sensations érotiques se fondait entre ses jambes, torride, l'attente chantant à son oreille comme un chœur céleste.

— Tu sais ce que j'aimerais davantage ? murmura-t-elle avec une extrême politesse en constatant comment il venait de la combler.

— Hmmm ?

Il glissait sa main libre sous sa courte veste, concentré sur le fait de ne pas répondre à sa question, concentré sur le fait de détourner son attention de ce qu'elle *aimerait davantage.* Posant sa large main sur son sein, ses doigts largement écartés pour le saisir en entier, il fléchit ses doigts de manière à les presser doucement dans sa chair tendre, puis moins doucement, puis pas du tout.

Kate émit un profond grognement — un bruit charnel incontournable comme Dominic le connaissait bien, l'expression d'un désir fébrile même s'il ne se manifestait que dans un souffle.

L'intérêt de Kate maintenant orienté vers des sensations plus fascinantes, il pencha brièvement la tête et frôla son mamelon du bout de sa langue.

— Tu aimes avoir mal juste un peu, n'est-ce pas, chérie ?

Elle secoua la tête.

Il renforça sa poigne, soutint son regard.

— Oui, oui, murmura-t-elle, les yeux à demi fermés.

— C'est ce que je pensais.

Desserrant les doigts, il glissa sa main sous son sein, le souleva, agrippa la chair généreuse juste assez pour que Kate s'avance légèrement. Il s'arrêta, son mamelon à un millimètre de sa bouche.

— Dis-moi quand ça te fera trop mal. Regarde-moi, Katherine. Bonne fille. Dis-le si ça fait mal. Je pourrai m'arrêter.

Il sourit.

— Tu as compris ?

Comme il le savait, ses paroles ne firent que l'aiguillonner et, tremblante de désir, anxieuse de se laisser aller, elle ouvrit la bouche pour répliquer, hésita sous son regard froid et dit prudemment :

— Oui.

Les doigts de Dominic se resserrèrent durement sur son sein.

Elle trembla.

— C'est trop ? demanda-t-il.

Mais il ne relâcha pas sa poigne. Plutôt, sans s'excuser, il saisit son mamelon dans sa bouche et exerça une pression brutale parce qu'ils connaissaient tous les deux la conséquence : elle éprouva un flot de sensations torrides se frayant un chemin jusqu'à son sexe furieusement palpitant.

Elle gémit doucement, ferma les yeux, se laissa aller contre le fauteuil et se mit à trembler tandis que le désir féroce traversait son corps, s'épanouissait, palpitait comme un battement de tambour dans son sexe vorace. Son sexe exigeant, impatient, bouillonnant, son sexe assoiffé, sans scrupules.

Mais chaque fois qu'elle allait atteindre un sommet, il adoucissait sa caresse, laissant se calmer sa frénésie. Faisant durer le plaisir, la faisant haleter et se tortiller et prier. Faisant ce qu'il faisait si bien.

Avec Katherine, toutefois, il y avait toujours un point de non-retour. Et quand elle ouvrit soudain les yeux et qu'elle le regarda de ses yeux verts perçants, il sourit.

— Détends-toi, chérie. Je vais te laisser venir, maintenant.

— Je… ne veux pas… ça.

Empoignant sa cravate bleu vif, elle l'attira contre elle.

— Je veux te sentir *à l'intérieur* de moi.

— Dans une minute, mentit-il en libérant sa cravate, puis en retirant rapidement ses doigts de son corps en chaleur, glissant sa main sous ses jambes et posant celles-ci sur ses épaules. Puis, il se pencha bien bas et souffla doucement sur sa chatte humide.

— Temps de venir, chérie.

Son souffle était chaud sur sa peau pendant une seconde avant qu'il lève les yeux et sourit.

— Essaie de ne pas crier.

Avant qu'elle ne se plaigne, qu'elle ne s'offusque ou qu'elle lui donne des ordres qu'il n'avait aucunement l'intention de suivre, il ouvrit son sexe avec ses doigts, pencha la tête, referma la bouche sur son clitoris gonflé et se mit à sucer.

Pas trop durement ni trop doucement. Pas trop rapidement ni trop lentement.

Pendant une nanoseconde d'hésitation, ses attentes se trouvèrent suspendues ; elle n'était pas certaine de se contenter de cela alors qu'elle le voulait *lui.* Nonobstant les hurlements de ses passions depuis si longtemps endormies — *Es-tu complètement folle alors que c'est si bon!* —, ses récepteurs orgasmiques acceptèrent frénétiquement et chaque terminaison nerveuse flamboya de consentement. Sa prise de décision ne pouvait faire abstraction du fait que Dominic vienne de consacrer un peu d'attention supplémentaire à son point G. Le monde commença à s'effacer, le nirvana s'éleva à l'horizon dans toute sa gloire dorée et Kate murmura avec une sincère reconnaissance :

— Oh, mon Dieu, *merci*…

Et Dominic releva brièvement les yeux.

— Remercie-moi plus tard, chérie, quand je le mériterai.

Il savait comment faire mieux. Il avait passé une décennie ou davantage à maîtriser les degrés d'amélioration.

— Voyons si tu aimes ça.

Ses lèvres se refermèrent de nouveau sur son clitoris palpitant et il le caressa avec une délicatesse experte qui avait été fortement appréciée dans son ancienne vie. Il savait avec une charmante précision à quel point sucer, comment et pendant combien de temps, connaissait la cadence exacte afin d'obtenir le niveau approprié d'excitation. Et quand, comme il en avait eu l'intention, Kate se mit bientôt à gémir de désespoir, il tourna légèrement la tête, fit glisser sa langue jusqu'à son point G et l'agita délicatement jusqu'à ce qu'elle devienne complètement mouillée et soit prête à s'effondrer de plaisir.

Alors, il ajouta un doigt, puis deux dans sa chaleur humide, leur faisant adopter un rythme langoureux jusqu'à ce point incandescent où rien n'avait plus d'importance que cette extase glorieuse, magnifique, exaspérante. Une béatitude cosmique envahit son cerveau, et, avec la clarté d'une preuve empirique, Kate comprit sans aucun doute que le meilleur sexe n'était pas toujours lié à des queues rigides.

— Ohmondieu, je meurs…

Ayant compris depuis longtemps que le meilleur sexe était un voyage et non une destination, Dominic reconnut également que la frénésie *mourante* de sa femme signifiait qu'il n'avait plus beaucoup de temps. Relevant la bouche d'un millimètre, son souffle chaud sur le sexe de Kate, il dit, inutilement, « Fini de jouer, chérie ? ».

Elle n'était plus en mesure de répondre, le raz-de-marée sur le point d'atteindre son sommet, et tendant les bras, elle lui empoigna les cheveux et le rapprocha. Pressant sa main et sa bouche, elle haleta tandis que les petites ondes de choc s'accéléraient, atteignaient un sommet, couraient le long de son échine à une vitesse folle et l'entraînaient irrépressiblement vers l'orgasme.

Dominic l'entendit prendre une forte inspiration — sut ce que ça signifiait. Il leva les yeux à travers ses cils, sourit faiblement contre sa chair succulente, suça plus lentement son petit clitoris enthousiaste, massa son somptueux point G en appliquant un peu plus de pression. Et une seconde plus tard, au moment même où le cri d'extase de Katherine était sur le point d'exploser, il remonta sa main libre et posa délicatement ses doigts sur sa bouche.

Doucement prévenue, elle retint son souffle, réprima son cri, en atténua la véhémence et émit de petits grognements explosifs tandis que le profond et palpitant délire s'étendait en elle et pénétrait chacune des terminaisons nerveuses de son corps trop longtemps privé de plaisir.

Dominic ne s'arrêta que lorsque ses doux grognements s'évanouirent finalement dans le silence.

Un cognement à la porte brisa tout à coup la sensation.

— Avez-vous besoin d'aide, Mme Knight ?

Dominic tourna la tête, ses cheveux frôlant les cuisses de Kate.

— Non, merci, dit-il d'une voix cassante.

— Oh, merde, souffla Kate, incapable d'ouvrir les yeux alors que le plaisir la traversait encore en de douces vagues.

— Ne t'en fais pas, chérie, murmura Dominic en embrassant délicatement la peau soyeuse de sa cuisse. Personne ne dira un mot.

Il allait y voir.

Il attendit sans bouger que l'orgasme de Katherine s'évanouisse complètement, désirant qu'elle éprouve chaque menue douceur après si longtemps.

Elle ouvrit finalement les yeux.

— C'était… tellement… parfait, dit-elle en passant sa main dans les cheveux ébouriffés de Dominic. Merci.

Il leva la tête, repoussa avec sa main gauche les cheveux de son visage.

— De rien, chérie, répondit-il en lui lançant un clin d'œil. Ça faisait un bon moment pour toi.

Écartant ses doigts de sa douce chatte, il fit redescendre ses jambes de ses épaules, posa ses pieds sur la moquette et s'accroupit sur ses talons.

— Pour toi aussi. Laisse-moi faire, dit-elle, puis elle se pencha vers l'avant, étendit une main et toucha sa braguette.

Il s'éloigna.

— J'ai un rendez-vous, dit-il en jetant un coup d'œil à l'horloge. Avec Morgan dans cinq minutes.

— Il peut attendre. Tu n'as eu aucun plaisir. Je me sens coupable.

Il sourit.

— Coupable à quel point ?

— Pas beaucoup, dit-elle avec un sourire en se complaisant encore dans le ravissement.

— C'est ce que je pensais, dit-il en éclatant de rire.

Il se remit sur pied avec souplesse, puis lui adressa un sourire aguichant.

— Je suis heureux que ma chérie soit de nouveau en forme, dit-il en déroulant rapidement ses manches de chemise. Sexy, impatiente.

Elle sourit, fit redescendre sa jupe sur ses hanches.

— Ce sera ton tour la prochaine fois.

— Bonne idée.

Il se pencha, ramassa sa petite culotte et la laissa tomber sur ses genoux.

— Et ne t'inquiète pas à propos de Christina. Personne ne dira un mot.

— J'espère un jour atteindre ton niveau de nonchalance, dit-elle en remettant sa culotte de dentelle.

— Reste avec moi, chérie. C'est inévitable.

Il se tourna, s'éloigna, prit son veston qu'il enfila et lissa sa cravate.

— Tu es décente ? fit-il en lui lançant un regard.

Elle sourit.

— En ce qui concerne les vêtements, ouais.

— Retiens l'idée, chérie. Nous allons vérifier ça à la maison. Maintenant, je déverrouille la porte de Christina.

Il se servit de sa main gauche et il lui souffla un baiser, ouvrit la porte de son bureau et disparut.

— Désolé pour mon retard, Morgan, l'entendit dire Kate. Katherine et moi étions en train de déjeuner. Il y avait un peu trop de sauce à la mangue dans les sandwichs. Laisse-moi aller me laver les mains et je reviens tout de suite.

Aussitôt la rencontre terminée, Dominic alla parler à l'assistante de Kate. Si Christina était une voyeuse, elle allait devoir partir.

Pénétrant dans son bureau par le corridor extérieur, il s'approcha pour qu'elle seule l'entende. Sans faire allusion à son interruption de tout à l'heure, il lui dit d'une voix basse :

— Je tiens à ce que Mme Knight soit traitée avec discrétion et respect. Je voulais seulement que ce soit clair.

Il avait parlé de Katherine en disant « Mme Knight » pour insister sur la courtoisie qu'il exigeait.

— Je comprends.

— Il n'est pas question qu'elle soit mal à l'aise ou décontenancée, ajouta-t-il d'une voix brusque, le regard glacial. Aucune exception, aucune excuse.

— Certainement, Dom… je veux dire M. Knight.

Les rapports avaient toujours été plutôt informels au sein des Entreprises Knight, mais elle venait de toute évidence d'être réprimandée et elle avait choisi d'adopter un ton plus respectueux.

— Bien. Fais en sorte de ne pas l'oublier.

Il pivota sur les talons et s'éloigna, la porte du corridor se fermant derrière lui un moment plus tard avec un petit clic.

« Merde, le personnel du bureau allait devoir en payer le prix », pensa-t-il.

Dominic venait de quitter le jeu en termes clairs. Chaque employée allait être abattue. Non pas qu'il se soit déjà engagé auprès de membres de son personnel, mais ça ne signifiait pas que chaque femme n'espérait pas être la première.

Dominic souriait légèrement en retournant à son bureau. Il n'avait jamais appelé Katherine « Mme Knight » au travail. Il se rendit compte qu'il aimait le caractère possessif de l'expression. Comme s'il lui revenait à lui seul de protéger et de chérir Katherine — une expression ancienne, peut-être dépassée. Une expression qu'il n'avait jamais envisagée — à tout le moins, pas en ce qui le concernait personnellement.

Il n'avait jamais appelé Julia « Mme Knight », n'avait jamais vraiment pensé à elle de cette façon. En fait, Julia avait conservé son nom de jeune fille après leur mariage, mais il ne l'avait pas remarqué jusqu'à ce que Melanie le lui mentionne.

Il se souvint lui avoir répondu à l'époque :

— C'est passablement courant, n'est-ce pas ?

Puis, il n'y avait plus repensé.

Maintenant, de manière irrationnelle, il voulait que Katherine lui appartienne en un sens presque féodal comme s'il ne vivait pas au XXIe siècle. Comme si une telle exigence n'était pas un affront à la modernité et, de manière plus importante, vis-à-vis elle. Il sourit. Comme s'il ne le savait pas. Comme s'ils ne s'étaient pas querellés sans cesse à ce propos.

Il avait encore son sourire au visage quand il apparut sur le seuil de la porte entre leurs bureaux.

Kate leva les yeux.

— Quoi ?

— Tu m'as seulement manqué.

— Je sais ce que tu veux dire, répondit-elle avant de regarder l'heure. Ça fait 20 minutes.

Ignorant sa taquinerie, il dit :

— Nous pourrions rentrer maintenant.

— Désolée, il me reste au moins encore trois heures de travail.

— C'est toi la patronne. Tu peux prendre une décision unilatérale.

— C'est ce que je viens de faire.

Il émit un grognement.

— Roscoe te harcèle depuis un moment concernant l'acquisition de Fly Way Jets, lui fit-elle remarquer. Règle ça.

Il sourit.

— Oui, m'dame. Je peux faire autre chose pour vous, m'dame ?

Elle lui souffla un baiser.

— Tu en as fait déjà bien assez pour aujourd'hui. Vraiment, c'était adorable.

— Ce fut un plaisir. Soit dit en passant, si jamais tu préfères avoir une autre assistante, Christina n'aurait pas d'objection à aller travailler dans notre section des communications.

— Elle ne représente pas un problème pour moi. Et pour toi ?

Kate avait vu comment la jolie blonde regardait Dominic, mais, de toute façon, il n'y avait pas une femme qui ne le regardait pas de cette manière.

— Préférerais-tu que ce soit un homme ? demanda-t-elle.

— Merde, non.

C'est ce qu'elle pensait.

— Alors, laisse Christina tranquille. Je crois comprendre que tu lui as fait un petit sermon.

Il écarquilla légèrement les yeux.

— Tu t'es fâché quand elle a frappé à la porte, dit-elle. Je n'ai pas eu besoin d'être télépathe.

— Elle ne le fera plus.

— Bien. Si ça ne te dérange pas, mon chœur grec chantonne dans ma tête, alors je dois me concentrer.

Kate retourna son attention vers son ordinateur.

Mais Dominic se tint sur le seuil pendant quelques moments de plus, éprouvant un profond sentiment de satisfaction. Grâce à un pur coup de chance, il avait trouvé Katherine dans l'immensité du monde. Elle lui avait appris l'amour, lui avait donné de l'amour, avait changé sa vie entière. L'avait rendu heureux.

— Hé, chérie, dit-il, parce qu'à part sa vie changée, il demeurait toujours un autocrate confirmé, fais-moi signe quand tu seras prête à partir. N'importe quand. Je peux travailler à la maison.

Elle leva les yeux, comprenant son message.

— Je suppose que je t'en dois une, répondit-elle en souriant.

Il parut amusé.

— Je suppose que oui.

— Dans une heure, ça te va ? Je peux travailler à la maison aussi.

Contrairement au rythme rapide des activités au siège social, leurs soirées étaient la plupart du temps reposantes. Après avoir avalé le dîner que Patty laissait pour eux, ils s'étendaient ensemble dans le salon ou la chambre à coucher, se tenant l'un l'autre, regardant la télé ou des films, parlant de leur journée. C'était une vie des plus simples : le travail, la maison, seulement tous les deux. Jusqu'à ce qu'un soir, Dominic dit :

— J'ai pensé que tu aimerais peut-être apprendre à surfer.

— Non merci, répondit Kate toujours concentrée sur le film.

— Ce n'était pas vraiment une question, dit Dominic en lui frôlant le nez du bout de son doigt tandis qu'elle était blottie dans ses bras.

Elle prit la télécommande et mit le film sur pause.

— Demande-moi si je me soucie que c'en en ait été une ou non, dit-elle en levant les yeux et en souriant.

— Tu aimeras ça.

— Non, je ne vais pas aimer ça.

— Comment le sais-tu si tu n'essaies pas?

— Je peux le visualiser; l'eau est froide et les vagues sont hautes.

Ce n'était pas pour rien que le siège social se trouvait à Santa Cruz. Son point de vue sur les plages était superbe, et les horaires des marées et le canal météo que syntonisait Dominic dans son bureau constituaient un rappel constant de sa passion pour le surf.

— Écoute. Je vais regarder et tu vas surfer.

— Non, viens avec moi.

Elle lui lança un regard grognon.

— Allons-nous nous quereller à ce sujet?

— Non. Essaie ta combinaison isotherme.

Il bondit du lit et marcha jusqu'à la penderie.

— Je l'ai fait faire sur mesure.

« Celle-là et cinq autres », se dit-il.

— Dieu du ciel, Dominic. Dois-tu toujours te comporter en bulldozer?

Il sourit.

— Rabat-joie. Je vais te prendre sur ma planche. Ce sera amusant.

— Alors, tu dois venir faire du tir avec moi.

— Bien sûr, dit-il, et il se retourna en tenant une combinaison vert lime et noir.

Oh, merde. Elle pensait qu'il allait se dérober.

— Allez, essaie-la. Peut-être que tu aimerais, tu sais… jouer un peu ensuite.

— Que le diable t'emporte! marmonna-t-elle.

Il avait résisté au fait d'avoir des relations sexuelles parce qu'il voulait qu'elle soit complètement guérie tandis qu'elle insistait depuis des jours pour faire l'amour.

— Ce n'est pas juste, ajouta-t-elle.

— Ouais, c'est tout moi, un foutu scout, répondit-il d'une voix traînante. Toujours juste, c'est ma devise.

— Qu'est-ce que tu veux dire par « jouer » ?

— Je veux dire que je vais te baiser.

Elle sentit malgré elle ce petit élan de désir qui atteignait sa cible.

— Maintenant ?

— Si tu promets de venir surfer avec moi demain.

— OK.

— D'accord. Une femme qui coopère. J'adore ça.

— Et moi, j'adorerais que tu t'y mettes vraiment. Ce n'est pas comme si je ne te le demandais pas depuis, voyons, 7 jours, 10 heures, 15 minutes. En gros.

Il éclata de rire.

— J'étais impatient aussi, chérie.

— Alors, ce n'était qu'un geste calculé ?

— Je ne dirais pas précisément ça.

— Qu'est-ce que tu dirais, précisément ?

— J'attendais seulement. Ce n'était pas vraiment volontaire, dit-il, puis sa voix s'adoucit. Sérieusement, chérie. Je ne veux pas te faire mal.

— Ça n'arrivera pas, OK ? Et en ce moment, la combinaison isotherme peut attendre. Moi pas.

Elle se débarrassa de son pyjama à la vitesse de l'éclair, se coucha sur le lit, étendit les bras et agita ses doigts.

Il ne bougea pas pendant une seconde, un million d'objections surgissant dans sa tête : les directives du médecin, le fait que Katherine n'ait pas encore été menstruée, les incertitudes à propos du temps qu'il lui fallait pour vraiment guérir. La crainte incessante de lui faire du mal, la peur d'avoir contribué à sa fausse couche.

— Merde, on croirait que c'est ta première fois. Écoute, je ne te ferai pas mal, dit-elle avec un sourire. Je vais être délicate.

Mais c'était Dominic qui était délicat et même légèrement phobique. Il lui fit l'amour avec tendresse et modération, avec une bienveillance altruiste et, avec ce qu'elle qualifia un peu amèrement plus tard, un calme exaspérant.

— Si seulement, chérie.

Il était tendu comme un ressort, chaque poussée inquiétante à ses yeux, son rythme de pénétration et de retrait prudent.

— Ça ne fonctionne pas pour moi.

Elle avait déjà joui deux fois, mais comme il avait adopté son foutu meilleur comportement, il dit sur un ton agréable :

— Tu as besoin d'un peu plus d'excitation ?

— Juste un peu plus de ta queue, si ça ne te dérange pas, dit-elle en imitant son ton mielleux.

— Salope, répondit-il d'une voix basse, taquine.

Elle fit glisser un ongle le long de sa joue, y laissant une marque.

— Alors, qu'est-ce que vous allez faire de ça, M. Knight ?

— T'apprendre une leçon, je suppose.

Abandonnant temporairement la plupart de ses réserves, il fit cesser les plaintes de Kate en lui donnant ce qu'elle voulait, plus profondément et plus vite, plus profondément et plus durement, répondant à son besoin frénétique jusqu'à ce qu'elle se mette à trembler, puis qu'elle se raidisse, haletante, dans l'attente de son orgasme imminent. Puis, il s'immobilisa en elle.

Elle ouvrit brusquement les yeux et sa bouche forma un petit O.

— Supplie-moi, chérie, dit-il doucement.

Les narines de Kate frémirent, puis elle serra les lèvres.

Son érection s'accrut, l'hostilité provoquant ça chez lui.

— Pour la marque de griffe, Katherine.

— Va te faire voir, siffla-t-elle.

Il sourit.

— Supplie-moi juste un peu. Pour que tu ne me griffes plus.

Puis, il plongea en elle pendant une seconde avant de se retirer légèrement, sentit son petit gémissement étranglé contre sa gorge et murmura :

— Apparemment, tu y es presque.

Elle se mordit la lèvre, ferma les yeux, prit une profonde et tremblante inspiration avant de les rouvrir.

— S'il te plaît, Dominic.

Les mots avaient été presque inaudibles.

— Je ne t'ai pas entendue.

— Va te faire voir ! répéta-t-elle.

Il sourit.

— Ça, je l'ai entendu.

— S'il te plaît, s'il te plaît, s'il te plaît, *s'il te plaît* ! dit-elle tandis que ses yeux verts lançaient des éclairs de rage. Tu as entendu ça ?

— Oui. Merci. Maintenant, tiens-toi bien, chérie, nous montons au septième ciel.

Et il le fit, avec aisance et habileté, avec expertise, sa queue talentueuse et la libido sulfureuse de Kate. Il la fit jouir comme lui seul pouvait le faire, une fois, deux fois, trois fois de plus — et quand elle dit finalement, le souffle court, « Non, non, arrête », il ne s'arrêta pas.

Parce qu'il était fou de désir.

Comme il s'était empêché de jouir pendant tous les orgasmes de Kate, il s'écoula quelques moments de vive tension avant qu'il puisse consciemment s'écarter, appliquer les freins sur sa queue. Et quelques secondes de plus avant de s'extirper brusquement du sexe moite de Kate et d'éjaculer sur son ventre si violemment qu'il dut retenir son souffle, ne sachant pas où il était, suspendu pendant quelques moments interminables dans une sorte de vide sauvage et douloureux.

Le coup de poing de Katherine le ramena à la réalité.

— Qu'est-ce que tu fais ? cria-t-elle.

Il prit une inspiration et répondit :

— J'attends que tu aies des menstruations normales.

Se laissant rouler sur le côté, il saisit son t-shirt sur le plancher.

— Ou n'importe quelle menstruation, ajouta-t-il en lançant le t-shirt sur le ventre de Kate. Tu as entendu la docteure. Merde, détends-toi.

Tendant la main vers son pantalon, il s'assit et essuya son membre.

— C'est injuste.

— Pour qui ? Tu as joui suffisamment. Et arrête avec ces sottises à propos de « justice ». Comme j'ai été élevé dans ma famille, ce mot ne fait pas partie de mon vocabulaire.

Elle le regarda d'un air rageur.

— Tu te montres difficile ou entêté, je ne sais pas lequel, sans raison valable.

— Bon Dieu, chérie, dit-il d'une voix basse en lui essuyant le ventre et en laissant tomber le t-shirt sur le plancher. Tu dois attendre. Respecte les foutues règles. Ne bousillons pas tout.

— Encore. C'est ce que tu veux dire, n'est-ce pas ? J'ai tout bousillé.

— Ce que je veux dire, c'est que nous avons tous deux entendu la docteure.

Il se passa une main dans les cheveux, la tint pendant une seconde contre sa nuque avant de laisser tomber son bras.

— Elle a dit d'attendre une menstruation normale. Alors, faisons ça, chérie, dit-il calmement. Ça ne prendra probablement pas beaucoup plus longtemps de toute façon. N'est-ce pas ?

Il se glissa contre la tête de lit, puis tira le corps détendu de Kate sur ses genoux et sourit faiblement.

— Qu'est-ce que tu es, un enfant de deux ans qui boude ?

Elle lui adressa un regard contrarié.

— Je pensais que tu aimais l'obéissance, que je fasse ce que tu voulais.

La bouche de Dominic se tordit.

— J'aimerais, si tu pouvais le faire vraiment.

— Va te faire foutre.

Il éclata de rire.

— Deux secondes. Un nouveau record.

Elle lui tira la langue. Puis, tout à coup, comme si un nuage avait caché le soleil, elle se sentit submergée par la perte épouvantable qui avait rendu cette querelle nécessaire. Jetant ses bras autour du cou de Dominic, Kate laissa lentement échapper un terrible soupir.

— Crois-tu que je vais un jour redevenir en bonne santé ? murmura-t-elle. Pour que tu n'aies plus à être si prudent et que je n'aie plus à m'inquiéter ? Pour que ni l'un ni l'autre n'ayons plus à nous inquiéter ?

— Bien sûr, chérie.

Il lui saisit le menton et releva son visage vers le sien et lui dit d'une voix réconfortante :

— Tu dois seulement être un peu plus patiente. Tu n'es pas douée pour ça, alors c'est moi qui dois m'en charger.

Il pencha la tête, l'embrassa délicatement, puis laissa retomber sa main.

— Alors, laisse-moi être celui qui dirige tout. Je fais ça foutrement bien, dit-il tandis que son sourire réchauffait son regard. Est-ce que tu as pris rendez-vous avec l'obstétricienne-gynécologue de Melanie ? Si tu ne l'as pas fait, tu le devrais. Mais si tu préfères, je vais le faire.

CHAPITRE 24

C'était un chaud samedi de juin, la température légèrement plus fraîche sur la côte qu'à l'intérieur des terres. Dominic avait fait envoyer son équipement à son appartement de Half Moon Bay puisque sa Tesla sport n'avait de place que pour deux.

Il était debout depuis des heures, faisant pratiquement les cent pas même s'il n'avait pas pressé Kate après l'avoir réveillée autrement qu'en mentionnant que les vagues étaient meilleures tôt le matin.

Il faisait encore nuit quand ils quittèrent la maison.

Appuyée contre la portière, ses jambes reposant sur la console tandis que Dominic conduisait d'une main tout en caressant nonchalamment ses pieds nus, Kate regarda l'homme d'une beauté renversante à côté d'elle. Les contours élégants de son visage étaient illuminés par la lumière du tableau de bord, son léger sourire visible même de profil.

— Ça t'a manqué, n'est-ce pas ?

Il lui jeta un regard, évaluant sa réponse après leur querelle la veille à propos du surf.

— Ouais, ça fait un bout de temps, dit-il d'une voix neutre.

— Ce n'est pas le cas, d'habitude ?

— Je surfe partout dans le monde. Alors, répondit-il en haussant les épaules, je suis généralement dans l'eau plus que je ne l'ai été récemment.

— C'est ma faute ?

Il lui adressa son plus beau sourire de mauvais garçon.

— Disons seulement que j'avais mieux à faire quand tu étais dans les environs.

— Et maintenant non ?

— Ne commence pas ça, chérie. Obtiens une bonne note gynécologique et nous allons reprendre nos habitudes. Je suis seulement plus prudent que toi.

— Et plus patient.

Il lui adressa un autre sourire.

— Toujours, chérie. Ce n'est pas un concours et ce n'est pas un problème non plus, ajouta-t-il vivement pour éviter toute réplique non désirée.

— Tu es rapide.

— Absolument, dit-il en riant. Question de survie.

— Est-ce que je suis vraiment d'une humeur si imprévisible ?

— Non, mentit-il quand, en fait, les femmes lui avaient toujours dit oui pendant toute sa vie.

— Peut-être que Nana et grand-père m'ont un peu gâtée, dit Kate. Alors, si tu le veux, je pourrais…

— Chérie, tu es tout ce que je désire. OK ? Ne change rien.

Il n'allait pas remettre en question sa personnalité ou les nuances de son comportement alors qu'il était heureux pour la première fois de sa vie.

— Sérieusement, ne change même pas la couleur de ton rouge à lèvres ou de ton vernis à ongles, ajouta-t-il en passant ses doigts sur les ongles d'orteils pourpres de Kate.

— Merde, tu sais *vraiment* comment faire en sorte qu'une femme se sente bien.

— *Une* femme, dit-il doucement en tendant la main et en lui frôlant la joue avec ses jointures. C'est tout. Maintenant, accroche-toi. Nous allons nous dépêcher. Les vagues sont meilleures à l'aube.

Il conduisait beaucoup trop vite sur l'autoroute, mais avec aisance, comme un coureur automobile, changeant de voies sans effort, dépassant la circulation lente à des vitesses si élevées que les autres voitures donnaient l'impression d'être garées, puis accélérant vraiment une fois passée la congestion urbaine, une situation chronique à San Francisco. Et quand ils atteignirent la route à deux voies qui suivait les hautes falaises sur la rive à une hauteur inquiétante, il tendit la main pour vérifier la ceinture de sécurité de Kate, puis appuya à fond sur le champignon.

À ce moment, Kate ferma les yeux pour éviter de hurler et de peut-être le faire sursauter et plonger dans la mer. Si elle avait ouvert les yeux, elle aurait pu voir que Dominic souriait, détendu, demeurant calme malgré les courbes et les côtes. Il avait roulé sur cette route des milliers de fois et il aurait pu le faire les yeux bandés.

Le soleil commençait à peine à éclairer l'horizon, il était avec son amoureuse et il s'en allait surfer — la vie ne pouvait pas être meilleure.

Vingt minutes plus tard, ralentissant tandis qu'ils approchaient de Half Moon Bay, Dominic sourit en direction de Kate.

— Tu peux ouvrir les yeux, chérie.

— Je devrais me faire faire un t-shirt avec l'inscription *J'ai survécu à l'autoroute 1*, marmonna-t-elle.

Il afficha un sourire d'adolescent.

— Amusant, non ?

Elle le foudroya du regard.

— Nous n'avons pas la même idée du plaisir.

— Ce qui me rappelle, fit-il en levant un index, que mon appartement ici est pratiquement nu. Ne t'attends pas à beaucoup. Ça n'a toujours été qu'un endroit où dormir entre les vagues.

— Merde. Et moi qui suis habituée au Taj Mahal.

Il sourit.

— Tu as envie d'une fessée, n'est-ce pas ? Je vais te dire une chose : sois une bonne fille à propos du surf et je pourrais t'accorder une large compensation.

— Maintenant, nous parlons vraiment de plaisir. À quel point, cette compensation ?

— Ça dépend comment tu te montres accommodante avec le surf.

— Je ne vais pas me plaindre.

— C'est déjà ça.

— Je ne vais pas t'obliger à me sortir de là en ramant avec tes mains.

— Wow, encore mieux.

— Et qu'est-ce qui arrivera si je monte sur ma planche et que je ne tombe pas ?

— Alors, tu vas avoir…

— Tout ?

— Presque tout. Nous avons encore besoin du sceau d'approbation du médecin. Mais ne boude pas, chérie. Ce n'est qu'à peine 1 % du jeu.

— OK. D'accord.

Il l'aimait pour mille raisons, mais son esprit de compétition était au sommet de la liste. Katherine Hart Knight ne cédait pas un centimètre à moins d'y être obligée. C'était cette partie qui lui plaisait le plus et qui, à plusieurs occasions hautement stimulantes, le stupéfiait totalement.

L'appartement était petit, simple, une chambre à coucher, des meubles étriqués, des trucs de gars partout : des affiches de surf sur les murs, des planches appuyées contre les murs, des bongs de toutes tailles et de toutes couleurs, une énorme télé et un réfrigérateur encore plus grand rempli de bières et de très peu de nourriture. Mais sa plus grande qualité était la plage pratiquement sur le pas de la porte.

— Nous allons sortir manger, dit Dominic quand Kate ouvrit le réfrigérateur et fixa des yeux les rangées de bouteilles de bière. Patty, le gardien, le remplit pour mes amis qui viennent coucher ici quand ils surfent. Maintenant, laisse-moi t'aider à enfiler ta combinaison. Les vagues n'attendent pas.

Il lui donna toute une série de directives pendant qu'il l'aidait à enfiler le vêtement jusqu'à ce qu'elle dise :

— C'est trop, Dominic. Montre-moi simplement. OK ?

— Désolée, chérie. Ça fait longtemps que je ne suis pas venu ici. Je suis un peu survolté. Assieds-toi une minute pendant que je m'habille, puis nous allons nous élancer dans l'eau.

Il enfila sa combinaison avec la vitesse et l'habileté que conférait une longue pratique — les sacs de plastique aux pieds, du talc sur ses bras et ses jambes — le tout en 10 fois moins de temps que Kate, puis il prit leurs planches et hocha la tête.

— Prête ?

— Autant que je puisse l'être.

— C'est tout ce dont j'ai besoin, chérie, répondit-il en souriant. Une tiède coopération te mène quand même dans l'eau avec moi. Et je m'occupe du reste. Tu vas avoir du plaisir.

En fait, elle s'amusa même si elle n'en était pas certaine au départ. Dominic était extrêmement patient, la prenant sur sa planche les premières fois et la tenant serrée contre lui tandis qu'ils surmontaient quelques vagues moyennes à partir de la rive. Puis, il lui montra comment pagayer elle-même, réussit à garder sa planche le long de la sienne quand il se mit debout, puis la releva et la stabilisa tandis qu'elle se laissait glisser avec aisance sur les petites vagues près de la grève.

Il vit l'exultation sur son visage quand ils atteignirent la rive et il eut l'impression que l'univers s'était soudain transformé en or.

— Tu as aimé ça ? demanda-t-il en détachant le cordon de sécurité de sa planche et en l'attrapant quand elle en descendit.

— Wow.

— C'est un bon wow, n'est-ce pas ?

Il prit les planches sous un bras et passa l'autre autour des épaules de Kate, puis l'attira contre lui.

— C'est un des grands plaisirs de la vie, ajouta-t-il.

— Vraiment, souffla-t-elle en lui souriant. Tu m'as convertie.

Il laissa brusquement tomber les planches sur la plage, passa ses bras autour d'elle et l'attira contre son grand corps robuste.

— Je le savais.

Il leva un bras, repoussa les boucles mouillées de Kate derrière son oreille, écarta ses propres cheveux de son visage et, se penchant, il l'embrassa, puis murmura contre sa bouche :

— Bienvenue dans mon univers, chérie. Nous allons nous amuser.

Et, du point de vue de Dominic, la fin de semaine se passa comme s'ils étaient tous deux au paradis. Kate apprit presque immédiatement à chevaucher les petites vagues et s'améliora constamment pendant leur séjour, le sexe fut meilleur que jamais, ce qui signifiait beaucoup compte tenu de leurs antécédents, et son ami Eddy arriva le dimanche pour accompagner Dominic sur les vagues les plus grosses et les plus dangereuses — ce qui était relatif pendant l'été, mais n'était tout de même pas pour les mauviettes. Pendant le trajet du retour le dimanche soir, combattant la circulation pendant tout ce temps, Kate sommeilla et Dominic repassa dans sa tête les magnifiques souvenirs de cette fin de semaine. Half Moon Bay avait toujours été son sanctuaire et son paradis, une juxtaposition qui n'était pas toujours harmonieuse, mais c'était surtout paradisiaque et maintenant, il pouvait le partager avec Katherine. Il dut se pincer une centaine de fois sur le chemin du retour, pour être sûr qu'il n'avait pas rêvé.

La vie était beaucoup trop belle.

Quand ils arrivèrent à la maison, Kate se réveilla, s'assit et sourit tout à coup de toutes ses dents.

— Ohmondieu, Dominic ! Mes menstruations ont commencé !

« Oh, merde. »

— Nous avons fini d'attendre, alors, fit-il sur le ton conditionnel qu'utiliserait un spécialiste en démolition pour dire : « Si ce n'est pas le fil rouge, alors tout va bien ».

— Tu ne sembles pas très enthousiaste.

— Désolé, chérie. Je le suis, dit-il avant d'ajouter avec plus d'enthousiasme : C'est *vraiment* une bonne nouvelle, mais en songeant « La vie était *réellement* trop belle ».

Maintenant, qu'allait-il donc faire ?

CHAPITRE 25

La semaine suivante, Dominic fut remarquablement tendu. À un point tel que même Max le souligna.

— Merde, qu'est-ce qui se passe ? Tu t'es encore retrouvé sur la liste d'assassinats de quelqu'un ?

— J'aimerais que ce soit si simple.

— Et ?

— Et je vais composer avec ça.

Max était assez sage pour ne pas poursuivre la discussion.

Même Kate demanda finalement :

— Est-ce que j'ai dit quelque chose qui t'a fait fâcher ?

— Désolé, chérie, dit Dominic en s'efforçant à sourire, c'est seulement un contrat qui me rend fou.

— Je peux t'aider ?

« Tu parles que tu peux m'aider », se dit-il.

— Non… c'est gérable. Mais merci.

Puis, Kate se rendit *avec* Melanie à son rendez-vous avec le médecin de celle-ci. La sœur de Dominic avait seulement dit :

— Laisse-moi l'emmener, Nicky. Elle est inquiète et peut-être que tu ne comprendrais pas. Alors, n'insiste pas.

Il n'avait aucunement l'intention d'insister. Il était probablement plus inquiet, bien que pour des raisons tout à fait différentes. Ils quittèrent le travail tôt. Dominic laissa Kate chez Melanie pour le rendez-vous de 16 h, puis rentra chez lui. Il essaya de travailler, mais il n'arrivait pas à se concentrer et, après avoir dû relire une page pour la énième fois, il sortit finalement de son bureau et, en espérant se distraire, il descendit s'entraîner dans le gymnase. Après s'être entraîné à un rythme fou qui le laissa tout essoufflé et en sueur, il ne se sentit pas l'esprit plus tranquille.

Parce qu'il savait ce que Katherine voulait.

Et il ne voulait pas ce qu'elle voulait.

Pas maintenant ; peut-être jamais.

Il s'était douché, avait enfilé un t-shirt blanc et des shorts kakis, avalé deux whiskies pour se détendre et s'en versait un troisième quand Kate revint.

Il entendit ouvrir et se refermer la porte d'entrée, et tous ses muscles se tendirent.

Elle entra dans le salon quelques instants plus tard et son sourire aurait pu réchauffer la terre pendant un siècle.

— Alors, comment ça s'est passé ? demanda Dominic comme s'il ne l'avait pas déjà su en voyant son sourire radieux.

Kate écarta largement les bras, lui fit une grande révérence théâtrale, se redressa, les yeux brillants de joie.

— À titre de renseignement, tu as devant toi une femme complètement, totalement, *merveilleusement* en santé ! J'ai dit à la D^{re} Nye que tout le mérite te revient parce que grâce à toi je mange et je dors bien. Elle m'a dit de te transmettre ses félicitations. Soit dit en passant, elle est vraiment sympathique. Tu l'aimerais. Elle fait du surf.

Puis, Kate prit une grande inspiration et ses yeux se remplirent soudain de larmes.

— J'étais vraiment inquiète, Dominic. J'avais peur qu'il y ait quelque chose qui n'aille pas chez moi, dit-elle en poussant un petit soupir de soulagement. Mais je vais bien. La docteure me l'a dit peut-être un million de fois pour me rassurer.

— C'est une bonne nouvelle, chérie, répondit-il en essayant de sourire sans trop y parvenir. Je suis heureux que tu sois en bonne santé.

Elle le regarda, considéra son ton, laissa échapper un petit souffle.

— Tu n'as pas l'air content.

Il détourna le regard pendant une seconde, puis leva son verre et vida le whisky.

— Parle-moi, Dominic.

Elle se félicita d'avoir pu empêcher sa voix de trembler.

Il déposa son verre. Une seconde de silence s'écoula.

— Je ne sais pas quoi dire ; ou ce que tu veux que je dise.

— Que tu es heureux pour nous. Que penses-tu de ça ?

— Écoute, chérie.

Il s'arrêta un moment, cherchant les mots qui convenaient, comprenant que peu importait ce qu'il dirait, il allait contrarier la femme qu'il aimait.

— Je sais ce que tu veux, dit-il avant de prendre une petite inspiration, et j'en suis vraiment désolé, mais je ne suis pas certain de vouloir prendre le risque.

La salle d'opération l'avait terrifié à tout jamais.

— Ce qui est arrivé à Londres est trop… récent, poursuivit-il. Tu as dit que tu étais inquiète ; eh bien, je le suis encore. Attendons seulement encore un peu. Pour ne pas se précipiter. Pour bien réfléchir à tout ça.

— Notre mariage ne concerne pas seulement ce que tu désires, Dominic.

Elle se redressa légèrement, puis lui adressa un regard qui frôlait la déclaration de guerre.

— Ça concerne ce que je veux aussi et je veux un enfant.

— Même en sachant que ça pourrait…

— Même alors, répondit-elle simplement plutôt que de répéter les assurances de la docteure.

— Tu es *vraiment* folle.

— Je n'ai jamais dit que je ne l'étais pas.

Elle prit une inspiration, puis dit d'une petite voix :

— S'il te plaît, Dominic, tu veux faire ça pour moi ?

— Ne dis pas ça.

Il y avait une certaine perfidie dans sa demande délicate, dans la sincérité déchirante de ses doux yeux verts, dans son magnifique corps sexy qu'il dut faire semblant d'ignorer, sinon il aurait d'emblée accepté sa mauvaise idée.

— Je ne vais pas arrêter de dire ça. Je ne vais pas arrêter de vouloir un bébé. Ça n'arrivera jamais. Et tu m'as promis que je n'avais qu'à te dire quand je serais prête.

Elle sourit.

— Tu as promis, Dominic.

Il faillit céder devant la douce lueur dans ses yeux. Il n'y avait rien au monde qu'il désirait davantage que de la rendre heureuse. Mais pour le faire, elle devait être vivante.

— J'ai encore une fois envisagé les risques, dit-il en mentant à demi puisqu'il les avait *toujours* gardés à l'esprit, et je ne peux pas te perdre, Katherine. C'est aussi simple que ça.

— Tu prends des risques tous les jours dans ton métier. Et ceci n'en représente même plus un. Demande à la docteure, elle te le dira.

— Elle ne le sait pas. Elle *ne peut pas* le savoir.

Il avait examiné le sujet en profondeur, lu des articles médicaux, des livres ; il y avait d'énormes inconnues concernant les fausses couches.

— Et, en affaires, les risques sont seulement financiers. Je me fiche de perdre ou de gagner en affaires. Ce n'est pas la même chose. Et de loin.

Il réfréna sa colère croissante, conserva une voix neutre.

— Il s'agit de ta foutue vie, Katherine. Je ne peux pas jouer ce jeu.

— Ce n'est pas un jeu pour moi.

Elle s'arrêta soudain comme si elle était sur le point de dire quelque chose de dur, mais émit plutôt un petit soupir.

— Je veux une famille, Dominic. Pas dans 10 ans ni quand tu seras prêt, mais maintenant. Tu as entendu la Dre Fuller ; je ne suis pas la seule femme qui éprouve une sorte de désespoir après avoir perdu un enfant. Peut-être que mon insistance est injuste à ton égard, continua-t-elle alors que sa voix se faisait tout à coup tremblante, mais je *veux* un enfant.

— Non, répondit-il, les narines palpitantes. C'est trop dangereux.

Elle répondit d'une voix basse, mielleuse :

— Je peux te faire changer d'avis.

Le seul fait d'entendre ce petit défi engendra chez lui une poussée d'adrénaline. Il prit une inspiration, chercha une issue. Elle était calmement déterminée, irrésistible, et il n'était pas fait de bois.

— Que dirais-tu d'un compromis ? demanda-t-il. Nous allons ralentir, y réfléchir pendant un moment ; évaluer les possibilités.

Ils étaient tous deux des gens de chiffres ; peut-être qu'il pourrait la convaincre.

— C'est un foutu de gros pari, chérie, et tu le sais.

— Tu veux dire ralentir jusqu'à ce que j'arrête de le demander. Un compromis à *ta* manière, dit-elle avant de secouer la tête. Non, Dominic. Non, non, *non*.

La certitude tranchante dans sa voix ressemblait au fait d'apprendre la mort de quelqu'un. Il n'était pas possible de revenir en arrière. Il leva les yeux au plafond, songea à la façon dont Katherine ensoleillait quotidiennement sa vie, au fait qu'il n'avait commencé à vivre qu'après l'avoir rencontrée, à la manière dont le mot « bonheur » en était finalement venu à signifier quelque chose. Puis, il baissa les yeux sans dépasser le visage de Kate par souci de prudence et, à demi inquiet, à demi fâché, il dit :

— Tu commences…

— Je sais.

— Tu ne peux pas changer…

— Je *sais*.

— Je ne suis pas certain que tu le saches.

Il se retenait depuis si longtemps, avait été presque célibataire pendant des semaines, qu'il n'était même pas sûr de pouvoir s'arrêter une fois démarré. Il soutint son regard, puis lui dit d'une voix tendue et sombre :

— Dernière chance de reculer.

— Ménage ta salive, OK, répondit-elle rapidement d'une voix furieuse. Il n'y a pas que toi qui aies mauvais caractère.

— Holà ! chérie. Ce n'est pas une bonne idée de me mettre en colère.

— Va te faire foutre, Dominic. Je suis fatiguée de supplier. On croirait que je te demande de vider ton compte de banque. C'est mon corps, OK ? Pas le tien !

Il se figea pendant une seconde, réprima ses 10 premières impulsions irréfléchies, l'examina pendant une autre seconde, sa mâchoire tendue, puis hocha brièvement la tête.

— Comme tu veux, alors.

Il sortit brusquement son téléphone cellulaire de son short, cliqua sur un nom, attendit et parla immédiatement quand Roscoe décrocha.

— Je quitte le bureau pendant trois semaines. Katherine aussi. Je dois faire quelque chose pour elle, dit-il sans émotion. Non, ce ne sont pas des vacances. Nous avons un projet.

Dominic regarda Kate et mima le geste de déboutonner un vêtement avec sa main libre.

Elle ne bougea pas.

Il haussa les sourcils, posa sa main entre ses jambes.

Elle commença à déboutonner son chemisier.

— Bon Dieu, Roscoe, tu n'es pas en train de pleurer ? Non, je ne peux pas, non ; non pour ça aussi. Je dois y aller. On se reparle.

Laissant tomber son téléphone près de son verre vide, Dominic regarda Kate se déshabiller en silence. Elle laissa glisser son chemisier de lin marine le long de ses bras et le laissa tomber sur le sol, fit voler ses sandales blanches. Il prit une lente inspiration quand elle se pencha pour faire glisser son pantalon de lin blanc et sa culotte de dentelle le long de ses jambes, la splendeur de ses seins terriblement engageante.

Soit qu'elle avait entendu sa petite inspiration, soit qu'elle avait commencé à lui faire changer d'avis, mais quand elle se redressa, elle leva paresseusement les bras pour que ses magnifiques seins se soulèvent, passa lentement ses doigts à travers ses boucles rousses, puis laissa reposer ses mains sur sa tête, s'offrant à lui dans toute sa gloire éclatante.

— Je suis prête à entreprendre votre projet, M. Knight.

C'était là un sourire exultant ; il n'y avait pas d'autre mot pour ça.

— Superbe, chérie. Tu es absolument baisable dans cette pose. Mais ne commence pas tout de suite à célébrer. Tu vas devoir travailler pour ça. Je n'aime pas faire de compromis; j'aime gagner. Ça m'enrage de faire des compromis; en particulier à propos de ça.

Il pointa du doigt un endroit par terre devant lui.

— Ici, chérie.

Quand il vit qu'elle se contentait de le regarder fixement, il dit doucement :

— Je pensais que tu voulais quelque chose de moi.

— Peut-être.

Elle laissa tomber ses bras, frôla son mont de Vénus, puis glissa un doigt dans son sexe humide.

— Il se peut que tu veuilles quelque chose de moi aussi, ajouta-t-elle.

— Pas autant que toi, répondit-il d'une voix lente. Nous savons tous les deux qui peut se permettre d'attendre dans ce petit jeu à deux. Alors, à ta place, j'amènerais mon cul ici.

— Bon Dieu, Dominic, es-tu obligé d'être vulgaire ?

— Écoute, tu veux quelque chose et je te le donne, fit-il d'une voix brusque. Mais je fais ce que tu veux contre ma foutue volonté et je ne suis pas tout à fait certain de pouvoir maîtriser ma colère. Alors, sois prudente et contente-toi de faire ce que je te dis. Maintenant, amène ta petite chatte déterminée ici pendant que je fais un dernier appel.

Reprenant son téléphone, il cliqua sur un nom dans sa liste de contacts.

— Salut, Richie. Oui, ça fait un bout, dit-il en souriant. Ouais, ouais. Écoute, je vais aller te voir un peu plus tard. Je voulais seulement m'assurer… OK; c'est là… c'est ce que je pensais. Bien. Non, c'est tout ce dont j'ai besoin.

Laissant tomber le téléphone sur la table, il regarda Kate.

— Tu vas devoir faire plus vite, chérie. Je suis vraiment de mauvaise humeur, lui dit-il en descendant sa braguette. Sors-le. Puis, agenouille-toi.

Elle le foudroya du regard.

— Je ne vais pas faire ça. Je te veux en moi. C'est précisément de ça qu'il s'agit.

Il soupira doucement.

— Tu ne comprends vraiment pas, chérie, n'est-ce pas ? Il ne s'agit pas de ce que tu veux, mais de ce que je veux. Quand et où je le veux. À quel point je le veux. Et merde, tu vas m'obéir, sinon nous allons mettre fin immédiatement à ce petit jeu. Je te l'ai dit : tu démarres ça, mais tu ne vas pas l'arrêter. Personnellement, je voudrais l'arrêter. Je trouve ça risqué. Et je ne suis certainement pas heureux de mettre ta foutue vie en danger.

— Alors, comme d'habitude, il s'agit seulement de ce que tu veux, s'écria-t-elle.

— Non, chérie, dit-il en exhalant lentement. Ça n'a jamais été le cas avec toi. J'ai mis mon univers sens dessus dessous pour toi. Je ne renie pas ça et je ne m'en plains même pas, je suis seulement — merde… je ne sais pas… ça m'irrite de risquer ta vie.

Il secoua les épaules, puis ferma brièvement les yeux et son ton baissa.

— Et puis, merde. Jette les dés. C'est ce que tu veux, non ?

Il parut soudain découragé et épuisé.

— Mon Dieu, Dominic, je suis désolée, murmura Kate en s'approchant de lui et en l'enlaçant. Je suis consciente de tout ce que tu as fait pour moi, à quel point tu as changé ta vie pour moi.

Son menton reposant sur le logo de la Coupe des Amériques sur son t-shirt, elle leva vers lui des yeux larmoyants.

— Je m'excuse de te demander ça.

— Mais…, dit-il d'un ton brusque, ses bras pendant à ses côtés parce qu'il ne voulait pas la toucher, sa mâchoire rigide.

— Mais je veux ton enfant, notre enfant, dit-elle si doucement qu'il faillit ne pas l'entendre.

Toutefois, la profondeur de son désir était incontournable. En soupirant, il la prit dans ses bras, puis il soupira encore parce qu'il ne pouvait pas dire ce qu'il aurait voulu dire sans la blesser.

— Je pourrais encore agir comme un salaud avant que ce soit terminé, marmonna-t-il en luttant contre ce qu'il voyait comme une dangereuse manière de tenter le sort. Tu as fait de moi une meilleure personne, mais pas un saint, OK ?

— Je sais comment répliquer, Dominic.

Sa voix était plus forte, et elle lui adressa un petit sourire.

— Ne me demande pas d'être heureux à ce propos, dit-il avec un long soupir de fatigue. Je ne le peux pas.

— Je serai heureuse pour nous deux. Et je te promets de ne pas faire de vagues ; je ferai tout ce que tu demanderas. Je ne vais pas argumenter ou me plaindre. Et si ça fonctionne, ajouta-t-elle en souriant timidement, je vais être super prudente en ce qui concerne l'alimentation et le sommeil. Je vais suivre tes directives. Je ne vais pas rechigner même une seule fois. C'est promis.

Il lui caressa doucement le dos, son expression résignée, son petit sourire plus tendre.

— Tu es sûre que je ne peux pas t'en dissuader ?

Elle secoua la tête.

— Je me dis : demande ce que tu veux, puis fonce.

— Juste pour que tu le saches : il se peut que tu n'obtiennes pas toujours exactement ce que tu veux, dit-il en souriant à peine. Je peux être d'humeur variable.

— Au diable tes humeurs.

— Pourtant, fit-il d'une voix douce comme la soie, en souriant vraiment cette fois, ta personnalité de garce nerveuse me donne toujours envie de sauter dans le ring avec toi.

Une lueur d'impudence traversa les yeux verts de Katherine.

— J'ai remarqué.

— Et nous savons tous les deux comment ça fonctionne, dit-il très doucement.

— Toi, répondit-elle en lui tapotant la poitrine, et lui.

Elle frotta son corps contre sa formidable érection.

— Et moi. Très bientôt, j'espère, ronronna-t-elle en terminant.

Il haussa un sourcil.

— Ça dépend.

— De quoi ? demanda-t-elle en haussant à son tour un sourcil.

— De quelques éléments non négociables, dit Dominic de sa voix déterminée de PDG intraitable. Je vais embaucher quelques médecins en résidence, qui habiteront à côté, pas ici… alors, détends-toi. Mais tu suivras leurs directives à la lettre et sans te plaindre. Tu *ne vas pas* argumenter avec moi à propos de ton sommeil ou des exigences nutritionnelles.

Il leva un index pour interrompre le commentaire qu'elle était sur le point d'émettre.

— Tu sais ce que signifie « non négociable », n'est-ce pas ? Tu l'acceptes, sinon je me retire du marché. Je ne ferai aucun foutu compromis là-dessus.

— Très bien, répondit-elle en reniflant très légèrement. Tout ce que tu veux, je suppose.

— Il est un peu tard pour ça, dit-il sèchement. Mais au moins, je vais faire en sorte que ce soit moins risqué.

— Alors, murmura-t-elle, émue par la volonté qu'affichait Dominic malgré sa réticence et tout à coup débordante de bonheur. Tu es prêt ?

Il eut un petit sourire.

— Je le suis depuis…

— Depuis que tu m'as rencontrée ? fit-elle avec un sourire.

— Ouais, on peut dire ça.

Mais il ne perdit pas complètement la maîtrise de soi parce qu'il ne l'avait jamais vraiment fait. Pas après une vie entière d'autodiscipline.

— Habille-toi, dit-il en remontant sa braguette. Nous allons en ville.

— Qu'est-ce que je devrais porter ?

— Ça n'a pas d'importance, répondit-il en contemplant brièvement sa magnifique nudité. Tu ne peux simplement pas venir comme ça. Viens me rejoindre dans mon bureau.

Il leva son poignet juste assez pour voir sa montre.

— Dans cinq minutes, chérie. Les ordres commencent maintenant.

Elle hésita, intrinsèquement résistante devant ce ton.

— C'est toi qui décides, fit-il en jetant un autre coup d'œil à sa montre. Quatre minutes cinquante secondes. Soit que tu le veux, soit que tu ne le veux pas.

Il se tourna, puis s'éloigna.

Quatre minutes plus tard, elle entrait dans son bureau et il haussa les sourcils.

— Quoi ? demanda-t-elle.

— Tu viens habillée comme ça ?

— Tu ne m'as pas laissé beaucoup de temps. J'ai saisi ce truc en vitesse. Hé, tu ne renies pas notre accord, dit-elle en lui jetant un regard dur. Tu as dit que ce que j'allais porter n'avait pas d'importance.

Elle avait l'air d'une belle enfant misérable, ses boucles rebelles comme d'habitude, ses joues empourprées, le pantalon de pyjama en tissu écossais traînant sur le plancher, le minuscule blouson de jeans à paillettes qu'elle aimait couvrant à peine ses gros seins.

— Les vêtements que tu portais pour ton rendez-vous étaient encore sur le plancher du salon où tu les avais enlevés, souligna-t-il.

— Si tu n'avais pas dit « 4 minutes 50 secondes », je n'aurais peut-être pas paniqué. Nous ne pouvons pas tous être froids comme l'acier en tout temps.

Elle se redressa un peu, ses superbes seins jaillissant presque du blouson, et Dominic décida qu'il n'allait pas être particulièrement facile pour lui non plus de rester froid.

— À titre de renseignement, dit-elle d'un ton sec, le corps droit, faisant face à son adversaire avec un regard déterminé, je veux cet enfant, alors merde, tu fais de ton mieux. Je ne vais pas perdre ce round ni aucun autre.

Il sourit.

— On ne s'ennuie jamais avec toi, chérie. Je t'accorde ça.

— Du moment où tu me donnes ton sperme pendant les trois prochaines semaines, je vais m'assurer que tu ne t'ennuies jamais.

Son sourire, comme celui de Dominic, était amusé.

— Alors, où allons-nous ?

— Assieds-toi, dit-il en indiquant du doigt la table au milieu de la pièce. J'ai besoin que tu signes quelque chose d'abord.

Kate alla s'asseoir à la table et prit l'unique feuille couverte de l'écriture assurée de Dominic et lut le contrat décrivant son régime alimentaire si elle tombait enceinte. Elle leva les yeux.

— Tu es sûr qu'il ne manque rien ? Peut-être un moniteur pour me surveiller jour et nuit, sept jours sur sept ?

— Je vais faire ça.

Elle soutint son regard glacial.

— Alors, j'ai besoin d'une feuille aussi.

— Pour ?

— *Ton* contrat. Si tu veux que je suive toutes ces foutues directives, quotidiennement, ajouterais-je, pendant neuf mois, j'ai moi aussi une exigence, fit-elle en lui souriant. Je suis sûre que c'est toi qui es gagnant dans l'art de conclure un marché.

Il prit une feuille de papier qu'il laissa tomber sur la table, s'assit devant elle et la regarda écrire rapidement.

D'un geste brusque, elle poussa le papier vers lui sur la table.

— Je vais signer le tien quand tu auras signé le mien.

Il lut l'unique phrase de son écriture en lettres à demi détachées, et à demi attachées. En toute autre circonstance, il aurait considéré cela comme un cadeau des dieux.

Je soussigné, Dominic Knight, déposerai ma semence dans le vagin de ma femme au moins trois fois par jour pendant les trois prochaines semaines.

Il leva la tête en haussant un sourcil.

— C'est très précis.

— Et ton texte ne l'était pas ?

Un muscle tressaillit sur sa joue et son regard se fit plus froid.

— Tu as besoin d'une plume, dit-elle dans le silence tendu.

Elle ne souhaitait pas non plus faire des compromis.

Il prit une petite inspiration, se laissa aller contre sa chaise et saisit deux plumes dans la boîte sur son bureau. Tournant de nouveau son visage vers elle, il la regarda d'un air sévère.

— C'est la dernière fois. Je suis contre ça.

— Dernière fois. Tu m'as promis. Signe.

Il lui lança une plume, puis il y eut un bruit rapide d'écriture sur le papier et un échange muet de documents. Kate plia le sien et le glissa dans la poche de son blouson. Dominic apporta le sien à son bureau et le déposa dans un tiroir qu'il verrouilla. Retournant à la table, il lui tendit la main et dit d'un ton sarcastique :

— Que les jeux commencent…

— Tu me remercieras un jour, répondit-elle en lui prenant la main.

— Ne compte pas là-dessus, grommela-t-il en la mettant sur pied et en l'entraînant vers la porte.

Elle trébucha sur le bas du pyjama de Dominic qui traînait par terre.

Il s'arrêta, s'agenouilla rapidement, puis remonta le tissu de flanelle en le roulant au-dessus de ses chevilles.

— Il ne nous manque plus que tu te brises une jambe pour que la journée soit complète, maugréa-t-il en se relevant.

— Ne sois pas si grognon. Maintenant, tu es sûr que ce que je porte convient ?

Elle ne pouvait contenir l'enthousiasme dans sa voix. Elle avait sa parole, sa signature et, bientôt, elle aurait son bébé.

— J'en suis sûr. Tu ne vas pas porter ça longtemps.

— Dis-moi où nous allons.

Il lui adressa un regard froid.

— C'est une surprise.

Comme le niveau inférieur de sa maison servait à autre chose, son garage se trouvait sous la maison voisine où vivaient ses gardes de sécurité. Cette fois, il ne prit pas sa Tesla, mais une voiture qu'elle ne reconnut pas. C'était une voiture de sport rouge foncé aux lignes allongées, et le son du moteur quand il démarra ressemblait au grognement sourd d'un animal: Dominic monta la rampe, ils sortirent dans l'allée, puis sur la rue avec tant de douceur que Kate murmura :

— Wow. Quelle puissance ! Quelle est la marque ?

— Une McLaren. Seize cylindres sous le capot.

Il appuya sur l'accélérateur et la voiture bondit.

— Vitesse maximum ? Grand-père faisait des courses sur une piste de terre battue à la maison. Les samedis soirs sur le terrain d'expositions rassemblaient toujours toute la ville.

— Elle va à 325 km/h.

Elle regarda Dominic, les sourcils froncés.

— Tu as déjà atteint ça ?

Il lui adressa un bref sourire.

— Une fois ou deux.

— Il faudra que tu me la laisses conduire. J'avais l'habitude de faire des courses avec grand-père de temps en temps. Il m'a laissée faire le concours de carambolage pour ne pas que je démolisse sa propre voiture.

— Nous verrons. Tu n'es pas dans mes bonnes grâces, en ce moment.

— Va te faire foutre.

— Bientôt, chérie.

Il retira ses mains du volant pendant une seconde et lui fit un doigt d'honneur.

— Bon Dieu, tu es mauvais perdant.

Il grimaça.

— Et tu vis dans un pays des merveilles où les choses vont toujours bien.

— Eh bien, elles ne peuvent pas *toujours* aller de travers. Tu connais les possibilités aussi bien que moi.

— Il ne s'agit peut-être pas de possibilités cette fois. Ce pourrait être autre chose. Quelque chose qui tourne toujours mal.

— Si je ne voulais pas que cette conception soit aussi immaculée que possible, je te dirais de prendre 1 verre ou 10 et de te détendre.

Il se tourna et lui adressa un sourire insolent.

— J'ai quelque chose à te montrer. Après que tu l'aies mise, je vais me détendre.

— Bien. Au moins, il y a de la lumière au bout du tunnel. Qu'est-ce que c'est ?

— Une surprise, répéta-t-il avant de tendre la main et de lui caresser la joue. Ça ne sera pas long, chérie.

Ensuite, il devint peu communicatif, lui répondant par des grognements, des hochements de tête ou des monosyllabes jusqu'à ce qu'elle dise finalement sur un ton à demi fâché :

— Est-ce que je te dérange ?

— Non, répondit-il tout en se faufilant à travers la circulation.

Le ton indifférent de sa voix ne fit que l'irriter davantage.

— Tu es simplement méchant, en ce moment.

Il freina durement, et les voitures derrière eux klaxonnèrent. Il passa un bras par la fenêtre, leur adressa un doigt d'honneur puis, ignorant le bouchon qui se formait sur leur voie, il lui saisit la mâchoire et lui tourna la tête à ce qu'elle puisse voir la fureur dans ses yeux.

— Pour la dernière fois, chérie : je ne veux pas que tu meures. Je ne suis pas en train d'être méchant. Je suis terrorisé et ça m'enrage.

Puis, il relâcha son menton, appuya à fond sur l'accélérateur et combla la distance jusqu'à l'auto devant lui.

— Ne nous querellons plus à ce sujet, dit-il en regardant la route. Ça devient assommant.

— Je suis désolée, répondit-elle d'une petite voix.

Il ne la regarda pas.

— Merde, tu fais mieux.

Absolument navrée parce qu'elle comprenait l'ampleur de la concession qu'il avait faite, elle se tut.

Il conduisit jusqu'à ce qui ressemblait à un hôtel ou un immeuble à logements. Un portier en livrée se tenait devant les doubles portes de laiton poli; autrement, rien n'indiquait à quoi servait l'édifice. Dominic se gara dans la ruelle derrière, dans une zone de stationnement interdit, reculant en douceur entre deux énormes génératrices. Puis, se glissant hors de la voiture, il la contourna pour aider Kate à en sortir, son expression toujours sévère.

— Oserais-je dire que tu es dans une zone de stationnement interdit?

— Ils ne vont pas me remorquer.

Elle aurait voulu demander pourquoi, mais, consciente du regard sévère de Dominic et du fait qu'elle venait de franchir une limite, elle ne dit pas un mot. Il déverrouilla une lourde porte de métal et la conduisit à l'intérieur jusqu'à un petit hall de marbre avec un seul ascenseur. Il tapa quelques chiffres sur un clavier numérique au mur, les portes glissèrent et il lui fit signe d'entrer. Il n'y avait aucun panneau de commande à l'intérieur et, une fois les portes refermées, ils montèrent pendant un certain temps, puis s'arrêtèrent.

— Nous y sommes, dit-il comme si elle savait de quoi il s'agissait, puis il lui fit signe d'entrer.

Elle faillit s'exclamer « Wow! », mais bien décidée à rester le plus gentille possible après la déclaration tranchante dans la voiture, elle demeura muette. Toutefois, les mosaïques romaines sur les murs et les planchers étaient réelles. Elle ne s'étonna pas du fait qu'elles représentaient des scènes érotiques, mais elle était impressionnée par le fait qu'elles aient été transportées là tout entières.

Dominic dépassa les mosaïques sans les remarquer et poussa deux grandes portes de bronze qui se rabattirent silencieusement sur leurs gonds.

Il fit un autre mouvement de la main pour lui faire signe d'entrer.

Les portes se refermèrent automatiquement derrière eux.

— Nous allons rester ici pendant quelques jours. Par ici.

Elle le suivit à travers un immense salon avec une magnifique vue sur la baie, à travers une salle à manger qui aurait pu contenir une foule de convives, le long d'un corridor flanqué de plusieurs portes sur la gauche jusqu'à une chambre à coucher tout au bout offrant un point de vue encore plus splendide. Les meubles italiens modernes, contrairement à sa maison de Cliffside, avaient été conçus par un designer dans des teintes de gris et de rouge, de même que les canapés en suède gris discrets, les larges fauteuils recouverts de soie écarlate de toute évidence rembourrés de duvet, avec ici et là un objet vert chartreuse constituant la seule couleur brillante dans ce décor très masculin.

L'atmosphère en était une de perfection sans vie.

Même dans la chambre à coucher. Le grand lit reposait sur une plateforme basse, l'édredon gris perle taillé dans un tissu lustré peu invitant, les oreillers, de simples carrés blancs, le miroir au plafond dans un étroit cadre de chrome.

— Viens-tu souvent ici ? demanda-t-elle.

— Plus maintenant. Tu peux laisser tes vêtements ici.

Il se tenait au milieu de la pièce, les yeux fixés sur elle.

— Et toi ?

— Tu peux laisser tes vêtements ici, Katherine. Il me semble que tu as accepté de m'obéir dans le cadre de ton projet.

Il s'agissait d'une menace, peu importait la douceur du ton qu'il avait employé. Elle porta la main aux boutons de métal sur son blouson.

Il l'observa en silence pendant qu'elle le retirait, puis dénouait le cordon à la taille de son pyjama et le laissait glisser sur la moquette.

— J'ai oublié de demander, fit-il d'un ton neutre, comme si elle ne se tenait pas nue devant lui. As-tu faim ? Aimerais-tu manger d'abord ?

— Ça va. Peut-être plus tard, répondit-elle sur un ton tout aussi neutre.

Il eut un sourire tendu.

— Très bien.

Un autre geste comme s'il la conduisait à sa table dans un restaurant. Il indiqua une porte, l'atteignit avant elle, prit une clé dans sa poche, la déverrouilla et l'ouvrit.

— Après toi.

Elle s'arrêta à une trentaine de centimètres dans la pièce, les yeux écarquillés, mais diverses émotions lui traversèrent l'esprit : jalousie et ressentiment, appréhension, insultes, incrédulité. Puis, elle se tourna vers lui et dit sur un ton maussade :

— Vraiment ?

— Nous pouvons arrêter immédiatement ce jeu, dit-il doucement.

— Tu aimerais ça, n'est-ce pas ?

— Oui.

Elle parcourut des yeux la pièce entourée de miroirs, les chaînes pendant de rails au plafond, la croix ornée de menottes sur un mur recouvert de cuir rembourré noir, la balançoire sexuelle en cuir violet, la table de marbre qui n'était pas conçue pour y manger, les barres de métal rembourrées en forme de X, des chevaux d'arçon recouverts de cuir rouge matelassé. Les étagères remplies de jouets sexuels.

— Est-ce que c'est censé me faire peur ?

— Je l'ignore, Katherine. Ton projet tout entier est déroutant pour moi. Demande-moi autre chose. Je ne peux pas répondre à ça.

— Tu veux me faire fâcher en pensant à toutes les femmes qui sont venues ici avant moi et que je parte ?

— Je n'en ai aucune idée. Je veux seulement arrêter. Je veux retourner à la maison et faire ce que nous faisions. C'est ce que je veux.

Kate soupira lentement.

— Tu sais ce que *je* veux. Tu m'as promis.

Il la fixa des yeux pendant un moment.

— C'est ce que j'ai fait.

Sa voix changea, se fit plus froide, son regard se déplaça comme s'il était en pleine possession de son corps dans cette pièce, les souvenirs qu'elle générait, intenses. Bruts. Son expression s'assombrit.

— Laisse-moi te montrer ton nouveau jouet.

Il ferma la porte derrière eux et elle l'entendit tirer le verrou. Lui prenant la main quand elle tressaillit légèrement, comme si elle avait pu s'enfuir à toutes jambes ainsi que l'avaient peut-être fait d'autres femmes avant elle, il l'entraîna jusqu'à une table à dessus de granit noir sur laquelle reposait une boîte en bois de bouleau et lui lâcha la main.

— Tu te souviens peut-être que nous en avons parlé avant de quitter Londres. Ouvre la boîte. Je l'ai fait faire pour toi.

Elle souleva le couvercle et retint visiblement son souffle. À l'intérieur, déposée sur un coussin de velours blanc, se trouvait une ceinture de chasteté constituée de mailles dorées et sertie de joyaux de diverses couleurs.

— C'est une copie d'un concept sarrasin. Bordé de velours. Tu aimes ?

— Je suis censée aimer ça ?

Il sourit pour la première fois depuis qu'ils étaient entrés dans cet appartement.

— Probablement pas autant que moi. Tu aimerais que je t'aide à la mettre ?

— Ce n'est pas pratique si j'essaie de tomber enceinte.

— Contente-toi de l'enfiler, Katherine.

— Sinon ?

— Je vais le faire pour toi.

Les yeux de Kate étaient comme deux petits éclats de verre sombre.

— Pendant combien de temps, Dominic ?

— Je ne sais pas. Je ne sais même pas pourquoi nous sommes ici. Mais je sais que ce n'est pas négociable.

Sa voix se fit plus dure.

— Rien de ceci ne l'est, à moins que tu veuilles partir. Maintenant, enfile ce foutu truc.

Elle ne bougea pas pendant quelques instants.

Il se figea, voulant qu'elle annule tout, recule, abandonne ce jeu dangereux.

Puis, elle avança d'un pas.

Il serra les poings parce qu'il avait envie de frapper quelque chose.

Elle prit la ceinture dans la boîte, la tint brièvement en essayant d'en comprendre le mécanisme, puis elle se débattit avec les mailles souples pendant qu'il la regardait sans l'aider jusqu'à ce qu'elle ait finalement attaché l'objet autour de sa taille, qu'elle ait attaché la courroie de métal bordée de velours entre ses jambes et se soit tournée vers lui pour qu'il verrouille la fermeture dans son dos.

Il glissa brusquement sa main entre les jambes de Kate, passa ses doigts sur les ouvertures métalliques à l'avant et à l'arrière, ajusta le panneau devant son sexe puis, se redressant, ferma le verrou.

— Maintenant, si tu veux bien m'excuser, je vais prendre un verre. Tu en voudrais un ?

Il n'attendit pas une réponse, la laissant debout à cet endroit.

Elle chercha autour d'elle un objet avec lequel le frapper, mais réprima rapidement ce sentiment. Elle pouvait feindre l'indifférence pendant plusieurs jours encore avant d'atteindre un état de crise en ce qui concernait sa fertilité. Se retournant, elle le regarda traverser la pièce, se tenir près d'un petit bar et se verser un verre.

— Quels sont mes choix d'alcool ? demanda-t-elle plaisamment.

Son verre à la main, il pivota lentement, puis l'examina comme s'il s'interrogeait sur la sincérité de son ton.

— Tout ce que tu veux, répondit-il finalement, du moment où nous n'avons pas besoin d'un barman.

Mais son membre était moins préoccupé par les degrés de sincérité. Un seul regard à son corps voluptueux, à ses seins généreux, à ses hanches galbées, à sa chatte bien verrouillée, et sa queue était en pleine érection.

Elle remarqua le renflement sous son short.

Il vit qu'elle l'avait remarqué. Merde. Et il y avait longtemps qu'il n'avait pas baisé comme un fou ce corps à couper le souffle. Mais Katherine pouvait l'aider, le soulager un peu, le prendre dans sa bouche. Avec cette idée en tête, au moment où elle atteignit le bar, il était déjà légèrement détendu même si son membre palpitait toujours.

— Je suppose que tu n'as pas de champagne, dit-elle quand elle l'atteignit en regardant les bouteilles alignées sur les étagères en miroir.

Il sourit.

— Je pense que oui.

Il toucha légèrement une partie du mur qui s'ouvrit sur un réfrigérateur rempli de plusieurs dizaines de bouteilles de champagne.

Elle indiqua du doigt une bouteille à demi pleine.

— Je ne veux pas gaspiller.

— Ce n'est pas un problème, dit-il en prenant un Krug Clos d'Ambonnay 1996.

— Vraiment, Dominic, c'est trop extravagant.

— Je vais t'aider.

Il lui versa un verre, le lui tendit, avala rapidement son whisky, prit la bouteille de champagne et lui indiqua de la tête un canapé.

— Nous n'avons pas besoin de nous presser, chérie. Nous avons trois semaines.

Il sourit.

— Nous ne pouvons pas tenir compte de cette journée sur le contrat. Il est presque 19 h.

Elle lui rendit son sourire.

— Je suppose.

Il évita poliment de répliquer tandis qu'ils marchaient jusqu'au canapé.

— J'ai entendu ça, le taquina-t-elle.

— Je me suis assuré que tu n'entendes pas, chérie, tu n'aurais pas aimé ce que je pensais, dit-il avant de lui adresser un clin d'œil. Le deuxième round s'en vient après quelques verres.

Il s'assit à l'autre extrémité du canapé, aussi loin d'elle que possible, et but à même la bouteille.

— Si tu as des questions à propos d'un de ces objets, tu n'as qu'à le demander. La plupart s'expliquent d'eux-mêmes.

— T'es-tu déjà inquiété d'attraper quelque chose ? demanda-t-elle.

Il sourit faiblement.

— Quelque chose ?

— Une IST.

Il haussa les épaules.

— Je paie pour obtenir des certificats de santé et des garanties.

— T'es-tu déjà engagé pleinement ?

— Chaque foutue fois.

Il s'arrêta un moment quand il la vit écarquiller les yeux.

— Le sexe est un engagement, chérie, peu importe la façon dont tu le fais.

— Quel salaud !

— Et tu me casses les couilles. Alors, je pense que nous sommes à égalité.

— Du sexe hostile. C'est à ça que je dois m'attendre ?

Il sourit, leva à demi la bouteille dans sa main.

— Au moins, nous avons les bonnes installations.

— C'est pourquoi nous sommes ici.

— Tu as dit ça tantôt et je t'ai répondu que je ne savais pas pourquoi nous étions ici. Je ne le sais toujours pas, alors épargne ta salive.

— Est-ce que c'est un hôtel ?

Il inclina la tête.

— Je pensais que tu n'aimais pas rester dans les hôtels.

— Je possède celui-là. Le dernier étage m'appartient. Personne n'y a accès sauf moi.

— Et ton personnel.

Il réfléchit un moment, comptant son personnel comme une présence, puis il dit brusquement :

— Oui. Eux aussi.

— Combien ?

— Combien de quoi ?

— Combien de membres de ton personnel as-tu ici ?

Il soupira doucement.

— Si c'est important pour toi, Katherine, je vais trouver combien.

Elle renifla.

— Tu es trop riche.

— Tu l'es aussi, maintenant.

— Non.

Il éclata de rire.

— Merde, tu vas argumenter à propos de tout.

Il agita la bouteille dans sa direction.

— Tu en veux d'autres ?

Elle secoua la tête.

Portant la bouteille à sa bouche, il en avala longuement le contenu et la vida. Puis, il la laissa tomber sur le sol et se leva.

— Mangeons. J'ai faim.

Il marcha jusqu'à la porte, puis se retourna.

— Tu viens ? Tu ne peux ni entrer ni sortir sans une clé. Alors, à moins que cette pièce te fascine pour une quelconque raison, je te suggère de te bouger le cul.

— Ces trois semaines seront foutrement longues, n'est-ce pas, marmonna-t-elle en se levant du canapé et en marchant vers lui.

— Terriblement, chérie. Sans blague.

Quand ils pénétrèrent dans la chambre à coucher, il se rendit à la penderie, trouva un peignoir et le lui tendit.

— En coton, dit-il afin qu'elle sache qu'il l'avait acheté pour elle et que ce n'était pas celui d'une autre.

— Avais-tu envisagé de venir ici? lui demanda-t-elle en regardant la rangée de peignoirs de coton suspendus dans la penderie.

Il était en train d'ouvrir un tiroir et la regarda par-dessus son épaule.

— Non.

— Alors, ces peignoirs n'étaient pas pour moi.

Il pivota sur ses pieds, une paire de pantalons de jogging gris dans sa main.

— Tu as déjà entendu parler du téléphone?

Sans attendre une réponse, il retira brusquement son t-shirt et le laissa tomber par terre.

— Si vite que ça?

Le trajet jusqu'à cet appartement n'avait pas pris plus de 40 minutes.

— Comme tu vois, répondit-il sans lever les yeux.

Il avait enlevé son boxeur et enfilait son pantalon.

— Nous pouvons dîner dans le salon et regarder la télé. Décide de ce que tu veux.

Il se pencha, prit son short, en tira la clé de la pièce verrouillée, la glissa dans sa poche de pantalon et, laissant tomber son short, il sortit de la pièce.

Elle le suivit le long du corridor jusqu'au salon. Le soleil commençait à se coucher, le point de vue sur la ville était renversant.

— C'est magnifique, dit-elle en se disant qu'il s'agissait d'un sujet non controversé, contrairement à pratiquement tous les autres.

Il la regarda pendant un moment comme s'il lui était soudain apparu une deuxième tête. Puis, un sourire poli se dessina sur ses lèvres.

— C'est ce qu'on m'a dit.

Se laissant tomber sur un des canapés de suède gris, il tendit une main pour prendre le téléphone sur une table tout près.

— Sais-tu ce que tu veux ? demanda-t-il en se laissant aller la tête sur les oreillers du canapé et en lui jetant un regard terne.

— Ta tête sur un plateau ?

Il lui adressa un sourire tendu.

— À part ça. Tu aimerais voir un menu ? Le restaurant en bas a deux étoiles Michelin. La nourriture est bonne. Sinon, dis-moi seulement ce que tu veux manger et ils vont le faire. Et ne me parle pas tout de suite de gâteau au chocolat parce que si ton projet insensé est sérieux, tes desserts vont venir *après* que tu aies mangé quelque chose de convenable.

— Je viens juste de perdre mon appétit.

— Alors, je vais commander pour toi, dit-il sans se laisser décourager par sa mauvaise humeur. Trouve-nous quelque chose à regarder à la télé.

Il pressa un bouton sur le téléphone et, un moment plus tard, dit :

— Passe-moi Wes. Ouais, même chose pour toi. Oui, ça fait un moment. C'est bien d'être revenu. OK, on se reparle plus tard. Salut Wes. Qu'est-ce qu'il y a au menu ce soir ?

Dominic écouta, dit : « Bien, super » ou « Parfait » plusieurs fois, puis éclata de rire.

— Il se trouve que je suis affamé. C'est drôle. Je te le ferai savoir. À part ça, nous allons avoir besoin de trois repas par jour. Bien sûr… des hors-d'œuvre[12], pourquoi pas ? Maintenant, dis-moi ce que je dois faire pour que tu obtiennes cette troisième étoile Michelin. Penses-y et soumets-moi une liste. Je vais tout payer et tu t'organises avec le reste. OK, petit malin.

Dominic souriait quand il raccrocha.

12. N.d.T.: En français dans le texte original.

— Ils vont nous cuisiner quelque chose, dit-il en jetant un coup d'œil à Kate qui se tenait debout près de la télé. Tu veux vraiment regarder cette émission. Hé, c'est seulement une blague, ajouta-t-il en la voyant grimacer. Allez, chérie, ne nous querellons pas toute la soirée. La bouffe de Wes est super, ajouta-t-il avant d'indiquer les fenêtres, la vue est encore plus belle le soir. Et j'ai du mal à rester fâché contre toi.

Il leva une main.

— Ça ne veut pas dire que je ne sois pas fâché à propos de toute cette entente, mais pas en ce moment. OK ?

— OK, dit Kate en soupirant, puis elle sourit. Je n'aime pas les querelles non plus.

Elle se tenait devant un immense téléviseur plat à panneaux et paraissait toute petite par rapport à l'écran et à la vaste pièce à plafond haut. Ses boucles étaient désordonnées, encadrant sa tête comme un fin halo devant la lumière de l'écran, lui donnant un air innocent de sainteté.

— Ça te va, je veux dire… mon nouveau jouet ? demanda-t-il comme s'il voulait immédiatement écarter ses pensées innocentes. Ce n'est pas inconfortable ou quoi que ce soit ? Rien d'irritant ? Je leur ai dit que ta peau était délicate.

Elle sourit.

— Rien ne frotte. Ils doivent t'avoir écouté.

Ouvrant son peignoir d'un grand geste, elle posa joyeusement pour lui, tenant largement écartés les pans de tissu myosotis.

— Tu aimes ça ?

Les images de sainteté disparurent instantanément.

— Bon Dieu, chérie, c'est si foutrement sexy.

Les joyaux multicolores enchâssés dans les mailles dorées scintillaient comme si la vue éblouissante de la chair pâle emprisonnée dans le métal austère n'était pas suffisante pour attirer le regard, comme si le facteur dissuasif dans l'objet verrouillé n'avait pas suffisamment d'attrait en soi.

— Et temporaire, je suppose, dit-elle en souriant sereinement.

— Nous pourrions dire que c'est pour mon divertissement entre mes quarts de travail.

— Tu es tellement chou.

— Tu parles que je le suis. Parce que tu es foutrement cinglée et que je continue quand même de jouer ce jeu.

Il soupira lentement.

— Viens ici. Laisse-moi te tenir. Dis-moi que tout ça va fonctionner. Que ce n'est pas là une immense erreur.

Il paraissait si sérieux et sombre qu'il lui déchirait le cœur. Elle aurait voulu lui dire qu'elle était optimiste, qu'il ne devrait pas s'inquiéter, mais ça aurait semblé juvénile ou pire encore, cinglé, comme son accusation. Alors, tandis qu'elle se dirigeait vers lui, elle le rassura un tant soit peu.

— Souviens-toi que la docteure a déclaré que j'étais en excellente santé. Ça doit compter pour quelque chose. Même si ce n'est qu'un facteur de 50 %, c'est un bon début. Et, ajouta-t-elle, en jouant le tout pour le tout parce qu'elle bouillonnait d'exubérance, j'ai vraiment un bon sentiment à propos de ça, Dominic.

Il fronça les sourcils pendant qu'il lui tendait les bras.

— Est-ce que ça compense pour mes très mauvais pressentiments ?

— Évidemment.

Elle se laissa tomber dans ses bras écartés comme ces gens qui se livrent à des exercices de confiance et murmura contre sa bouche sévère :

— Le bien est toujours plus fort que le mal dans le monde. Toujours, Dominic.

Il grogna plutôt que de contredire sa vision naïve du monde.

— OK, Mlle Optimisme. Essayons de continuer à voir les choses comme ça.

Dominic se montra charmant pendant le dîner, affichant une grâce acquise au fil de plusieurs années, lui posant des questions sur ses projets au travail pendant qu'ils mangeaient, la louangeant pour deux acquisitions qu'elle avait approuvées pour eux, parlant même un peu de son oncle qu'il adorait.

Elle répondit moins facilement, son regard constamment attiré par le torse nu de Dominic, ou la beauté austère de son visage, ou la façon dont il se déplaçait avec élégance quand il se levait de sa position vautrée sur le canapé pour prendre son verre de vin ou quelque hors-d'œuvre.

On avait apporté une table sur roulettes qu'on avait placée devant Dominic sur le canapé. Une chaise avait également été tirée pour elle de l'autre côté de la table. Ainsi, l'objet de son amour et de son désir se trouvait directement dans son champ de vision. Il était terriblement beau, grand, mince, et pourtant solidement musclé. Poliment immoral, indifférent à la censure.

Comme s'il savait qu'il était irrésistible en toutes matières.

Non pas seulement pour elle, mais pour quiconque, les femmes en particulier. Dans cet appartement surtout. Et elle se demanda avec une pointe de jalousie combien de femmes il avait diverties dans ce décor monté de toutes pièces. Combien l'avaient vu étendu sur ce canapé, à demi nu, plein de grâce, les regardant comme il la regardait en ce moment ; ses extraordinaires yeux bleus sous ses sourcils noirs, chaleureux, séducteurs, mouillants comme il la faisait mouiller.

Quand il se pencha par-dessus la table pour lui faire avaler une cuillérée de caviar et dit « Ouvre, chérie », une poussée de désir ardent l'envahit, chaque centre de plaisir s'enflammant à l'instant.

— On dit que c'est un aphrodisiaque, ajouta-t-il avec un sourire, la cuillère nacrée à quelques centimètres de ses lèvres.

Elle se raidit, offensée du fait que Dominic lui serve des aphrodisiaques d'une manière si nonchalante.

— Est-ce que tu fais toujours ça ici ?

Elle ne tenait pas à entendre ce qu'il faisait normalement ici auparavant.

— C'est un caviar rare, chérie, dit-il en ignorant sa question. D'esturgeons russes. Débordant de vitamines. Beaucoup de protéines.

Il baissa les yeux sur sa main tendue, puis les releva, soutenant son regard.

— Nous voulons que tu sois en bonne santé. Et au cas où tu l'aurais oublié, ce sont mes règles qui prévalent pour les trois prochaines semaines.

Elle observa son sourire confiant, cette manière qu'il avait de paraître suffisamment détaché pour attendre une éternité, et elle éprouva un moment d'impuissance vis-à-vis ce jeu qu'ils jouaient.

— Mais j'obtiens un enfant de tout ça, dit-elle pour rééquilibrer leur rapport avant d'ouvrir la bouche.

Il sourit brièvement d'un air indifférent, glissa la cuillère dans sa bouche, s'appuya au canapé pendant qu'elle mâchait et avalait, puis recommença le processus jusqu'à ce qu'elle ait avalé le petit bol de caviar sur glace.

Elle lui adressa un regard sarcastique.

— Et toi ?

— Ne t'inquiète pas. Cette difficile expérience alimente mon flux d'adrénaline. Je ne fais que m'assurer que tu sois prête. Notre contrat commence à minuit. N'envisage pas de dormir beaucoup après ça.

— J'ai besoin de dormir.

— Tu pourras dormir quand je le ferai.

— Hé !

Un silence tendu s'installa.

— Tu m'as demandé, et je te l'ai dit.

Sa voix était dure, sans compromis, puis il poussa vers elle une petite assiette de homard thaïlandais et commença à manger le sien.

Plusieurs mets plus tard — pâtes fraîches avec de l'oseille, une soupe aux carottes, un filet de bœuf avec sauce Périgueux, des artichauts avec du foie gras, des épinards avec des œufs à la coque et de la sauce Mornay, une salade de fruits avec un coulis de baies rouges, un succulent soufflé au chocolat pour Kate à la fin —, Dominic dit en un euphémisme évident :

— Ce n'était pas mauvais. As-tu fini ? Devrions-nous continuer ?

Il posa son bras sur le dossier du canapé, se laissa glisser quelque peu sur sa colonne vertébrale, et sourit.

Quand le visage de Kate s'empourpra, il dit d'un ton neutre :

— Nous pouvons en commander davantage si tu veux. La cuisine est ouverte jour et nuit. Il y a quelque chose que tu aimerais regarder à la télé ? Un film ? Un de tes concours d'amateurs ? Aimerais-tu enlever cette ceinture de chasteté ?

Sa voix s'était radoucie en nommant le dernier élément, comme en arrivant au dernier article d'une liste d'épicerie.

— Je pourrais t'aider.

Il sortit la clé de la poche de pantalon et la tint entre le pouce et l'index.

— Nous pourrions faire un petit essai préliminaire avant minuit ?

— Où ? demanda-t-elle.

Il comprit tout de suite : elle voulait dire *ailleurs* que dans cette pièce verrouillée.

— Où tu veux.

— La chambre à coucher, alors.

Se mettant sur pied, elle dut poser rapidement ses mains sur la table pour garder son équilibre. Elle était moite, en manque de sexe, débordante de désir avant même qu'il ne se soit penché au-dessus de la table pour lui faire avaler son caviar. Il était beaucoup trop beau, presque irrésistible alors qu'en tant qu'autocrate, il avait toujours eu un effet prévisible sur sa libido, chaque cuillérée de caviar qu'elle avait avalée témoignant de son pouvoir.

Elle frissonna soudain à ce souvenir.

Il vit son petit frisson, sut ce qu'il signifiait. Passant rapidement ses jambes sur le côté de la table, il se leva du canapé.

— Un peu tremblante ? Tu veux que je te porte ?

Elle secoua la tête tandis que le rouge lui montait aux joues. Elle était contrariée du fait d'être si fragile pendant que lui, comme toujours, se maîtrisait complètement.

— J'aimerais le faire de toute façon, dit-il en repoussant la chaise de Kate, la soulevant dans ses bras et s'éloignant de la table. Nous ne voulons pas que tu te blesses trois heures avant minuit, dit-il d'un ton sarcastique. Ou avant notre essai. Qui sait, tu ne serais peut-être pas en état de réaliser ce projet après tout.

Elle le foudroya du regard.

— Dieu que tu es détestable.

— Je sais, répondit-il avec indifférence. Pourrions-nous retourner à la maison, maintenant ?

— Non.

Et son refus le rendit aussi furieux qu'elle.

Leur essai fut violent et encore davantage, jusqu'à être sauvage. Il se rua sur elle comme un satyre en rut, elle se débattit, contestant son autorité, le violentant à sa propre manière féroce, jouissant rapidement deux fois pour le contrarier, comme si elle ne s'employait pas en même temps à lui griffer le dos et le visage et pratiquement même la queue. Désirant gâcher son troisième orgasme sur le point de se déclencher, il marmonna « Ma revanche, chérie », éjacula rapidement dans le vagin de sa femme, conformément à leur contrat, et se laissa rouler à ses côtés.

Délibérément privée de son orgasme, furieuse, elle étira le bras pour le frapper au visage.

Ses réflexes ralentis tandis qu'il se remettait lentement de son orgasme, il faillit ne pas attraper sa main à temps.

— Bon Dieu, c'est mon foutu œil, fit-il d'une voix haletante en la repoussant rudement.

Il se laissa retomber sur le dos, sa poitrine se soulevant et s'abaissant, ses yeux fermés, la douleur de ses marques de griffes plus vive que jamais auparavant.

Kate était recroquevillée aux pieds de Dominic où elle avait atterri, haletant à la fois à cause du sexe violent et de son *extrême* frustration. Elle espéra qu'il existait un enfer pour les hommes qui faisaient ce que Dominic venait de lui faire.

Quelques secondes s'écoulèrent pendant que seul le son de leur respiration saccadée brisait le silence.

Puis, Dominic se leva sur un coude et la regarda d'un air furibond.

— Ne bouge pas, lança-t-il.

« Comme si je le pouvais », pensa-t-elle en lui retournant son regard. Toutefois, elle l'aurait fait, si elle l'avait pu, seulement pour le provoquer.

Une seconde plus tard, il s'agenouillait devant elle, se penchait, la retournait sur le dos et glissait un oreiller sous ses fesses.

— Il n'y aura *aucune* répétition de ces trois semaines. Alors, tu restes foutrement immobile.

Il lança une couverture sur elle, tendit le bras pour prendre la télécommande sur la table de chevet, appuya sur un bouton et un téléviseur s'éleva du plancher à leurs pieds.

— Je t'ai demandé ce que tu voulais regarder, mais je suis trop en colère. Et nous allons te couper les ongles.

Il jeta un coup d'œil au réveil sur la table de nuit.

— Tu pourras bouger dans une demi-heure, pas avant.

Syntonisant la chaîne ESPN, il exhala doucement, puis lui adressa un petit sourire.

— Merde, il y a au moins quelque chose qui va bien.

La télé affichait une compétition de surf à Bali.

Avec l'oreiller sous ses fesses lui rappelant brutalement le but du jeu, le sentiment d'indignation de Kate s'évapora et elle se sentit soudain remplie d'euphorie. Elle gagnait. Malgré la résistance de Dominic ou ce qui, elle devait l'avouer, était peut-être une colère bien méritée, il perdait.

Et ça ne lui était jamais arrivé.

Elle le regarda, s'attendant à ce qu'il montre des signes de colère ou d'indifférence. Ou de mauvaise humeur, mais il s'allongea plutôt contre les oreillers, les yeux fixés sur l'écran, souriant, les épaules détendues, les jambes écartées, ses doigts tapotant légèrement la télécommande comme s'il battait le rythme de quelque musique dans sa tête. Il éclata tout à coup de rire, puis poussa un hourra quand l'un des participants remonta en deuxième place. Instinctivement, il se tourna vers elle.

— Tu as vu ça ? C'était foutrement renversant.

Une seconde plus tard, il était de nouveau complètement absorbé quand le concurrent suivant chevaucha une énorme vague.

Encouragée par sa bonne humeur, elle lui toucha doucement le bras.

— Je voulais seulement te remercier, Dominic, pour… eh bien, pour avoir accepté ça. Merci, vraiment.

Il détourna les yeux de l'écran, la fixa un moment jusqu'à ce qu'il comprenne ce qu'elle venait de dire, puis il fronça les sourcils et dit sur un ton quelque peu impatient :

— Pas certain que j'ai envie de te dire « Pas de quoi ».

— Quoi qu'il en soit, j'en suis heureuse.

Il lui jeta un regard étrange comme s'il n'était pas sûr de devoir accepter le plaisir qu'elle avait alors qu'il éprouvait un sentiment contraire. Réprimant une réplique méchante, il dit « Bien », puis ajouta sur un ton sarcastique « Je pense » avant de retourner à son émission.

Elle se réveilla quand il la souleva dans ses bras.

— J'ai dormi longtemps ? murmura-t-elle d'une voix ensommeillée.

— Trois heures. Il est minuit.

— Où allons-nous ?

— Devine.

Elle se trouva complètement réveillée en une fraction de seconde.

Il sourit.

— Oui. Des jeux de nuit, chérie.

Mais soit qu'il s'était réconcilié avec son projet pendant les trois dernières heures, soit qu'il était trop fatigué pour maintenir sa colère, quand il la transporta dans la chambre verrouillée, il lui dit avec un sourire :

— Sens-toi libre de dormir pendant cet exercice de réchauffement. Je n'ai pas vraiment besoin que tu participes.

Mis à part son sourire et ses plaisanteries, ils se trouvaient toujours sur un terrain de jeu sexuellement violent et elle doutait de pouvoir dormir. Et peut-être qu'il n'était pas vraiment sincère puisqu'il marcha jusqu'à une porte ouverte, la mit sur pied et dit en pointant un doigt :

— Tu veux peut-être te servir de la salle de bain avant que nous commencions. Prends une douche si tu veux. Ce n'est pas nécessaire, mais nous allons probablement être occupés pendant un bon moment. Alors, ajouta-t-il en souriant, fais comme tu veux. Je vais t'attendre ici.

C'était une grande pièce magnifique avec du marbre noir et des miroirs, deux cabines de douche transparentes, un énorme bain profond, un espace séparé pour les toilettes et les bidets. Des étagères encastrées s'étiraient sur un mur avec des piles et des piles de serviettes blanches, des gants de toilette, des shampoings, des parfums, des produits cosmétiques. Elle s'attendit presque à voir un spa et un domestique surgir de l'ombre et lui demander si elle désirait un massage. Elle l'ignorait, mais, normalement, trois domestiques étaient en attente pour le spa. Peu après que Dominic l'ait rencontrée, il avait envoyé les membres du personnel ailleurs, dans une chambre fermée.

En fait, son appel pour demander qu'on ouvre l'appartement avait été une surprise.

Kate lui était reconnaissante de lui avoir proposé une douche. Après trois heures de sommeil, elle n'était pas suffisamment en forme. Mais elle s'arrangea un peu, puis retourna dans la salle de jeu de Dominic.

Il s'écarta du mur sur lequel il s'était appuyé pour l'attendre.

— Ça a été court.

— Un peu de savon, beaucoup de parfum. Tu devras t'en contenter.

Il eut un sourire nonchalant.

— Ce n'est pas un problème. Tu es prête ?

Elle pointa la pièce du doigt.

— Tout ceci me rend un peu nerveuse. Juste pour que tu le saches.

Il lui tendit la main.

— Nous irons doucement.

Elle ne bougea pas.

— Ça me semble effrayant.

— Tu veux que je te porte ?

— Où ?

Il sourit de toutes ses dents.

— Jusqu'à la lune, répondit-il, puis il secoua les épaules. Ferme les yeux si tu veux. Je te dirai quand tu pourras les ouvrir.

Elle suivit son conseil parce que c'était plus facile de ne pas savoir. Et il se montrait gentil, sa colère disparue.

— Est-ce que ça va faire mal ? demanda-t-elle pendant qu'il la soulevait.

— Ça ne devrait pas.

Elle ouvrit brusquement les yeux.

— Je n'aime pas ce que cette réponse pourrait impliquer.

Il sourit un peu.

— Si ça fait mal, nous allons arrêter. Qu'en penses-tu ?

— OK, fit-elle en laissant retomber ses paupières. Je te fais confiance.

— Je ne sais pas si tu devrais.

Mais malgré sa réponse, sa voix était taquine.

— Maintenant, tu joues seulement avec moi, murmura-t-elle, le corps puissant de Dominic ondulant légèrement contre elle pendant qu'il marchait.

— Pas encore, chérie. Tu le sauras quand je te baiserai.

Il s'arrêta, ajusta quelque chose avec son coude, puis la déposa sur le cuir lisse.

La sensation de fraîcheur lui fit ouvrir les yeux.

— Oh, fit-elle en tournant la tête d'un côté et de l'autre, apercevant la balançoire de cuir violet, et son regard se chargea d'inquiétude quand elle regarda Dominic.

Il s'avança, glissa ses mains sous ses chevilles, ses mollets, sous ses genoux, lui écarta les jambes, s'approcha davantage, ses cuisses reposant contre le rebord du siège. Puis, il glissa de nouveau ses doigts le long des mollets de Kate et, les soulevant doucement, tint ses jambes contre ses hanches. Se penchant légèrement vers l'avant, il poussa la balançoire. Il recula, la balançoire suivit.

— C'est assez simple, n'est-ce pas ?

Elle prit une petite inspiration, inclina la tête.

— Tu peux vraiment dormir maintenant, si tu es fatiguée. Je vais faire ça super lentement, dit-il en souriant légèrement. La dernière fois, c'était passablement vigoureux.

Un sourire tordu.

— Sanglant, ajouta-t-il.

Elle leva les yeux, vit les griffures et les abrasions sur son visage et sur ses épaules. Elle avait arraché quelques petits morceaux de peau ici et là.

— Nous allons te couper les ongles plus tard, dit-il en comprenant son regard. Ou bien aimerais-tu que quelqu'un vienne pour te faire les ongles ?

Elle réprima un non emphatique, préférant ne pas lui rappeler la violence dont elle avait fait preuve. Elle secoua la tête.

Il sourit en constatant qu'elle s'était retenue.

— Inquiète ?

— Ici ? Toujours, répliqua-t-elle franchement.

— Nous verrons s'il est possible de te faire changer d'avis, dit-il sur un ton agréable. Voyons voir si tu peux venir quelques fois.

— Vraiment ? Tu n'es pas fâché ?

Il haussa un sourcil.

— Ne me demande pas des choses auxquelles je ne peux pas répondre.

Tournant son attention vers un sujet prêtant moins à controverse, il laissa retomber ses jambes, lui saisit un sein, fit glisser son pouce sur le mamelon et le regarda durcir.

— Tu as senti ça ? murmura-t-il avec un petit sourire. Et ça ?

Elle arqua le dos contre sa main tandis qu'il serrait doucement son mamelon, une délicieuse sensation s'épanouissant vers son sexe, palpitant doucement à travers sa chair chaleureuse, provoquant instantanément un élan de désir dans son corps tout entier.

Il se pencha, prit son mamelon dans sa bouche et le suça délicatement, lui touchant à peine, la pression si faible qu'elle tendit les bras pour tirer la tête de Dominic vers elle.

— Non, fit-il autour de son mamelon, avant de lui écarter les mains. Tu ne me touches pas. Si tu le fais, je m'arrête.

Les mains de Kate retombèrent comme si elle s'était brûlée.

Il la tortura en la léchant et la suçant très légèrement, de manière délibérée, en un frôlement de ses lèvres, mordillant de temps en temps son mamelon avec délicatesse puis, par deux fois, il la surprit en suçant durement, provoquant chez elle un grognement de désir.

Mais il l'obligea tout de même à patienter, prenant ses seins entre ses larges mains, suçant d'abord un mamelon, puis l'autre, répétant le geste pendant quelque temps jusqu'à ce qu'elle rougisse et tremble visiblement. Ce n'est qu'à ce moment qu'il leva la tête.

— Je suppose que tu veux venir, maintenant ?

Il y avait dans son expression quelque chose d'inquiétant.

— J'attends une réponse, Katherine.

— J'aimerais, oui.

— À quel point ?

Sa voix était froide, son regard glacial, le message sous-entendu incontournable.

— Ça ne me dérange pas de venir pendant les trois semaines. Ça répond à ta question ?

Il s'immobilisa complètement.

— Tu me tapes sur les nerfs. Tu sais ça.

— J'aimerais pouvoir te faciliter les choses, dit-elle doucement en baissant les yeux pendant un moment avant de rencontrer son regard. Vraiment.

Il lui jeta un coup d'œil fatigué.

— De vieux arguments, aucune bonne réponse.

Il l'observa pendant quelques instants.

— Et puis, merde, fit-il, soudain impatient. Je n'arrête pas de rêver que je te baise et, mises à part les réserves, ma queue est gonflée à bloc. Ouvre-toi pour moi, chérie. Mettons-nous y.

Vibrante de désir après la douce torture de Dominic sur ses mamelons, elle lui obéit rapidement. Glissant ses doigts sur sa fente moite, elle entrouvrit sa chair rose, charnue.

— Rentre-le.

Un ordre brusque, dur. Se penchant légèrement pour qu'elle puisse atteindre son énorme membre dressé de toute sa hauteur, il plaça les jambes de Kate autour de sa taille en un geste aisé, puis prit une profonde inspiration.

— Tes mains sont froides.

— Heureusement que ta queue est en feu.

— Heureusement pour nous deux, répondit-il sur un ton moqueur.

Elle leva les yeux, ouvrit la bouche, changea d'avis, la referma.

— Bonne idée, dit-il en souriant. Je peux toujours me branler.

— Mais ça ne serait pas aussi bon, dit-elle avec un sourire tout aussi impudent.

Elle souleva les hanches, puis empoigna son membre et, d'un mouvement souple, le tira en elle jusqu'à la garde.

Quand il atteignit le fond, tous deux retinrent leur souffle.

— Bon Dieu, s'exclama-t-il une seconde plus tard, le souffle court.

— C'est bon, non ? demanda-t-elle d'une voix à peine audible.

Il releva légèrement la tête en souriant d'un air ravi.

— C'est bon comme sont beaux les joyaux de la couronne dans la Tour de Londres.

— Ou comme sont bons les chocolats aux amandes.

Il éclata de rire.

— Merde, je n'arrive pas à rester fâché contre toi. Tu es foutrement irrésistible. Qu'est-ce que nous allons bien pouvoir faire ?

— Je ne sais pas à propos de *nous*, mais moi[13], je vais t'aimer jusqu'à te réduire en pièces. Tu es de loin meilleur que du chocolat aux amandes.

— Et je peux faire *ça* encore bien mieux, chérie.

Détachant ses jambes de sa taille, il se redressa, lui saisit doucement les cuisses et poussa la balançoire. La friction fluide et l'oscillation propulsèrent leur désir frénétique qui fit rapidement

13. N.d.T.: En français dans le texte original.

place à un plaisir grandiose, désarmant et stupéfiant pour tous les deux.

La sensation était si différente pour Dominic qu'il aurait eu du mal à la décrire ; l'amour faisait ça. Rendait ça brillant et merveilleux, dépassait les simples limites du désir.

Pour Kate, la différence résidait dans ses attentes : elle n'avait pas envisagé qu'une pareille pièce puisse faire en sorte qu'elle l'aime davantage. Que les passions puissent être rehaussées, comblées au-delà de toute espérance. Que l'excès d'une bonne chose puisse être effectivement grisant.

Le fait que Dominic la fasse jouir cinq fois de suite contribua peut-être à cette prise de conscience.

Ou peut-être l'amour demeurait-il de l'amour sous n'importe quelle forme.

Il modifiait les perceptions, faisait s'envoler les désaccords stupides, ouvrait les yeux et guérissait les cœurs. Et faisait en sorte que même des hommes comme Dominic comprenaient ce que signifiait être fou d'amour.

Et quand Kate fut finalement rassasiée, il vint en elle, volontairement.

Il la transporta ensuite jusqu'au canapé, la tint blottie contre sa poitrine avec un bras pendant qu'il jetait une couverture sur le cuir froid. Puis, il la déposa sur le dos avec un oreiller sous les fesses.

— C'est probablement stupide, mais pourquoi pas si ça ne te dérange pas.

— Ça ne me dérange pas, répondit-elle en soupirant. Rien de ce que tu fais ne me dérange ; je suis tellement en amour que je jure voir des licornes roses. Et si tu oses rire, je vais te frapper quand je vais me lever.

Il transportait un lourd fauteuil de cuir noir qu'il laissa tomber avant de parler.

— Je n'ai aucune intention de rire. Je suis désolé d'être un pareil salaud. Nous allons trouver une solution à ça d'une manière ou d'une autre, dit-il en s'assoyant et se laissant glisser sur le fauteuil, les jambes écartées.

Il lui adressa un de ses magnifiques sourires chaleureux, le coin de ses yeux se plissant.

— Nous allons nous arranger pour que ça fonctionne.

Elle lui souffla un baiser.

— Dieu que je t'aime. C'est terrifiant, en un sens.

Elle sourit avant d'ajouter :

— Mais pas très souvent. La plupart du temps, c'est bon comme des chocolats aux amandes. Parlant de ce genre de bonheur, je suis peut-être même tombée enceinte cette fois.

— Je parie que oui. Arrêtons.

Elle éclata de rire.

— Bon Dieu, je vais devoir me servir d'un fouet pour te mettre en forme, fit-elle avec un petit geste de la main. Et je vois que j'ai beaucoup de choix ici.

Puis, elle prit une expression ironique.

— Sérieusement, tu t'es vraiment servi de ces fouets ?

Il haussa les épaules.

— Il y a longtemps, chérie. Tout ici est resté tel quel depuis que je t'ai rencontrée.

— Ce n'est pas complètement mauvais, je suppose.

— Je pourrais le dire d'après tes cris, dit-il en souriant. Je vais te montrer une ou deux autres choses demain. Tu vas les aimer.

Elle parut dubitative.

— Je ne sais pas…

— Fais-moi confiance, chérie. Je le sais.

Il se leva.

— Je vais te mettre au lit, maintenant. Tu devrais vraiment te reposer. Et ma colère est passée. Nous allons attendre à demain pour nous amuser un peu, dit-il en la soulevant dans ses bras. Et si tu veux rester quelques jours de plus, nous allons rester. Sinon, nous retournons à la maison. C'est toi qui décides.

CHAPITRE 26

Aussitôt que Katherine se fut endormie, Dominic appela Yash et lui ordonna de commencer à embaucher des médecins. Puisqu'il allait avoir du sexe avec sa femme de manière plus ou moins continue pendant trois semaines, et compte tenu du fait que la dernière fois, elle avait conçu malgré d'infimes possibilités, il n'y avait pas de doute qu'il aurait besoin d'une équipe entière d'obstétriciens.

Mais au cours des trois semaines suivantes, il eut parfois des doutes à propos de leur entente, et voulut y mettre fin. Et il devenait maussade et remplissait sa fonction comme un étalon, avec une sorte de ressentiment.

Heureusement, Katherine était tout à fait capable de lui tenir tête.

Mais, dans l'ensemble, ils eurent surtout beaucoup de plaisir et très peu de dissensions. Ils avaient tous deux du tempérament et, en l'occurrence, des intérêts relativement divergents. Ni l'un ni l'autre ne s'était attendu à une complète harmonie.

Au fond, toutefois, Dominic se réjouissait de l'audace de Kate. C'était ce qui l'avait de prime abord intrigué à Palo Alto, puis charmé à Hong Kong, et ce pour quoi il avait fini par la trouver irrésistible et qu'elle était devenue l'amour de sa vie.

Kate aimait encore Dominic parce qu'il répondait à ses attentes malgré sa réticence.

Alors, même s'ils naviguaient parfois dans un labyrinthe d'émotions conflictuelles, leur compatibilité sexuelle était toujours évidente dans leur désir torride et leur passion. Dominic faisait ce qu'il faisait bien, provoquant, titillant, enivrant les désirs impatients de sa femme avec une subtilité fascinante, avec une expertise sans égale, la conduisant chaque fois à un orgasme rageur, frénétique, tumultueux.

Parfois, il souriait et disait :

— Chérie, tu devrais ralentir de temps en temps. Tu sais… seulement pour faire changement.

— Merci du conseil, murmurait-elle, les yeux fermés, la béatitude parcourant son corps comme une fine version orchestrale du paradis. La prochaine fois.

Mais elle ne le fit jamais.

Non pas qu'il ait eu des raisons de se plaindre. Après des semaines de tempérance sexuelle pendant que Katherine guérissait, il avait une érection permanente, nonobstant son problème à propos de ce pari dangereux. Toutefois, cette dissension persistante, agaçante, fouettait sa volonté.

À un niveau inconscient, incohérent, il avait besoin d'une revanche.

— Non, lui répondait-il de temps en temps quand elle lui demandait quelque chose. Nous faisons ça à ma façon. Des questions ?

Le regard dans ses yeux rappelait toujours à Kate cette première soirée à Hong Kong quand elle lui avait dit qu'elle ne pouvait pas attendre et qu'il avait répondu « Tu le dois ». Mais il lui avait tellement donné depuis ce moment, avait tellement donné de lui-même, lui donnait maintenant ce qu'elle désirait le plus au monde. Elle souriait.

— Je ne demanderai rien, c'est promis.

— Sauf ma queue en toi pendant trois semaines, grognait-il.

— Sauf ça, disait-elle gentiment en regardant son visage grimaçant.

Ainsi, le jeu se joua à la façon de Dominic, selon ses conditions.

Il l'emmenait faire des emplettes et la baisait dans la salle d'essayage où ils se trouvaient, ignorant ses protestations et son malaise.

— Ne t'inquiète pas pour ça. Nous avons acheté la boutique. Ils s'en fichent. Et tu veux un bébé, n'est-ce pas ?

Il savait comment la faire taire.

Ils sortirent souvent dîner. Ils étaient dans une sorte de parenthèse de trois semaines. « Alors, pourquoi pas ? » disait-il. Ce qui signifiait qu'il la baisait dans des salles de bains de nombreux restaurants.

Un soir, il s'excusa poliment de partir avant le dessert chez Melanie, lui servant un prétexte parfaitement raisonnable, et emmena Kate à la maison, puis la baisa. Cette fois, pendant presque deux jours, pratiquement sans arrêt. Il ne pouvait même pas en rejeter la responsabilité sur sa mauvaise humeur. Sa queue avait le vent en poupe.

Kate n'eut jamais d'autres menstruations. Tous deux savaient qu'elle n'en aurait pas.

Et quelques semaines plus tard, elle dit joyeusement :

— J'ai de beaucoup dépassé ma période de règles. Je vais vérifier.

Dominic se contenta d'incliner la tête d'un air relativement content de soi.

— Lance-toi, chérie.

Elle dut y songer à deux fois devant la réplique nonchalante de Dominic.

— Tu ne sembles plus très opposé.

— Peut-être que je m'habitue à l'idée, répondit-il en souriant.

Ou peut-être que le fait que Yash ait mis presque tous les docteurs sous contrat lui apportait un certain réconfort. À l'exception du pédiatre chirurgien, l'équipe médicale avait été installée dans la maison voisine ou plus loin sur la rue. Dominic avait acheté trois autres maisons et, avec le personnel en place, il avait l'impression d'avoir pris autant de précautions que possible.

Sans surprise, le test de grossesse se révéla positif. Ils fêtèrent l'événement en dînant chez Lucia's et par une nuit d'amour qui se voulait magique. Et même si Dominic ne pouvait se réjouir autant, il voyait que la femme qui avait tant d'importance à ses yeux était profondément heureuse.

Le matin suivant, Dominic se réveilla très tôt, enfila rapidement un pantalon et descendit dans son bureau. Fermant la porte, il jeta un coup d'œil à l'horloge, calcula rapidement l'heure qu'il était à New York et composa le numéro que Yash lui avait donné.

— Frank Gregory à l'appareil, fit une voix brusque.

— Désolé d'appeler si tôt, mais je voulais vous parler avant que vous partiez pour le travail. Je suis Dominic Knight.

Un soupir d'exaspération se fit entendre à l'autre bout de la ligne.

— J'ai déjà dit non à vos gens. Aux huit personnes qui m'ont appelé.

— Je sais, répondit doucement Dominic. Mais je crois comprendre que votre petite amie n'arrive pas à obtenir un divorce. Je peux vous aider à ce propos.

— Ce n'est pas une situation à laquelle on peut remédier.

Le médecin ne demanda pas comment il le savait parce qu'il avait sûrement fait l'objet d'une vérification par Dominic Knight avant qu'il ne lui offre ce poste lucratif.

— Si je *pouvais* obtenir le divorce pour votre petite amie, dit Dominic avec un calme calculé, accepteriez-vous un contrat de 10 mois ? Je verrai à ce que vous ayez une maison pour votre amie et votre fils, une thérapie pour ce dernier…

— Vous ne comprenez pas, répondit brusquement le médecin. Giselle ne va pas quitter sa fille, et son mari refuse la garde conjointe. Si j'acceptais votre offre, j'abandonnerais Giselle et mon fils. Je ne vais pas faire ça.

— Je peux faire en sorte que son mari change d'avis.

— L'argent ne va pas lui faire changer d'avis. Vous devez savoir ça.

— Je le sais.

Harold Parks était milliardaire.

— Quoi qu'il en soit, poursuivit-il, mon offre tient quand même. Êtes-vous intéressé ? Dix mois. Votre prix sera le mien, et je répondrai à toutes vos exigences. Je peux vous fournir toute une gamme de services : une domestique logée et nourrie, un physiothérapeute en résidence, une nutritionniste, un ergothérapeute. J'ai failli perdre ma femme lors de sa dernière grossesse. Nous avons perdu notre enfant. Maintenant, Katherine est encore enceinte et j'essaie d'éviter une issue semblable. Vous êtes le meilleur dans le domaine néonatal. J'ai besoin de vous. Et pour être parfaitement honnête, vous pourriez tirer parti de mon influence et de mon absence de scrupules. Je peux m'arranger pour qu'Harold change d'avis à propos d'un divorce et de la garde. En fait, votre petite amie pourrait obtenir la garde exclusive. Qu'en dites-vous ?

— Vous êtes celui qui finalise la vente ? demanda Gregory sur un ton sardonique.

— Non, je suis un homme désespéré comme vous. Nous pouvons nous aider mutuellement.

Il y eut quelques secondes de silence.

— Je devrais être sûr de la possibilité d'obtenir un divorce et la garde.

— Vous avez ma parole.

Une réponse exprimée avec le caractère absolu que conféraient d'immenses ressources, un pouvoir presque illimité et un caractère impitoyable.

— Je vais vous faire envoyer la paperasse demain. Je ferai parvenir un message privé à Harold, livré en personne, cet après-midi à New York. Vous devriez recevoir les documents de divorce signés d'ici deux jours. Je verrai à ce qu'Harold comprenne le délai imposé. Avez-vous besoin d'obtenir une confirmation de votre petite amie ?

— Non.

Dominic poussa un soupir évident de soulagement.

— Parfait. Faites parvenir vos exigences à Max Roche, mon adjoint. Je vais vous donner son adresse électronique, ou bien son numéro de téléphone si vous préférez. Tout ce que vous pouvez me dire, vous pouvez le lui dire. Je vais vous donner aussi mes numéros de téléphone cellulaire et résidentiel. Si vous avez des questions ou des préoccupations, n'hésitez pas à m'appeler. Je vous remercie infiniment.

Dominic inhala doucement, puis parla avec une véhémence presque douloureuse :

— Ma femme m'est précieuse. Je suis sûr que vous comprenez ce sentiment.

Après avoir raccroché, il se laissa aller contre le dossier de son fauteuil et se détendit. Il avait réussi. Le dernier obstacle était écarté. Katherine était en sécurité ou presque, dans les limites de la médecine moderne.

Il avait les meilleurs médecins de la planète.

Il avait fait tout ce qu'il pouvait.

Il s'étira pour éliminer les dernières tensions dans ses épaules, se pencha vers l'avant, prit son téléphone et appela Max.

— Je peux l'entendre dans ta voix. Tu l'as eu.

— Ouais. Pourvu que nous livrions la marchandise. Alors, j'ai besoin que Danny se rende à New York cet après-midi pour remettre la vidéo à Harold Parks. J'ai aussi besoin que nos avocats de New York préparent les documents du divorce et les leur livre demain. Je leur ai déjà fourni les détails. Ce n'est pas compliqué quand la femme ne veut rien d'autre que sa fille. Merde, Harold devrait se compter chanceux.

— Sauf qu'il perd la bataille.

— Je préfère lui que moi, dit brusquement Dominic.

— Je suppose que ce n'est jamais une bonne chose que de baiser des petites filles dans une chambre d'hôtel, dit sèchement Max.

— Ou n'importe où, mais certainement pas là. Combien a coûté la vidéo ? Il a fallu un bon moment pour la trouver.

Leo avait ratissé pendant un mois le monde interlope de Bangkok. Dominic connaissait les rumeurs à propos d'Harold ; le monde dévergondé des gens immensément riches était petit.

— C'est une grande ville, mais ce n'était pas très cher. Les prix sont bas à Bangkok.

— Malheureusement, même pour les petites filles.

— Tu parles. Mais Leo a acheté l'endroit comme tu l'as dit, il l'a fermé, puis, fit-il en soupirant, il a renvoyé à la maison toutes les petites filles avec des compensations substantielles.

Il soupira de nouveau.

— Évidemment, ça ne signifie pas qu'elles ne seront pas encore exploitées, mais leurs familles ont maintenant assez d'argent pour bien vivre. Le degré de cupidité représente la seule inconnue.

— Ouais ; beaucoup de chance avec ça, marmonna Dominic.

— Tu as fait ton possible. Le reste dépend d'eux. Et, tout au moins, Parks y pensera deux fois avant de molester encore des jeunes filles. Et ça devrait certainement régler les problèmes de garde avec sa fille de huit ans.

— C'est à espérer. Mais assure-toi que Danny exerce une forte pression sur Harold ; je veux dire jusqu'à ce qu'il supplie. J'ai besoin de ce divorce.

— Ne t'inquiète pas. Danny s'assurera qu'il comprenne.

— Bien. J'ai dit à Gregory de communiquer avec toi à propos de ses exigences. Alors, tu pourras lui dresser une liste de ces services dont nous avons parlé pour son garçon. On m'a dit qu'il s'améliorait, réapprenait à marcher et à parler après son accident. Alors, donne à Gregory tout ce dont il a besoin. Et il lui faudra une maison. Si notre quartier ne lui convient pas, donne-lui ce qu'il veut pourvu que ce soit à moins de cinq minutes de distance en voiture. C'est tout, je crois.

Dominic poussa un soupir.

— Je suis tellement emballé. C'est le meilleur pédiatre néonatal au monde. Il peut sauver des bébés aussi petits que quelques centaines de grammes. Et cette grossesse sera terrifiante pendant les neuf mois entiers.

— Est-ce que Katherine est terrifiée aussi ?

— Bon Dieu, non. Elle est au septième ciel.

— Alors, tu devrais peut-être te détendre.

— Je me détendrai dans neuf mois. Jusque-là, je vais vivre mon pire foutu cauchemar.

— Si nous pouvons faire quoi que ce soit pour aider, tu n'as qu'à le demander. Liv et Conall arriveront demain.

— Merci, Max. Et merci de t'occuper des affaires jusqu'à ce que ce soit terminé. J'ignore comment je pourrais m'en charger au quotidien. Je vais travailler le soir quand Katherine dormira, mais à part ça, je vais prendre soin d'elle.

— Nous allons nous arranger. Ce n'est pas comme si tu étais hors d'atteinte. Si nous avons une question, tu seras là. Soit dit en passant, as-tu rencontré la nouvelle petite amie de Roscoe ?

— Une fois. Chez Lucia's. Nous avons dîné avec eux.

— Je pense qu'il est sérieux.

— *Elle* l'est certainement, répondit sèchement Dominic.

— Quoi ? Trop jeune, trop pauvre ?

— Et elle a plein de besoins, mais Roscoe aime bien prendre soin des femmes.

— Jusqu'à ce qu'il se fatigue.

— C'est vrai. Bien que je sois la dernière personne au monde à pouvoir donner des conseils sur les femmes. Je n'avais même aucune idée que je voulais une femme jusqu'à ce que je rencontre Katherine. Et alors, je n'avais pas le choix. Une liste des aspects positifs et négatifs, des affinités ou des antécédents ; rien de cela n'avait d'importance. Je devais l'avoir.

Il rit.

— On fait des projets et on fait des projets, n'est-ce pas ?

— Je suppose qu'on ne prévoit pas l'amour.

— Semble-t-il. J'entends Katherine à l'étage. Elle se lève tôt. On se reparle.

Quelques instants plus tard, il se tenait sur le seuil de la salle de bain, observant Kate se brosser les cheveux.

— Tu es debout au chant du coq. Qu'est-ce que tu entends faire aujourd'hui ?

Elle lui adressa un regard oblique.

— Tu ne vas plus travailler ?

— Je travaille, mais de la maison, c'est tout.

Elle sourit, déposa la brosse et prit un rouge à lèvres.

— Tu n'as pas à me surveiller sans arrêt, tu sais.

Il fronça les sourcils.

— En fait, je ne dirais pas ça. Si je me souviens bien, tu as dit que tu ferais tout ce que je demanderais, sans discuter ou te plaindre. Veux-tu que je continue ? Parce que je me souviens précisément de chaque foutu mot.

— Oh, d'accord, marmonna-t-elle en étendant du rouge à lèvres sur sa lèvre inférieure puis, elle referma le tube et se tourna vers Dominic. Je me souviens.

— Bien, fit-il. Alors, nous n'avons pas à discuter de ça.

Sa voix s'adoucit.

— Tu veux que je te trouve quelques vêtements ?

Elle dénoua sa ceinture de peignoir, le retira, le lança sur le comptoir et marcha jusqu'à Dominic.

— Pourquoi ne me trouves-tu pas des *après coups*.

Il sourit.

— Tu as besoin d'aide pour autre chose ?

— Peut-être quelque chose pour m'aider à me réveiller, ronronna-t-elle en glissant ses bras autour de sa taille, et elle se leva sur le bout des pieds et lui embrassa le menton, puis la bouche quand il pencha la tête.

— Du moment que tu suis les directives, dit-il en écartant une boucle de son front. Je vais les rendre faciles.

— Et si je ne veux pas qu'elles soient faciles ?

— Tu n'as plus le choix, chérie. Mais la fin heureuse demeure la même.

Il lui adressa un large sourire.

— Regarde le bon côté des choses.

— Merde, Dominic, quand je terminerai cette grossesse en beauté, tu vas drôlement payer pour m'avoir fait souffrir. Pour m'avoir privée de beaucoup de choses.

— Si tu termines cette grossesse en beauté, chérie, tu pourras avoir le monde entier enveloppé dans une boîte avec un ruban. OK ?

— Oh, OK, répondit-elle en soupirant doucement. Mais quand ce sera terminé, je vais vouloir ta queue enveloppée dans un ruban aussi. Je vais la vouloir prête à se mettre au travail.

Dominic avait même refusé de s'engager à avoir du sexe qui soit le moindrement vigoureux.

— Tu n'auras pas à le lui demander deux fois, crois-moi, répondit-il sèchement.

— Alors, dit Kate joyeusement, est-ce que nous comptons tous deux les jours ou seulement moi ?

Dominic éclata de rire.

— Bon Dieu, pourquoi ne pas prendre les choses une à la fois ? Nous produisons un bébé, en ce moment. Nous aurons plein de temps pour baiser comme des fous plus tard.

— Je pourrais mettre ça par écrit ?

— Pas de problème, chérie. Je vais le sculpter dans la pierre et le déposer sur ton bureau. Tu n'es pas la seule à te sentir privée de sexe.

Il posa rapidement un doigt sur les lèvres de Kate.

— C'est une déclaration générale, je ne suis pas sérieux. Ne te fâche pas. Je veux ce bébé, mais je te veux mille fois plus en bonne santé et bien vivante. Alors, nous allons agir comme des adultes à ce propos. Tu penses que tu peux faire ça ?

— Tu laisses entendre que je ne peux pas ?

— Non, dit-il doucement, ne voulant pas démarrer une nouvelle discussion.

Elle soupira, son souffle chaud sur la poitrine de Dominic.

— Parfois, je pense que j'ai été trop choyée en grandissant. Tu es toujours plus raisonnable.

— Être trop choyé, ça n'existe pas, chérie. Tu as été très chanceuse.

Son enfance l'avait laissé profondément cicatrisé. Elle pouvait l'entendre dans sa voix, le voir dans ses yeux chaque fois qu'ils abordaient le sujet. Elle était toujours ébahie du fait qu'il ait endossé si jeune les responsabilités de la vie.

— Nous allons choyer notre bébé, n'est-ce pas ?

Elle sourit pour faire disparaître la douleur dans ses yeux.

— Nous allons nous battre pour savoir qui va le ou la choyer le plus.

— Tu devras me montrer comment.

Elle faillit fondre en larmes devant la simple vérité de ses paroles.

— Pas de problème, répondit-elle doucement. Tu apprends vite.

— Parlant d'apprendre vite, murmura-t-il en changeant de sujet comme il le faisait chaque fois qu'il y avait une allusion à son enfance, je veux te montrer une nouvelle manière de jouir.

— Alors, tu m'as caché des choses, dit-elle en souriant.

— Disons seulement que j'attendais une bonne occasion. Prépare-toi à être renversée, dit-il en souriant faiblement quand elle lui jeta un regard flamboyant. D'une très jolie façon, chérie. Rien de bizarre.

Il la souleva et la déposa sur le comptoir de la salle de bain.

— C'est froid pour tes fesses ? Ne t'inquiète pas, tu vas te réchauffer. Maintenant, ferme les yeux. Les sensations seront plus intenses.

— Je vais jouir ?

— Ne t'inquiète pas, chérie, je n'oublierai pas. Tu deviens maussade quand tu n'en as pas assez. Ni l'un ni l'autre ne voulons ça, n'est-ce pas ?

Son petit sourire était intime, chaleureux, d'un charme insouciant.

— Maintenant, tu vas fermer les yeux ou continuer à me donner des directives ?

— Regarde, c'est fait, dit-elle en croisant les mains sur ses genoux, les yeux fermés. Parce que tu es bien meilleur que moi pour ça.

— C'est vrai.

Il aurait pu en dire davantage, mais dans l'intérêt d'une coexistence pacifique, il choisit de faire preuve de tact.

— Je sais à quoi tu penses.

— J'en doute, chérie, dit-il en faisant courir son pouce sur le sourire de Kate. Tu n'as pas assez d'expérience.

— À titre de renseignement, M. l'Étalon de classe mondiale, toute ton expérience est extrêmement attrayante.

Elle ouvrit soudain les yeux et sourit.

— Tu ne sais pas combien de fois j'ai fait jouer cette vidéo de toi avec le fouet.

Il la regarda fixement.

— Je pensais qu'elle avait été retirée.

— Ne t'en fais pas, elle l'a été. Mais comme toi avec le sexe, j'ai des talents particuliers. Je peux trouver pratiquement n'importe quoi sur le Web, effacé ou non.

— Bon Dieu. Débarrasse-toi de ça.

Étonnamment, la perspective de devenir parent lui insufflait des principes.

— Je l'ai fait. J'ai seulement fait une copie pour moi. Tu es ma vedette porno personnelle.

Le rictus sévère de sa bouche s'effaça, puis sa grimace fit place à un haussement de sourcils espiègle.

— Alors, tu n'as peut-être pas besoin de moi ce matin.

— Ou peut-être que j'ai encore davantage besoin de toi.

Il se pencha et l'embrassa doucement.

— Bien. J'aime ça.

— Montre-moi ça, Dominic, murmura-t-elle en faisant glisser sa main sur les muscles rigides de sa poitrine, suivant le petit sentier de poils foncés jusqu'où il disparaissait sous la taille de son pantalon.

Elle ferma les yeux, retira sa main et attendit.

Il se tint parfaitement immobile pendant une fraction de seconde, ému comme toujours par sa simplicité naturelle, par sa confiance sincère, par la joie qu'elle lui apportait. Puis, prenant conscience de sa responsabilité de lui offrir de la joie en retour, de la raison pour laquelle il se tenait là sur le point de combler sa femme avec ses talents les plus bienfaisants, il posa doucement ses paumes chaudes sur la courbe extérieure de ses seins généreux, exerça une très légère pression et commença à la caresser délicatement.

— Ohmondieu ; qu'est-ce que tu fais ?

Elle avait l'impression qu'un minuscule courant électrique parcourait tout son corps, la réchauffant partout, l'énergie glissant vers le bas, provoquant une délicieuse fusion au plus profond de ses entrailles.

— Chut. Ne parle pas. Concentre-toi.

Et il caressa doucement son corps tout entier, ses épaules, ses bras, lentement, tendrement, le long de ses côtes jusqu'à sa taille, faisant glisser ses doigts dans son dos, sur ses fesses, le long de ses cuisses, entre ses jambes, jusqu'à ce qu'elle s'évanouisse presque de désir, débordante de félicité, un besoin croissant s'étendant jusqu'à son sexe, le long de sa colonne, chaque cellule de son corps vibrant de plaisir.

Longtemps auparavant, Dominic avait maîtrisé la pratique du tantra en Inde, savait se servir de tout son corps pour le sexe et non pas seulement de sa queue, comprenait comment déclencher le flux d'énergie subtile et de magnétisme pour accentuer l'extase, prolonger la sensation orgasmique.

— Peux-tu sentir ça au bas de ta colonne ?

Sa voix était douce, basse, son toucher incroyablement délicat.

Elle inclina la tête, incapable de parler en raison du plaisir qui s'épanouissait en elle, le contact des doigts de Dominic si léger qu'elle avait l'impression qu'il vénérait son corps, l'adorait par son toucher. Un flot de plaisir traversa ses sens, étrangement épanouissant comme si la joie et l'achèvement se mélangeaient, comme si chaque palpitation en elle correspondait à chaque battement de son cœur. Comme si elle était doucement transportée avec un ravissement profond dans un univers d'enchantement sensoriel.

Quand elle atteignit la pleine conscience de ses sens, Dominic lui prit chaque sein entre ses mains et, penchant la tête, suça doucement un mamelon, puis l'autre, aspirant lentement et en cadence jusqu'à ce qu'elle se trouve intensément provoquée, qu'elle soit complètement mouillée, haletante. Et quand elle sombra finalement dans un orgasme inhabituellement muet, l'extase envahissante vibra en elle, fit s'agiter chaque cellule de son corps pendant de longs moments merveilleux, divins.

Il se tint parfaitement immobile ensuite, à l'écoute du corps de Kate, de son propre corps, rempli d'un sentiment profond d'émerveillement comme toujours quand il regardait en lui-même, quand il se permettait de sentir la vie palpiter en lui.

— Tu es extraordinaire.

Ses yeux étaient toujours fermés, sa voix à peine plus qu'un murmure, ses joues roses et sa beauté délicate, son innocence lui coupant toujours le souffle.

— Et tu es mon bonheur, dit-il doucement. Je vais te prendre dans mes bras, maintenant. Tu n'as pas besoin d'ouvrir les yeux.

— Il se peut que je ne les ouvre plus jamais, dit-elle tandis que Dominic la soulevait et la sortait de la salle de bain. C'était tellement beau que je ne trouve pas les mots pour le décrire.

— Il y a quelques milliers de livres sur le sujet, si tu manques de vocabulaire, répondit-il d'une voix nonchalante.

— Tu es extraordinaire, tu sais, murmura-t-elle en ouvrant les yeux et en regardant sa mâchoire ferme, puis plus haut jusqu'à ce qu'elle croise son regard bleu souriant.

« Seulement bien entraîné », pensa-t-il.

— Si tu le dis, chérie, fit-il sur un ton agréable avant de se pencher pour lui embrasser l'arête du nez. Maintenant, veux-tu dormir, prendre un petit déjeuner, me dire à quel point tu m'aimes ? termina-t-il avec un sourire.

— Jusqu'au bout du monde et plus loin encore. Vraiment, Dominic.

— Et moi, je t'aime jusqu'au-delà des étoiles, dit-il en souriant.

La déposant sur le lit, il tira la courtepointe sur elle et s'assit.

— Alors, maintenant que tu as eu ton orgasme pour te réveiller, qu'est-ce que tu envisages de faire ? Prendre le petit déjeuner ?

— Melanie et moi allons le prendre quelque part. J'ai oublié le nom de l'endroit. Ensuite, nous allons faire des emplettes pour trouver des vêtements de maternité.

— Je vais te conduire.

— Melanie va le faire.

— Jake va conduire. Je t'emmène.

— Est-ce que tu vas gérer chaque minute de ma vie ?

— Chaque seconde, chérie, dit-il d'une voix que même les autres PDG n'osaient contredire.

— Eh bien… d'accord, répondit-elle.

Elle sourit tout à coup.

— Vas-tu venir avec nous dans les boutiques ? Des vêtements de maternité, Dominic. Tes préférés.

Il sourit.

— Je vais attendre dans la voiture.

Et ainsi progressa sa grossesse, Dominic s'occupant de tout avec autant de bienveillance que possible. Et Kate se pliant à ses désirs en ne résistant que rarement parce que tous deux comprenaient la gravité profonde de la situation. Toutefois, quand Kate dépassa les trois premiers mois tant redoutés, tous deux se détendirent un tant soit peu. Et quand elle dépassa les six mois et se sentit vraiment bien, même Dominic put bannir ses pires craintes.

Les médecins étaient à portée de voix, une salle d'opération avait été construite dans la maison voisine. Tous les résultats d'examens mensuels de Kate étaient normaux. Elle était en excellente santé et le bébé aussi.

Cependant, le fort gain de poids du bébé déclencha une nouvelle préoccupation chez Dominic. Kate n'était pas une femme corpulente. Qu'arriverait-il, si le bébé était trop gros ? La D[re] Nye et les six autres médecins à qui il en fit part lui dirent qu'il ne devait pas s'inquiéter.

Il s'inquiéta quand même.

Tandis qu'approchait la date de l'accouchement, Kate et Dominic sortaient rarement.

Ils se promenaient autour du pâté de maisons le matin et le soir parce que Kate était censée faire des exercices de manière modérée. Dominic ajustait ses longues enjambées aux siennes, lui tenait la main et parlait de sujets propres aux enfants parce que Kate ne pensait qu'au bébé. Elle lui acheta des vêtements avec un optimisme infini pendant que Dominic luttait contre les terribles souvenirs des vêtements de bébé qu'ils avaient laissés derrière eux à Londres. Kate fit transformer une des pièces en chambre d'enfant et elle et Melanie ainsi que ses filles s'occupèrent à discuter des couleurs de peinture, des tissus et des meubles. Elle semblait avoir complètement oublié le passé, était confiante, sûre d'elle-même, tout le bagage affectif découlant de sa fausse couche écarté. Dominic s'émerveillait du changement complet d'attitude de Kate, mais se réjouissait de son bonheur. Ils choisirent des noms de bébé, ou plutôt, elle le fit. Il se fichait du nom pourvu que l'enfant soit en bonne santé. Katherine aurait pu l'appeler Roche ou Prunier avec sa bénédiction.

— Tu es sûr, maintenant ? dit-elle en levant les yeux sur lui alors qu'elle gisait dans ses bras un soir. Tu aimes James pour un garçon et Rosie pour une fille ?

— Oui, répondit-il. Ce sont des noms parfaits.

Elle plissa les yeux.

— Tu ne dis pas ça seulement pour être gentil ?

Bien sûr que si.

— Non. Je n'aurais pas pu trouver mieux. Et c'est toi qui fais tout le travail. Tu devrais pouvoir nommer le bébé comme tu le veux.

Elle exhala doucement.

— Bien, fit-elle en faisant glisser ses doigts le long de la mâchoire de Dominic. Tu es heureux ?

— Je suis heureux du moment où je suis avec toi. Peu importe où. Mais j'ai besoin que tu sois à mes côtés.

— C'est effrayant, parfois, murmura-t-elle, les larmes aux yeux. De tant t'aimer. Tu dois toujours m'appartenir… éternellement. Dis-moi que tu le feras, Dominic, il le faut, fit-elle, tout à coup remplie d'une inexplicable inquiétude.

— Arrête, chérie, ne pleure pas, murmura-t-il. Je vais t'appartenir et tu m'appartiendras jusqu'à la fin des temps. Et quand tu te sentiras effrayée, je vais tirer le pont-levis, fermer le portail, nous isoler du monde pour être seuls.

Il baissa les yeux et lui caressa légèrement le ventre.

— Avec lui ou elle. Personne d'autre n'entrera. OK ?

Elle inclina la tête, puis renifla.

— Tu seras content quand je ne serai plus enceinte, dit-elle en avalant la boule dans sa gorge. Je ne pleurerai plus à propos de rien.

— Je serai surtout content quand j'arrêterai de m'inquiéter. À propos de toi et du bébé et de tout ce qui pourrait mal tourner.

Il lui adressa un petit sourire.

— Bien que chaque jour qui passe apaise un peu plus mes inquiétudes, ajouta-t-il.

— Parce qu'ils peuvent sauver le bébé à cette étape.

Il inclina la tête.

— Mais j'ai besoin que tu t'en sortes bien aussi.

Cette crainte était constante, mais il prit une petite inspiration, puis lui sourit parce qu'il n'allait pas lui exprimer ses inquiétudes et ajouter aux appréhensions de Kate.

— Seulement pour que tu le saches, j'ai menacé tous les médecins, alors je m'attends à un accouchement en douceur.

— Tu pourrais m'en parler, dit Kate, le regard immédiatement alerte, d'un ton espiègle. Vu que je participe de manière intime au processus.

— Tu ne menaces pas, sinon je ne l'aurais pas fait.

Il lui tapota délicatement le ventre.

— Tu entends ça, bébé ? Ton équipe de médecins marche sur des œufs et est en attente.

— Dieu du ciel, Dominic, tu vas les mettre en colère.

— Non… j'ai été diplomate.

Ou plutôt Max l'avait été en même temps qu'il leur avait versé d'importants bonus.

— Ça ne les dérange pas. Ne t'en fais pas, chérie, tout le monde te traitera avec douceur.

Mais quand Kate commença le travail, elle insista pour rester à la maison.

— Il n'en est pas question ! s'exclama Dominic qui marcha vers elle pour la prendre dans ses bras.

Ce qui était exactement la raison pour laquelle Kate ne le lui avait pas dit auparavant, bien que Patty l'ait su parce qu'elle lui avait demandé de nettoyer la chambre de Dominic au point où on aurait presque pu manger sur le plancher.

— Ne t'avise pas de me toucher ! s'écria Kate et, quand il sursauta, elle dit sur un ton plus normal :

— Fais venir d'abord les sages-femmes. Ça va prendre un bon moment.

— Je vais chercher Melanie aussi. Crie autant que tu le veux à ce propos. Je m'en fous, dit-il sèchement.

— Pourquoi crierais-je ? dit-elle gentiment.

— OK.

Dominic garda les yeux fixés sur Kate tandis qu'il composait le numéro de sa sœur sur son cellulaire.

— Viens. Katherine est en travail et elle refuse d'aller à l'hôpital. Je les appelle maintenant… toutes ? OK, fais vite.

La sage-femme qu'avait employée Melanie, de même que trois autres, se trouvaient tout près et arrivèrent quelques minutes avant que Melanie se précipite dans la pièce. Sa sœur réussit à calmer Dominic avec un ton de voix apaisant et une longue explication. Kate avait compté là-dessus et jeta un coup d'œil reconnaissant à sa belle-sœur quand Dominic acquiesça en soupirant.

— OK, dit-il, mais s'il y a le moindre problème, je veux dire le *moindre problème*, nous allons à l'hôpital.

Puis, il lança à Kate un regard si furieux qu'elle leva les mains en signe de reddition.

— Tu fais mieux d'être foutrement sincère, gronda-t-il.

Dieu du ciel, était-il télépathe ou était-elle si transparente ? Mais elle et Melanie, les sages-femmes et Patty avaient un millier de fois examiné chaque détail de l'accouchement et les deux derniers enfants de Melanie étaient nés à la maison. Kate était relativement confiante. De plus, Dominic avait pratiquement un hôpital entier tout près. Et, songea-t-elle, avec la confiance mystique qui l'avait soutenue pendant toute sa grossesse, elle *savait* tout simplement que le bébé allait bien et tous les examens des médecins avaient corroboré ce fait. Alors, vraiment, sa fausse reddition n'avait aucune importance.

— Je suis sincère, Dominic, vraiment, dit-elle avec un sourire. Si quoi que ce soit tourne mal, j'irai certainement à l'hôpital. Maintenant, aide-moi à marcher.

Pendant les six heures qui suivirent, Dominic marcha avec Kate, main dans la main, la soutenant quand un spasme douloureux l'immobilisait, l'aidant à s'étendre de temps en temps pour que les sages-femmes puissent la masser et l'aider à se détendre. Melanie s'occupait de la télécommande et contribuait à les distraire avec de la musique, la télévision ou des conversations jusqu'à ce que les contractions deviennent si rapides que Dominic insista pour appeler le médecin. Il regarda durement sa sœur jusqu'à ce qu'elle l'appuie.

— Juste au cas, chérie, dit-il doucement en aidant Kate à retourner au lit. Ils peuvent s'asseoir en bas si tu ne les veux pas ici.

Finalement, les contractions étaient si rapprochées que même Kate accepta d'avoir de l'aide. Les sages-femmes et les médecins firent leur travail, en équipe coordonnée parce que Dominic les avait sévèrement avertis qu'il ne voulait pas de luttes de territoire pendant que sa femme souffrait.

Mais, en fin de compte, Kate se montra extraordinaire et il le lui dit, l'embrassant entre les contractions, lui épongeant le front avec un gant de toilette mouillé, lui servant des glaçons quand elle en avait besoin, tenant sa main pendant tout ce temps. Elle endura la douleur avec stoïcisme, serrant fortement la main de Dominic pendant les pires contractions alors que lui comptait les minutes pour elle, l'aidait à respirer, souhaitait pouvoir souffrir à sa place.

Puis, quelqu'un dit tout à coup :

— Vous y êtes presque, Mme Knight.

Kate ferma les yeux, prit une profonde inspiration et faillit briser les doigts de Dominic.

Un moment plus tard, une voix ravie s'écria :

— C'est une fille.

Kate ouvrit les yeux, sourit à Dominic et murmura :

— Tu peux arrêter de t'inquiéter, maintenant.

— Je t'aime tellement, chérie, murmura-t-il à son tour en sentant le poids du monde se lever de ses épaules.

Elle était sauve ; il n'allait pas la perdre.

Il se pencha, écarta les boucles humides de son front, puis l'embrassa délicatement.

— Maintenant, je dois mettre le monde dans une boîte enrubannée pour toi.

Elle sourit.

— Montre-moi d'abord notre bébé.

Il lui fallut un moment pour saisir les paroles de Kate tellement il était reconnaissant qu'elle soit vivante, qu'elle ait survécu. Puis, il leva les yeux, regarda les gens occupés autour de lui, trouva le Dr Gregory qui tenait le bébé et haussa les sourcils.

— C'est une petite fille en pleine santé, dit le médecin qui connaissait les inquiétudes de Dominic et savait pourquoi il l'avait fait venir à grands frais pour s'assurer que le bébé vivrait.

Il porta l'enfant jusqu'au lit et leur montra pour la première fois Rosie.

— Accordez-nous quelques minutes pour la réchauffer sous les lampes, dit-il. Seulement par prudence.

Dix minutes plus tard, chacun ayant fait rapidement son travail, le bébé avait été examiné, pesé et habillé, Kate avait été lavée et on lui avait mis une nouvelle robe de nuit, la literie avait été changée, les médecins avaient confirmé que Kate et l'enfant étaient tous deux en bonne santé. Puis, Melanie chassa tout le monde de la pièce.

— Je vais faire monter un peu de nourriture. Et nous serons tous en bas si vous avez besoin de nous, dit-elle avant de fermer la porte de la chambre.

— Tu as faim ? demanda Dominic, debout près du lit, les yeux fixés sur Kate, sa fille dans ses bras.

— Pas en ce moment.

Il sourit.

— Elle te ressemble.

Il toucha délicatement la petite main du bébé et les minuscules doigts se refermèrent sur son pouce.

— Tu pleures, dit Kate.

Cet homme qui avait été seul pendant la majeure partie de sa vie leva la tête, les yeux humides.

— Je ne pleure pas.

Kate lui tendit sa main libre.

Il cligna des yeux.

— Enfin, peut-être seulement cette fois-ci, dit-il en lui prenant la main.

— Nous avons une famille maintenant, toi et moi, murmura-t-elle en sachant ce qui lui avait fait monter les larmes aux yeux.

— Tu m'as donné un cadeau incroyable, Katherine.

Le bleu de ses yeux scintillait d'amour, son sourire adressé à elle seule.

— Fais sonner les cloches, tonner les canons, envoie des messagers par tout le pays pour proclamer la naissance miraculeuse, dit-il avec un sourire.

L'enfant ouvrit soudain les yeux et regarda son père.

— Est-ce qu'elle m'a entendu ? murmura-t-il.

— Je ne sais pas. C'est toi qui as lu tous les livres sur les bébés.

— Elle me regarde comme si elle me voyait. Et elle tient encore mon doigt.

— Elle sera extraordinaire.

Dominic sourit.

— Évidemment. C'est la tienne.

— La nôtre.

— La partie extraordinaire vient de toi, chérie. Je suis vraiment heureux qu'elle ne me ressemble pas.

Puis, son sourire s'élargit.

— J'ai une question : est-ce qu'elle aura toujours les cheveux roses ?

— Es-tu en train de dire que ça aurait de l'importance ?

— Bon Dieu, non, elle pourrait avoir les cheveux mauves et je m'en ficherais. Elle est parfaite.

— C'est ce que je pensais que tu voulais dire.

Il éclata de rire.

— OK, maintenant, elle me regarde vraiment. Il n'y a pas de doute. Allez, Rosie, laisse ton papa te tenir.

Et au cours des mois qui suivirent, il fit plus que seulement la tenir. Il demeura à la maison, dispensant la plupart des soins, laissant Kate dormir chaque fois qu'elle le pouvait entre les tétées toutes les deux heures. Bientôt, leur bébé se retrouva grassouillet, avec de petits plis aux bras et aux jambes, et Dominic mit à jour ses talents de gardien d'enfants depuis ces années où il avait observé Nicole et Isabelle. C'était comme faire de la bicyclette, ça ne s'oubliait pas et, en prenant soin de sa fille, il éprouvait une joie qu'il n'avait jamais imaginée. Très tôt, chaque fois que Rosie entendait sa voix et voyait son père, elle se mettait à agiter joyeusement les bras et les jambes. Et le cœur de Dominic fondait dans sa poitrine.

À trois mois, quand Rosie commença à faire ses nuits, leur emploi du temps parental se fit moins exigeant et Dominic réussit à travailler quelques heures de plus à son ordinateur. Kate dormait plus longtemps, ils regardaient encore la télé de temps en temps et avaient plus que quelques minutes pour avaler leurs repas. C'était pratiquement le paradis.

Kate l'évoqua en premier, mais c'était elle qui avait surtout porté le poids des exigences de Rosie les premiers mois.

— De petits plaisirs, n'est-ce pas ? dit-elle en souriant à Dominic de l'autre côté de la table de la cuisine.

— Quelques minutes seul avec toi, chérie, fit-il en levant son verre de lait dans sa direction, c'est le Nirvana.

— Tu peux boire, tu sais, je ne me fâcherai pas.

— Ça va. Je vais boire quand tu boiras. J'aime le lait.

— Heureusement que Patty est là. J'ai constamment faim.

Leur dîner équivalait à la cuisine cinq étoiles du Lucia's : du homard Cioppino comme hors-d'œuvre, du fromage de chèvre rôti et une salade de figues, un faux-filet parfaitement grillé pour maintenir les forces de Kate, quatre petits bols de légumes biologiques découpés en dés et une mousse au chocolat pour dessert.

Patty était montée sur la pointe des pieds avant de partir, vit que le bébé dormait et murmura :

— Je pensais que c'était tranquille ici. Votre nourriture est sur la table, pour faire changement.

Elle tapota la montre à son poignet et sourit.

— Dépêchez-vous de manger.

Puis, un soir, quelques jours après que leur fille ait fait sa nuit pour la première fois, Dominic descendit dans le salon où Kate lisait.

— Bon Dieu, est-ce que c'est un livre dans ta main ? Est-ce que la vie a repris son cours normal ?

— Ça s'en vient, répondit-elle en déposant le livre et en le regardant les sourcils froncés.

— Pourquoi portes-tu un peignoir ?

Il lui tendit la main.

— Viens là-haut et je vais te montrer.

Elle se leva du canapé.

— Ça semble mystérieux.

Dominic éclata de rire.

— Ça dépend de ce que tu entends par « mystérieux ».

Elle glissa sa main dans la sienne.

— Je suppose que tu vas me montrer.

— Je vais essayer, chérie, dit-il en posant un doigt sur sa bouche. Pourvu que notre fille collabore.

Elle le suivit à l'étage jusque dans leur chambre, vit tous les paquets sur le lit et leva rapidement les yeux vers lui.

— Je t'avais dit que si tu traversais ça haut la main, j'allais envelopper le monde dans une boîte enrubannée. Ce ne sont là que des babioles. Allez, ouvre-les.

Il la conduisit jusqu'au lit, puis s'assit sur un fauteuil tout près.

— Ouvre d'abord la boîte bleue.

Les cadeaux étaient joliment enveloppés dans toutes les couleurs de l'arc-en-ciel.

— C'est le moment où je dois dire que tu n'aurais pas dû. C'est trop.

— J'ai l'impression d'entendre Nana. Ce n'est rien, chérie. Quelques bagatelles.

Elle déchira le papier de la boîte bleue et émit des petits cris de joie. C'était un ordinateur portable dernier cri que préféraient les pirates informatiques et qui ne se trouvait pas encore sur le marché. Kate avait vu le prototype et le convoitait. Dominic avait versé une prime afin de le faire monter pour elle.

— Ohmondieu, Dominic. Je vais rester debout toute la nuit avec ça.

— Si seulement tu pouvais, chérie. Pas avec Rosie. Tu as besoin de ton sommeil.

— Dieu du ciel, j'avais oublié pendant une minute. Je voulais vraiment avoir ce modèle.

— Je sais. Ils se sont dépêchés pour toi. Pompe quelques bouteilles de lait pour moi et je vais surveiller Rosie demain.

Il sourit.

— Tu pourras avoir du sexe avec ton nouvel ordinateur portable.

— Je vais te prendre au mot. Tu es sûr, maintenant ?

— Absolument. Rosie et moi nous nous entendons bien, tu sais.

Elle sourit.

— J'*ai* remarqué, répondit-elle en serrant l'ordinateur contre elle. Merci de tout cœur.

Il éclata de rire.

— Embrasse ton ordinateur portable, puis ouvre les autres paquets.

Dominic avait acheté tant de bijoux qu'il devait avoir rendu fous de joie plusieurs bijoutiers. À commencer par un énorme anneau d'émeraude Bulgari et un bracelet assorti.

— Pour aller avec tes yeux, dit-il.

Puis, elle ouvrit des boîtes contenant plusieurs types de boucles d'oreilles faites de chaque joyau imaginable, un collier de perles naturelles des mers du sud dont un en or et en perles de verre vénitiennes.

— Tu pourras porter celui-là avec un jeans, fit-il remarquer, et avec ça.

Il lui tendit un paquet qui contenait une paire de ballerines en velours noir Dior avec le dessin d'un arbre de vie. Il lui avait aussi acheté trois paires de bottes sur mesure et quatre robes dont deux de soirée, qui étaient courtes et sexy.

Finalement, il lui tendit deux enveloppes.

— Celle-là d'abord, dit-il.

À l'intérieur se trouvait la photo d'une Porsche 918 Spyder verte.

— C'est une voiture hybride, fit-il. Elle est excellente pour l'environnement et grimpe de 0 à 100 en quelques secondes.

Il ne mentionna pas le prix de 845 000 $.

— Et tu vas aimer celle-ci.

Il l'observa avec attention tandis qu'elle ouvrait la seconde enveloppe.

Elle lut ce qu'avait écrit Dominic sur la carte à l'intérieur.

Ta ville natale a besoin d'une nouvelle école primaire et les trois dernières émissions d'obligations ont été un échec. Nous pouvons construire une nouvelle école pour la ville et, si tu es d'accord, nous pourrons la nommer en l'honneur de Nana et de Roy.

Dominic avait rédigé un chèque en blanc à l'ordre de l'arrondissement scolaire.

Les larmes s'accumulèrent dans les yeux de Kate.

— Tu ne sais pas à quel point Nana a travaillé dur pour que ces émissions d'obligations fonctionnent.

Se mettant rapidement sur pied, il vint s'asseoir près d'elle et la prit dans ses bras.

— On me l'a dit. Mais ne pleure pas, chérie. Ils auront leur école, maintenant. Tout va bien.

Elle renifla.

— Avec les noms de Nana et de grand-père sur le portail.

— C'est bien, n'est-ce pas ?

Il prit une boîte de mouchoirs de papier sur la table de chevet et la déposa sur ses genoux.

— C'est tout simplement parfait, fit-elle en s'essuyant les yeux. Vraiment merveilleux. Tout ça est merveilleux, dit-elle en indiquant d'un geste les cadeaux sur le lit.

— Ce n'est rien en comparaison de ce que tu m'as donné, chérie, dit-il doucement. Tu m'as donné l'amour. Tu m'as donné une incroyable fille et fais de moi l'homme le plus heureux du monde. Et compte tenu de mes antécédents, c'était comme si tu m'avais fait grimper l'Everest plusieurs fois.

— Alors, tu es en train de dire que j'ai accompli un miracle, dit-elle en souriant.

— Tu es le miracle de ma vie, chérie, dit-il. Et en petit signe de mon appréciation…

Il ouvrit son peignoir et sourit.

— … un dernier cadeau.

— Tu t'en es souvenu, fit-elle en admirant sa magnifique érection nouée à sa base avec un ruban de soie blanche.

— Bien sûr que je m'en suis souvenu. Je respecte mes promesses, dit-il en souriant. J'ai seulement attendu que tu sois… prête.

— Parce que je n'aime pas la précipitation.

Il secoua la tête en riant.

— Parce que tu aimes la précipitation ; encore et encore. Nous avons besoin de temps pour ça.

Il dénoua le ruban et le jeta par terre.

— Maintenant, au risque d'évacuer le romantisme, condom ou retrait ? À toi de décider.

Kate ne prenait pas encore la pilule parce qu'elle donnait le sein. Elle aurait pu ne pas le faire, mais tous deux étaient surprotecteurs en ce qui concernait la santé de leur fille.

Elle plissa le nez.

— Les condoms sont…

— Un problème, je sais. J'en ai acheté qui ne sont pas en latex au cas où tu voudrais les essayer.

— J'aime te sentir.

— Alors, nous sommes sur la même longueur d'onde. Tu peux absolument te fier à moi. En fait, je me suis d'abord intéressé au tantra parce que je voulais apprendre à maîtriser mes éjaculations. Alors, ne t'inquiète pas. Donne-moi un menu, chérie.

— Je dirais une satisfaction immédiate.

— Un menu de 10 choix.

Elle sourit.

— Tu lis en moi comme dans un livre ouvert.

Mais ils venaient à peine d'adopter une délicieuse et langoureuse cadence sexuelle, et Kate soupirait doucement de plaisir pendant que Dominic songeait qu'il avait presque oublié à quel point il pouvait se sentir bien, quand le son d'un premier petit reniflement se fit entendre dans le moniteur pour bébé.

Dominic se tendit pendant une fraction de seconde, puis reprit son rythme.

Un deuxième reniflement, plus fort, se répercuta dans le silence de la chambre.

Dominic se retirait pour mieux replonger et il s'arrêta un moment avant de poursuivre.

Kate le regarda.

Il secoua la tête, puis replongea si profondément qu'il sentit sur sa gorge la chaleur du grognement de Kate.

Le premier petit pleurnichement jaillit du moniteur. Rosie se réveillait.

— C'est fini ? murmura Kate, les sourcils légèrement froncés.

Dominic sourit.

— Probablement.

— Vous revenez de loin avec vos fouets et vos menottes, M. Knight, murmura Kate d'un air moqueur.

Dominic rit doucement.

— Sans blague. Par ailleurs, dit-il d'une voix complaisante, tu n'as même pas encore eu le premier article sur le menu, alors bouche-toi les oreilles. Je vais faire ça vite.

Et il mit en pratique certains de ces talents que sa femme trouvait si attrayants, ces talents de maître qui faisaient en sorte que sa queue rigide se pressait constamment contre son point G à chaque plongée, suscitant une friction encore plus paradisiaque lorsqu'il se retirait lentement. Et, seulement pour faire bonne mesure, son index d'expert porta le clitoris de Kate à un degré de stimulation dont elle n'aurait jamais cru qu'il puisse exister.

Il ne la chronométrait pas, mais s'il devait le deviner, il dirait trois minutes avant que le cri de jouissance de Kate noie momentanément les geignements du bébé.

Ensuite, il attendit poliment moins longtemps que d'habitude parce que Rosie commençait vraiment à s'énerver. Il embrassa doucement Kate, puis murmura « Je dois y aller » et roula de sur elle et, une seconde plus tard, de sur le lit.

Il sauta d'un pied sur l'autre pour enfiler son pantalon en se rendant à la salle de bain. Après s'être rapidement lavé les mains, il se précipita dans la chambre de Rosie.

Les pleurs s'arrêtèrent. Deux minutes plus tard, Dominic revenait dans la chambre avec la fillette dans les bras, toute petite contre le grand corps de son père, toute rose contre sa peau bronzée.

— Dis salut à maman, murmura-t-il au bébé dodu qui le regardait. Elle vient aussi de se réveiller.

Pendant que Kate récupérait lentement de son tout premier orgasme depuis longtemps, Dominic changea la couche de Rosie et lui enfila un pyjama. Puis, s'assoyant sur le lit, il appuya sa fille contre ses genoux relevés pour qu'elle contemple le monde. Jetant un coup d'œil à Kate à demi endormie près de lui, il dit :

— Tu vas devoir la rendormir avec un peu de ton lait. Mais ça ira pendant quelques minutes. Changement de scène. Elle regarde autour d'elle.

Kate se tourna sur le côté et toucha les orteils de Rosie.

— Salut, mon cœur. Tu n'arrives pas à dormir ?

Dominic lui adressa un grand sourire.

— Je pense qu'elle ne veut pas que nous ayons du S-E-X-E.

— Trop tard, répondit Kate avec un sourire satisfait en faisant glisser sa main sur le bras de Dominic, puis en entrelaçant ses doigts avec les siens. Merci, merci, merci…

— Je dois m'assurer que mes deux filles soient heureuses, murmura-t-il. Ce n'est pas un mauvais boulot, même sans fouets et sans menottes.

— Parlant de…

— Un jour, peut-être, chérie. Nous verrons.

— Tu ne sais pas ce que j'allais dire.

— Oui, je sais. L'appartement est encore là.

— Je ne suis pas totalement contre, c'est ce que je voulais dire.

— Je sais ce que tu voulais dire. C'est seulement que je ne suis pas tout à fait certain de le vouloir.

— Je pourrais te faire changer d'avis, ronronna-t-elle avec un regard aguichant.

Il éclata de rire.

— J'ai bien peur que tu réussisses si tu continues à me regarder comme ça.

Puis, il baissa les yeux sur Rosie et secoua la tête.

— Nous pouvons parler de ça plus tard. Pas maintenant.

— D'accord.

Mais dans un recoin de son esprit, Kate entretenait encore une petite pensée perverse.

Les journées qu'ils avaient passées là représentaient un type de plaisir différent — ravageur et affamé, avide.

Il ne pouvait pas l'avoir oublié.

Quand Rosie eut 10 mois, Kate étonna Dominic en lui disant qu'elle aimerait retourner au travail. Alors, on installa une chambre d'enfant au bureau, et ils partagèrent la tâche d'élever l'enfant, alternant leurs horaires pour répondre aux besoins de leur fille. Toutefois, quand Rosie était fatiguée, seule sa mère faisait l'affaire. Elle allait trouver Kate, grimpait sur ses genoux, mettait son pouce dans sa bouche et s'endormait rapidement.

Parfois, quand leurs horaires de rendez-vous se chevauchaient, Dominic emmenait sa fille avec lui et, si elle s'agitait, il lui murmurait « Chut, Rosie, laisse parler le gentil monsieur », puis la berçait ou se levait et marchait avec elle. Même les géants de l'industrie passaient en seconde place par rapport à Rosie et s'étonnaient de voir un Dominic Knight domestiqué et fronçaient les sourcils, des plaintes occasionnelles et un flot continu de gazouillis et de textos s'échangeant à travers le monde.

Dominic Knight était un père trop indulgent, disaient-ils. C'était incroyable de le voir jouer les bonnes d'enfants. Qui l'eut cru ?

Inconsciente des bavardages ou des horaires compliqués, des collègues mécontents ou des activités d'affaires dans le monde que ses parents construisaient pour elle, Rosie grandissait. Elle avait tous les avantages, y compris deux parents aimants à son entière disposition. Il n'était peut-être que naturel qu'elle devienne une enfant brillante, compétente, bavarde.

Quand elle atteignit deux ans, elle parlait bien, ou rapidement tout au moins, sa prononciation encore imparfaite, mais Rosie ne semblait pas s'en rendre compte et parlait sans arrêt à qui voulait l'entendre. Kate les observait en souriant quand Dominic s'assoyait et écoutait sa fille avec la même concentration et le même intérêt qu'il accordait à n'importe lequel de ses associés d'affaires. Et elle songeait souvent que Rosie était sans doute le meilleur professeur que Dominic pourrait jamais avoir quand il s'agissait de parler de ses sentiments parce que la question préférée de Rosie était : « Pourquoi, papa ? ». Et quand il répondait, elle répétait, curieuse, et les yeux écarquillés : « Dis-moi *pouquoi* tu aimes ça, papa ». Et tandis qu'il répondait à tous ses pourquoi, Dominic apprit lentement à définir ses émotions avec une simplicité que sa fille pouvait comprendre.

L'innocence de Rosie, qui illustrait l'adage selon lequel la vérité sort de la bouche des enfants, modulait la réserve disciplinée de Dominic. Les démons de son passé s'éloignèrent lentement, le poids écrasant de ses souvenirs s'allégea, et il souriait davantage.

Bien que sur un sujet particulier, il ne changea pas. Il refusait de permettre à ses parents d'approcher Rosie.

Pendant les premières années de Rosie, une de ses activités préférées consistait à prendre le thé avec son père et ses jouets. La cafétéria de l'entreprise produisait quotidiennement toute une gamme de biscuits parce que les goûts de Rosie variaient et, comme tant de petits enfants, elle voulait ce qu'elle voulait quand elle le voulait.

Le rituel était toujours le même. Elle plaçait ses jouets dans un certain ordre sur le plancher du bureau de Dominic, indiquait du doigt les fesses de son père et attendait avec le calme et la patience d'un directeur de scène qu'il s'assoie, jambes croisées, sur le plancher. Puis, elle montrait à la dame de la cafétéria où déposer le plateau à thé, lui souriait, la remerciait et versait maladroitement la première minuscule tasse de thé pour sa poupée préférée.

Dominic ajustait toujours son horaire de rendez-vous les jours où Rosie voulait jouer à prendre le thé. Les PDG attendaient, les politiciens attendaient, ses gestionnaires attendaient, les ambassadeurs attendaient.

Rosie était son petit trésor.

Dominic enseigna à sa fille à surfer avant qu'elle ait trois ans. Il revint à la plage où Kate l'attendait ce premier jour parce qu'ils venaient d'apprendre qu'elle était à nouveau enceinte et les règles de sécurité de Dominic revinrent en vigueur. Il ne voulait pas qu'elle aille dans l'eau. Non pas qu'elle se soit plainte quand il avait finalement accepté d'avoir un autre enfant. Il souriait fièrement, sa fille bien en chair en combinaison humide dans ses bras. Et Rosie cria à trois mètres de distance tout en levant les yeux vers son père : « Papa, *ai* ça dans le sang ? ».

— Oui, tu as ça dans le sang, répondit-il en se penchant pour lui embrasser la joue. Tu deviendras une grande surfeuse.

Kate éprouva une profonde inquiétude parce que son bébé était petit et que les vagues ne l'étaient pas. Mais elle savait également que Dominic protégerait la vie de sa fille au prix de la sienne. En fait, il avait embauché une autre équipe de sécurité qui ne se consacrait qu'à elle.

Ils passaient tous les mois d'août dans la ville natale de Kate. Nana adorait leur présence, et Kate et Dominic aimaient la petite ville paisible et leur maison sur le lac. C'étaient en quelque sorte des vacances, bien que ni l'un ni l'autre ne soient complètement libérés du travail, mais ils allégeaient délibérément leurs horaires pendant ce mois.

Un matin, Dominic et sa fille se trouvaient à la boulangerie pour aller chercher leurs pâtisseries du petit déjeuner. Au nord du Minnesota, la température pouvait être fraîche même en août et tous deux portaient des chandails. Elle était assise sur les épaules de son père, mangeant un biscuit pendant qu'il payait les pâtisseries, lui arrosant la tête de miettes.

— Nous avons des *bicuits* pour mon *fère* ? demanda-t-elle en tapotant la tête de Dominic avec son biscuit rose saupoudré de sucre. Il aime les *bicuits.*

— Jimmy a le biscuit au sucre et celui au chocolat que tu as choisis. Est-ce que c'est assez ?

— Plus, papa, *plus !*

Dominic eut un petit sourire bref en se demandant ce que « plus » pourrait signifier 10 ans plus tard quand les biscuits et les jouets ne suffiraient plus.

— Choisis quelques autres biscuits, alors. Tout ce que tu penses que Jimmy pourrait aimer.

À six mois, ça n'avait pas vraiment d'importance ; l'enfant mettait tout dans sa bouche.

Non plus qu'importait le nombre de biscuits que Rosie voulait aujourd'hui ou demain ou la semaine suivante. Ses enfants pouvaient lui demander n'importe quoi.

Il ne leur refusait rien.

Parfois, Kate s'offusquait de quelque extravagance, mais pas souvent.

Dominic s'était vu refuser une enfance. Elle ne pouvait lui reprocher de vouloir compenser ce manque et donner à ses enfants ce qu'il n'avait jamais eu — un amour inconditionnel et la joie de l'innocence.

Mais quand James eut presque un an, Dominic fit asseoir Kate dans le salon un soir après que les enfants se soient endormis.

— Je suis un peu tendu, dit-il.

Elle s'était rendu compte de son malaise depuis qu'ils étaient revenus chez eux parce qu'il était manifestement agité.

— Oh, mon Dieu, es-tu malade ? demanda-t-elle d'une voix paniquée.

— Non, non, je vais bien, répondit-il en l'entourant de ses bras. Mais j'ai une sérieuse question à te poser.

Elle se sentit si soulagée qu'elle réagit excessivement avec une blague.

— Si tu veux me demander le divorce, la réponse est non.

Une grimace se dessina immédiatement sur les lèvres de Dominic.

— Ne fais pas de blague à propos de ça. Et ne va jamais croire que tu en obtiendras un, parce que ça n'arrivera pas.

— Hé !

Il posa son doigt sur la bouche de Kate.

— Je ne veux pas me quereller en ce moment, alors calme-toi. Je veux te demander quelque chose d'important.

Pendant une fraction de seconde, il lui fit penser à son grand-père quand il était d'humeur solennelle.

— Désolée, dit-elle en cédant immédiatement. J'écoute.

— Qu'est-ce que tu penserais de ne pas avoir d'autres enfants ?

Sa voix était super calme, son ton plein de retenue.

— Toi, qu'en penserais-tu ?

— J'ai demandé d'abord.

Elle remarqua sa sévérité, la façon dont il l'observait comme il le faisait par le passé, ses émotions dissimulées.

— Je ne sais pas. Je n'y ai pas pensé, mais toi tu dois l'avoir fait.

Il prit une inspiration, puis inclina la tête.

— Je préférerais ne pas en avoir d'autres.

— OK.

Il écarquilla les yeux.

— Vraiment ?

— Oui, vraiment, fit-elle en souriant. Je sais à quel point mes deux grossesses ont été difficiles pour toi. Tu as été vraiment gentil de te conformer à mes souhaits en me donnant nos deux enfants. Pourquoi je n'essaierais pas de te rendre heureux aussi ?

— Tu le fais chaque seconde de chaque jour, Katherine, répondit-il doucement. Je ne pourrais pas supporter de te perdre, c'est tout.

Il inspira profondément, puis ferma brièvement les yeux.

— Je ne peux tout simplement pas.

— Alors, nous n'aurons plus d'enfants.

Il exhala, sentit la terre se replacer sur son axe.

— Merci, chérie. S'il s'agit d'une énorme concession, je vais te donner une compensation pour ça. Dis-moi seulement comment et je vais le faire.

— Je n'ai besoin de rien, Dominic. Tu m'as donné deux beaux enfants, une vie magnifique.

— Et mon cœur, murmura-t-il.

Elle sourit.

— C'est très bien alors, parce que tu as aussi le mien.

Il lui toucha délicatement la bouche, son doigt frôlant sa lèvre inférieure.

— Je n'aurais jamais cru être aussi heureux. Je n'ai jamais cru l'être jusqu'à ce que tu entres dans ma vie.

Un bref silence s'installa, la télé muette dans le coin inondant la pièce de lueurs vacillantes, la lumière clignotante sur le moniteur de bébé une pulsation silencieuse. Les enfants dormaient à l'étage, le monde bourdonnait autour d'eux, mais s'ils écoutaient bien, la cadence étourdissante de leurs cœurs se faisait entendre doucement dans la pièce, un chœur d'amour.

— Nous sommes chanceux, toi et moi, murmura Kate.

Les yeux de Dominic étaient d'un bleu clair et très près de son visage.

— Je vais m'assurer à ce que notre chance se maintienne, dit-il doucement, parce qu'il l'avait cherchée trop loin et trop longtemps pour douter de la rareté de leur amour, à quel point l'équilibre du bonheur était fragile devant les catastrophes personnelles.

Puis, calmement déterminé, refusant l'échec, ses yeux débordants de tendresse, cet homme qui avait surmonté tant d'obstacles, qui détenait un pouvoir sans limites, dit avec une confiance indiscutable :

— Je promets que nous serons toujours heureux.

Et il sourit.

— Je peux faire en sorte que ça arrive, tu sais.

Le sourire de Kate était si beau que le cœur de Dominic faillit s'arrêter.

— Je sais, dit-elle en portant la main à son visage et en écartant les cheveux sur ses tempes, l'odeur musquée de son shampoing lui rappelant cette nuit à Hong Kong longtemps auparavant, quand tout cela avait commencé. Tu peux tout faire.

ÉPILOGUE

Deux ans plus tard
Paris, 2 h 25

— Merde, ils ne savent pas l'heure qu'il est ici ? grommela Dominic tout en comprenant que ses appels venaient de partout dans le monde.

Il roula sur lui-même, saisit le téléphone sur la table de chevet et tapa l'icône de réponse.

— Tu ne vas pas aimer entendre ça, mais je viens juste de voir ta nièce Nicole.

Dominic reconnut la voix traînante de Julian Wilson, à Los Angeles ; ils s'étaient rencontrés par hasard la veille lors d'un dîner d'affaires.

— Alors ?

— Au Chandelier Club.

— *Quoi* ? s'exclama Dominic en s'assoyant au bord du lit.

— Elle est avec un mec quelconque et elle ressemble à une novice.

Dominic se dirigea à grands pas vers sa salle d'habillage.

— Sans blague. Écoute, demande à Raoul de les retarder ou enferme-les s'ils sont déjà dans une pièce. Discrètement, pas de scène. J'y serai dans un quart d'heure.

Kate l'avait suivi et se tenait debout sur le seuil.

— Tu seras où dans un quart d'heure ?

Il lui servit rapidement une version courte pendant qu'il enfilait son boxeur et un jeans. Il appela ça une boîte de nuit.

— Nicole a presque 22 ans, Dominic. Peut-être qu'elle va bien.

Il passa un chandail marine sur sa tête.

— Nicole a trop souvent fait de mauvais choix.

Il l'avait plusieurs fois tirée d'un mauvais pas au fil des années.

— Est-ce que ça ne devrait pas être le problème de ses parents ? Je dis ça comme ça. Elle n'aimerait peut-être pas te voir faire irruption dans une quelconque boîte de nuit.

— Je ne veux pas le lui demander et ses parents ne savent pas ce qu'elle fait. Qu'as-tu révélé à tes grands-parents à propos de ta vie sexuelle ?

— Il n'y avait pas beaucoup à dire.

— Mais tu ne leur as rien raconté quand même, n'est-ce pas ?

Sa voix était assourdie pendant qu'il tendait la main vers une armoire et en tirait une paire de souliers.

— Grand-père leur aurait foutu la trouille.

— D'après ce que j'ai entendu à propos de Roy, je devine qu'il aurait déjà vérifié leurs antécédents et qu'il aurait laissé aller les choses.

Il glissa les pieds dans des bottes de suède de style safari et noua rapidement les lacets.

— Je serai de retour dans moins d'une heure. Ferme les portes des enfants, tu veux bien ? Au cas où Nicole hurlerait après moi en revenant.

— Sois gentil, Dominic. Elle n'aimerait pas que tu surveilles ses activités.

— Je ne le fais pas. Merde… bien que j'aurais dû. Heureusement que Julian a appelé.

Il prit des clés de voiture sur la commode. Il ne voulait pas perdre son temps en demandant à Henri d'amener la voiture. Il s'arrêta un instant pour embrasser Kate, puis tapota ses fesses nues.

— Ferme les portes des enfants et retourne au lit, chérie. Ce n'est pas nécessaire de gâcher ton sommeil.

Quand il arriva au Chandelier Club, il freina brutalement, directement devant la porte, sortit, empocha ses clés et s'écria « Va te faire foutre » au valet qui avait commencé à lui crier de déplacer sa voiture.

— Je suis ici pour voir Raoul.

L'homme recula comme s'il s'était brûlé. Raoul était propriétaire de ce club de sexe de luxe et de 10 autres en Europe. Il avait des relations, mais non avec l'aristocratie. Dominic le connaissait depuis longtemps et avait fait beaucoup d'affaires avec lui dans le passé. Ils étaient des amis, des connaissances et, auparavant, des compagnons de vice.

Raoul l'attendait dans le vestibule.

Dominic lui adressa un sourire tendu.

— Elle est encore ici ? demanda-t-il.

Raoul acquiesça.

— Je ne savais pas qu'elle était ta nièce. Ils ne l'auraient pas laissée entrer si nous l'avions su.

— *Moi-même*, je l'ignorais. Alors, ne t'en fais pas. Je suppose que tu n'as pas de peignoir, au cas où. Je vais la faire sortir dans à peu près 10 secondes.

Raoul claqua des doigts et un videur se précipita.

— J'ai besoin d'un peignoir. Nous allons te rejoindre dans la chambre 14. Je veux que tu y sois avant nous.

Quand il termina sa phrase, l'homme lui avait déjà tourné le dos.

Le propriétaire du club et Dominic traversèrent le luxueux bar — tout en verre, en onyx, avec chandeliers de cristal et moquette somptueuse —, puis le salon principal encore plus somptueux, orné de fresques, avec des meubles anciens et des lumières tamisées. Les deux pièces étaient remplies de corps habillés et nus, tous ces gens drogués ou ivres, au milieu d'une manifestation d'exhibitionnisme sexuel.

— Tu as fait un mariage heureux, m'a-t-on dit, fit Raoul comme s'il n'y avait pas plein de gens qui forniquaient autour d'eux.

— Oui, répliqua Dominic simplement.

Ayant fréquenté des endroits comme celui-ci pendant des années, il ne réagissait pas au spectacle.

— Et foutrement chanceux de l'être. Tu as des enfants, n'est-ce pas ?

Raoul approchait la cinquantaine avec la forme que conférait un entraîneur personnel, bien habillé, élégant. Il était marié depuis toujours, se souvint Dominic.

— Ils sont à Barcelone avec leur mère. Ce sont des enfants extraordinaires. Tous deux à l'université, maintenant. Les tiens sont jeunes ?

— Oui, répondit Dominic en souriant. Et précieux.

Il soupira doucement.

— Ma nièce était absolument adorable il n'y a pas si longtemps. La dernière fois où ma sœur m'a parlé d'elle, Nicole était dans mon appartement de Monaco et prenait une pause après l'université. Nous nous sommes fait avoir. Foutue petite menteuse.

— Fais-lui un sermon de ma part aussi. Ce n'est pas un endroit pour une jeune fille ici.

— Qui l'a emmenée ?

— Je ne sais pas. Nous allons le trouver. Tu veux que je l'exclue du club ?

— Non. Je me fous de ce qu'il fait pourvu qu'il ne soit pas avec Nicole.

Quand ils arrivèrent, un videur se tenait debout à la porte de la pièce, un peignoir de soie noire sur le bras.

— La porte est déverrouillée, murmura-t-il.

Dominic inclina la tête, prit le peignoir.

— Merci, dit-il avant de se retourner vers Raoul. J'y vais seul. Dieu sait ce qu'elle est en train de faire. Je te remercie pour ta compréhension.

— Quand tu veux, mon ami[14].

Dominic tourna la poignée, ouvrit la porte, entra, la referma brutalement derrière lui, jeta un coup d'œil au couple nu qui se séparait rapidement à son entrée et lança le peignoir sur le lit.

— Mets ça, gronda-t-il.

Nicole laissa échapper un cri, s'assit rapidement et remonta le drap sur sa poitrine.

— Qu'est-ce que tu fais ici ? hurla-t-elle tout indignée.

« Et elle est défoncée », se dit-il.

14. N.d.T.: En français dans le texte original.

— La ferme. Je te ramène à la maison.

Elle ne bougea pas, les yeux plissés, l'air déterminé.

— Mets ce foutu peignoir, s'écria Dominic, puis il foudroya du regard le salaud étendu nu près d'elle et qui le regardait d'un air narquois.

— T'es qui, toi, merde ? gronda Dominic.

— Qui demande ?

Un accent languissant derrière son air narquois, un petit haussement d'épaules qui fit onduler les longs cheveux noirs sur ses épaules.

— Contente-toi de me répondre, enfoiré.

Mais Dominic comprit en observant les tatouages sur le membre en érection de l'homme. Il avait vu cette queue tatouée à Tokyo à l'époque où il ne connaissait pas encore Katherine. Même au milieu d'une orgie de groupe, même en se concentrant pour s'envoyer en l'air, on ne pouvait s'empêcher de remarquer une telle chose. Le jeune héritier de la fortune d'une entreprise pharmaceutique suisse était tout jeune à l'époque. Alors, il devait avoir 25 ou 26 ans, maintenant, et soit qu'il avait pris quelque produit pharmaceutique qui gardait son membre en érection, soit que le fait d'être vu l'émoustillait.

— En fait, je te connais. Alors, garde ta queue tatouée loin de ma nièce. C'est compris, connard ?

— Et si je refuse ?

— Ne va pas trop loin, garçon.

— Oooh, je suis vraiment effrayé.

— Tant mieux, fit Dominic en ignorant le sarcasme. Tu fais bien de l'être.

Il regarda sa nièce.

— Merde, Nicole, à quel point es-tu défoncée ?

Elle était retombée sur le lit, ses cheveux noirs un enchevêtrement de boucles étalées sur les oreillers, les yeux à demi fermés et le regard vide.

Jurant doucement, Dominic se rendit au lit et obligea Nicole à enfiler le peignoir, éprouvant un fort sentiment de déjà vu[15] en se souvenant de toutes les fois où il avait lutté pour lui faire mettre ses vêtements quand elle était bébé.

— Foutu connard, marmonna-t-il en foudroyant du regard le riche voyou qui n'avait pas bougé. Tu aimes baiser des morts ?

Refermant le peignoir autour de sa nièce inerte, il noua la ceinture et la prit dans ses bras. Puis, il s'arrêta soudain et parcourut la pièce des yeux pour trouver le sac à main de Nicole — cartes de crédit, téléphone, cartes d'identité — toutes ces choses qu'on ne voulait pas laisser dans un endroit pareil.

— Ah, voilà.

Il marcha jusqu'au canapé d'un rose brillant, se pencha, attrapa d'un doigt la sangle du sac à main, puis se dirigea à grands pas vers la porte. Il tourna la poignée, sortit, referma brutalement la porte du pied et s'éloigna en entendant un bruit de bois frappant du plâtre.

Il y avait deux videurs dans le corridor qui attendaient pour l'escorter à travers la foule et Dominic atteignit l'entrée en un temps record. Les hommes l'accompagnèrent à l'extérieur, jusqu'au bas des marches et, après avoir déposé Nicole dans les bras de l'un d'eux, il sortit ses clés, ouvrit les portes de la voiture, jeta le sac à main de Nicole sur la console et démarra le moteur. Revenant à l'homme qui tenait Nicole, il la prit dans ses bras, la transporta jusqu'à la voiture, la déposa doucement sur le siège, attacha sa ceinture de sécurité et referma lentement sa porte.

15. N.d.T.: En français dans le texte original.

Adressant un remerciement aux videurs, il contourna la voiture et se glissa derrière le volant.

Tandis qu'il rapportait l'auto dans la rue, il éprouva un bref sentiment d'inquiétude.

Qu'arriverait-il, s'il devait aller chercher Rosie dans un endroit comme celui-ci un jour ?

Merde.

Il lança un coup d'œil à Nicole qui dormait paisiblement et il soupira.

Qui l'aurait cru ?

Il se foutait du temps qu'il avait passé dans des clubs comme celui de Raoul. Évidemment, il se foutait pratiquement de tout à cette époque. Par contre, il devait admettre qu'il éprouvait un rare sentiment de pudeur quand il s'agissait de Nicole. C'était peut-être seulement parce qu'il savait que Melanie n'approuverait pas, sans mentionner que Matt aurait probablement tué le petit connard dans le lit avec elle. Mais, en fin de compte, Nicole n'avait pas vécu la même vie que lui, elle avait eu une enfance normale. Le club de Raoul était un endroit beaucoup trop pervers pour elle.

Elle n'était pas prête à fréquenter un tel lieu.

Il conduisit lentement pour éviter que la tête de Nicole ne glisse contre la vitre et descendit la rampe abrupte jusque dans le garage sous l'immeuble d'habitation encore plus lentement pour éviter qu'elle ne glisse de son siège. Mais le sourd grondement du puissant moteur dans cet espace restreint se répercuta sur les murs en un fort grondement.

Nicole se réveilla.

— Où sommes-nous, demanda-t-elle d'une petite voix, comme si elle se trouvait à 1000 kilomètres de distance.

— Nous arrivons à l'appartement. Et je te défends d'élever la voix quand nous y serons parce que les enfants dorment.

Il tourna dans son espace de stationnement.

— Il est comme toi, Nicky, dit-elle d'une voix rauque, à demi endormie ou ralentie par les drogues.

— Bon Dieu, ne dis pas ça, répondit Dominic en éteignant le moteur. C'est la dernière chose que je veuille entendre.

Elle tourna la tête pour le regarder, ses yeux du même bleu que ceux de Dominic, le regard plus clair maintenant, comme si le fait de revenir dans le monde était devenu possible.

— Je ne parle pas du club de sexe, dit-elle avec un petit geste dédaigneux. Je veux dire que Rafe est intelligent et drôle et qu'il est bon avec moi.

Dominic prit une profonde inspiration.

— Nicole, ma chérie, tu es tellement jeune. Tu trouveras plein de garçons qui seront bons avec toi. Choisis quelqu'un d'autre.

Il tendit le bras et déboucla la ceinture de sa nièce.

— Maintenant, viens, je t'emmène à l'étage.

Dominic possédait l'immeuble sur l'Île St-Louis, son appartement couvrant le dernier étage en entier, la vue sur la cathédrale Notre-Dame, époustouflante.

— Katherine te trouvera un pyjama. Et personne ne doit savoir ça. J'ai lui ai dit que c'était une boîte de nuit.

— Elle ne dira rien à maman, n'est-ce pas ?

— Il n'y a rien à dire. Cette boîte de nuit n'était pas un endroit pour toi. Je t'ai ramenée à la maison. Point final.

— Merci, Nicky. Je veux dire, de n'en parler à personne.

— Tu ferais mieux de me remercier de t'avoir sortie de ce foutu lit. Ton copain te fera du mal. Crois-moi sur parole, Nicole. Tu ne le sais pas. Moi si, OK ?

— OK, Nicky.

Mais elle avait senti la faible vibration de la sonnerie de son téléphone cellulaire dans le petit sac à main brodé ayant glissé de la console et tombé sur sa hanche. Elle détourna le regard et sourit.

C'était Rafe qui l'appelait.

Elle le savait.